COMO SER UM ROCK STAR

Dados Internacionais de Catalogação na Publicação (CIP)
(Câmara Brasileira do Livro, SP, Brasil)

Mafra, Guga
  Como ser um rockstar / Guga Mafra. - 1. ed. - São Paulo :
Editora Melhoramentos, 2021.

  ISBN 978-65-5539-265-4

  1. Mafra, Gustavo 2. Rock 3. Romance biográfico brasileiro
I. Título.

21-64917   CDD-B869.3

Índices para catálogo sistemático:
1. Biografia romanceada : Literatura brasileira B869.3

Maria Alice Ferreira - Bibliotecária - CRB-8/7964

Capa, projeto gráfico e ilustrações: Giovanna Cianelli
Diagramação: Bruna Parra

Direitos de publicação:
© 2021 Editora Melhoramentos Ltda.

1ª edição, agosto de 2021
ISBN: 978-65-5539-265-4

Apresentado por:

STORYTELLING

Atendimento ao consumidor:
Caixa Postal 729 – CEP 01031-970
São Paulo – SP – Brasil
Tel.: (11) 3874-0880
sac@melhoramentos.com.br
www.editoramelhoramentos.com.br

Impresso no Brasil

COMO SER UM ROCK STAR

GUGA MAFRA

Editora **Melhoramentos**

A ficção faz sentido.
A vida real, não.

(Tom Clancy, citada pra mim por Fábio Yabu)

Dedicado ao Eric e à Patricia,
as duas pessoas que fazem eu me sentir
um rockstar em tudo que faço.

PREFÁCIO

Esta é uma história de origem. Não como a de um super-herói – você não vai encontrar aqui aranhas radioativas nem poderes mutantes, apesar de algumas demonstrações de resistência sobre-humana, telepatia, manipulação de ondas sonoras e até mesmo um voo involuntário aparecerem nesta história. Essas habilidades são apenas efeitos colaterais pouco conhecidos da adolescência. As pessoas geralmente focam nas espinhas e naquele monte de cabelo e se esquecem que, às vezes, ter 15, 16 anos é como ter superpoderes. Quem afinal nunca se sentiu invencível e, outras vezes, invisível? Como seria possível um coração (ou um fígado) sobreviver a tantos ferimentos se não fosse por um fator de cura?

Durante toda a sua saga, nosso herói Guga Mafra já passou por tudo que é fase. A origem conturbada nos anos 90, a descoberta da música, os perrengues, os shows e, é claro... as garotas. O Guga desta obra está sempre apaixonado. É isso que os adolescentes fazem, e é isso que as pessoas com um coração enorme como o dele continuam fazendo ao longo da vida. Você pode abrir o livro da vida do Guga em qualquer página e – alerta de *spoiler* – vai vê-lo apaixonado por alguém, por sua família e por seus amigos, por ideias, se movendo e movendo o mundo junto com ele.

Esta obra que você tem nas mãos fala um pouco de todas essas paixões. Mas fala principalmente da paixão sobre-humana do Guga por histórias do cotidiano, pelo extraordinário que existe no espaço entre duas mãos, por tudo que podemos aprender com a música do outro e tudo o que podemos dizer com um riff de guitarra.

Hormônios, acordes, paixões, rimas, corpos e ideias. No meio de tudo isso, alguém tentando encontrar seu lugar no mundo. Tem muita coisa aqui. Tem um amigo e tem um marido. Tem um pai e tem um filho. Tem drama, risadas, reviravoltas... E, o melhor de tudo, esta história está só começando. Eu não disse que era de origem?

Fábio Yabu

◁◁ ☀▷- ▷▷ ❚❚ ☐

PRÓLOGO

ESTRELA DO ROCK 'N' ROLL

Eu tinha 8 anos. Estava no meio de uma aula qualquer da terceira série, apren-dendo partes do corpo humano ou a separar sílabas. Como de costume, eu não conseguia prestar atenção no que a professora, que a gente chamava de tia, fa-lava. Dessa vez não era por conta do meu completo desinteresse pelo assunto, e sim por causa de um barulho. Um zunido ritmado que vinha de longe.

Um barulho que parecia... Bom, pareciam panelas batendo umas nas outras. Tinha gente gritando. Às vezes parecia que era de medo; às vezes, de alegria. Tipo numa montanha-russa. E tinha um zunido, um som estridente, como um mosquito, ou vários mosquitos, mas formando uma música. Eu só conseguia prestar atenção naquilo.

Eu tinha 8 anos numa turma de crianças de 9. Um ano é um abismo de diferença nessa idade. Eu era um pouco tímido, não gostava de falar em sala, mas tomei coragem e pedi pra sair e ir ao banheiro. Eu sei que parece banal, porém, levantar a mão, interromper a aula, ter toda a classe prestan-do atenção em mim enquanto eu pedia permissão pra sair da sala (ainda mais por causa de uma necessidade fisiológica) era um ato de bravura pra mim. Acho que aquele barulho de ferro batendo acelerou a urgência, e eu simplesmente agi.

Permissão concedida, saí pelo pátio destinado aos pequenos, como éramos chamados. O Colégio Península, onde eu estudava, tinha alunos que iam do jardim de infância até o último ano do segundo grau. Era um colégio enorme, com três prédios formando um U, com um pátio a céu aberto no meio. Um desses prédios, o menor, abrigava os alunos do primário e tinha um minipátio coberto, com portas de vidro que separavam os pequenos dos grandes – os alunos da quinta série em diante, que tinham acesso ao pátio externo.

E eles estavam todos lá, aliás, como eu pude ver pelas portas de vidro. Todos virados para o fundo do pátio, de onde a barulheira vinha. Meio sem pensar, fui em direção à porta, que ficava sempre destrancada, e estranhamente, nesse momento, estava sem um funcionário do colégio regulando a entrada e a saída. Sei lá por quê. Em geral, eu era um menino obediente, mas, agindo como um inseto atraído pela luz, fui até a porta e saí.

Do outro lado, o barulho ficou terrivelmente alto. As panelas batendo, agora, pareciam uma cavalaria. Os gritos pareciam um exército. Aquele zunido se transformou num estrondo que tornava impossível ouvir meus próprios pensamentos. Era massacrante, atordoante, ainda mais em meio a um monte de adolescentes bem maiores que eu.

Eu achei FODA!

Sem pensar no que estava fazendo, fui andando no meio dos "grandes", tentando achar um espaço que me permitiria ver o palco para o qual eles estavam virados. E lá estava a primeira banda de rock que eu vi ao vivo na vida. Até então, eu já tinha visto alguns videoclipes, mas minha ideia de uma banda tocando ao vivo era de uns quatro ou cinco caras, com instrumentos desligados, fazendo playback no Chacrinha ou no Silvio Santos. Não tinha nada a ver com aquilo.

Ali eu vi um cara esmurrando a bateria pra fazê-la soar alto o bastante sem amplificação. O som dos tambores e dos pratos sendo espancados ao ar livre não tinha nada a ver com o que você ouvia em um disco. Ainda mais nos anos 80. Guitarras e baixos eram como armas espaciais. Como o brinquedo mais legal e mais caro que eu já tinha visto nas mãos de alguém. E faziam um barulho como uma serra elétrica gigante cortando na transversal um Opala com o motor ligado.

O vocalista era a coisa mais irada que eu já tinha visto. Um Jim Morrison vestido de Rob Halford. O que na minha imaginação, na época, era uma espécie de super-herói, tipo um Snake Plissken, ou um personagem de *Mad Max*. Ele cantava gritando ao microfone "Polícia para quem precisa!", e a galera respondia: "Polícia para quem precisa de polícia!". Que FODA! Que IRADO! Essa era a coisa mais radical, mais rebelde, mais incrível que eu já tinha visto em toda a minha vida.

Eu já tinha ouvido os termos "heavy metal", "rock pauleira", coisas do gênero. Era época pós-Rock in Rio, e a gente via referências em séries de TV, como *Armação Ilimitada*. Mas ao vivo, cru, era muito melhor. Era muito mais impressionante. Era como ver pela primeira vez um avião gigante, com a turbina ligada na sua cara, e não voando pequenininho no céu. Era brutal.

O tecladista emendou uma versão de "Light My Fire", do The Doors, no meio do cover de "Polícia", dos Titãs. Eu e toda a plateia ficamos hipnotizados com aquele solo de teclado, enquanto o vocalista, deitado no chão do palco, urrava a música em inglês, que pra mim também soava como algo mágico, espacial.

Fiquei até o fim. Assisti à banda encerrar o show com um cover de "Bichos Escrotos", a coisa mais punk e agressiva que eu já tinha visto. Vi o guitarrista jogar a guitarra no chão e depois se jogar em cima da plateia. Vi o baterista arremessar as baquetas para os alunos enlouquecidos, que tentavam pegar um suvenir daquele momento. E vi o vocalista ser agarrado por uma menina! Sem nenhum esforço. Eu mal conseguia dirigir uma palavra a uma garota, e o cara estava sendo agarrado sem falar nada.

Depois descobri que esse momento apoteótico era a Semana Cultural do Colégio Península, um evento anual no qual as turmas apresentavam seus dotes artísticos, esportivos e competiam em uma gincana. Aquela superbanda-punk-heavy-metal-pauleira-hardcore-espacial-superstar que eu tinha visto era só os alunos de alguma classe que se juntaram pra se divertir. Mas pra mim foi equivalente ao Queen tocando em Wembley misturado com os Ramones tocando no CBGB.

Eu queria continuar ali e, quem sabe, ver a próxima banda, mas um bedel da escola finalmente me avistou. Um menino de 8 anos de uniforme no meio dos adolescentes. Ele me pegou pela mão e me levou de volta pra sala.

Momentaneamente, eu tinha sido contagiado por aquela demonstração de rebeldia e desdém pelas regras e estava pronto pra confrontar o bedel, minha professora, minha turma, quem quer que fosse. A frase "vão se foder" ainda ressonava na minha cabeça.

Mas não foi preciso. O bedel falou que eu estava perdido, a professora aceitou e eu voltei pra minha sala sob os olhares desconfiados e impressionados dos coleguinhas, que sabiam que ninguém se perdia no caminho até o banheiro. Uma pequena vitória.

Sentei à minha mesa e comecei a desenhar nas bordas de algum livro-texto o que tinha acabado de ver. Guitarras, bateria, caveiras... Mais tarde, naquele mesmo dia, eu subiria em cima da cama, como se ela fosse um palco, e "tocaria" uma velha raquete de tênis, reproduzindo exatamente aquele momento, cantando "Polícia", "Light My Fire" e "Bichos Escrotos". Foi ali, naquele dia, que eu decidi o que queria ser quando crescesse.

Um rockstar.

CAPÍTULO 1
VENHA COMO VOCÊ ESTÁ

Eram mais ou menos 16 horas, horário do intervalo no turno da tarde no Colégio Península, onde eu tinha estudado quando criança e pra onde tive que voltar já no final do segundo grau. Impossível não lembrar o quanto esses muros pareciam intransponíveis na época em que eu era pequeno, e como era fácil escalar e passar por cima deles agora. Bastava um impulso, uma pisada no meio do muro, se agarrar no topo dele e se jogar pro outro lado. E, pronto, podia passar o resto da minha tarde vagando pela cidade.

Aquelas poucas horas de silêncio e tranquilidade andando pelas ruas de Brasília enquanto economizava o dinheiro do ônibus eram um escape da situação difícil da minha vida naquele momento. Por um lado, ir pra escola era insuportável. Eu odiava tudo o que tinha nela. Por outro, não podia deixar minha mãe descobrir que eu estava faltando às aulas. E lá no fundo eu sabia que precisava passar de ano e me formar.

Eu me coloquei naquela situação – a de frequentar uma escola que odiava – porque fui "convidado a me retirar" da escola onde estudava antes. Não que eu a amasse. Mas era bem mais tolerável e confortável, porque eu tinha alguns poucos amigos e conhecia o território, no qual agora eu não era mais bem-vindo.

Quando rolou esse "convite pra sair", eu me conformei e já tinha até desistido de estudar. Talvez simplesmente não fosse pra mim. Talvez eu fosse um desses caras que não se formou, sabe? Já tinha conhecido alguns e eles eram até bem-sucedidos. Eu já sonhava com a perspectiva de nunca mais ter que ver um professor na minha frente, mas minha mãe persistiu e descolou mais uma chance em uma sala de aula pra mim.

Ela pegou um ônibus, foi até o Colégio Península e falou com a Dona Miranda, proprietária da instituição. Uma velha senhora que parecia ser bem rica, *workaholic* e não muito amistosa. Eu lembrava dela e da reputação de bruxa má que ela tinha dos tempos em que estudara lá quando criança. Eu não conhecia muito bem a história, mas sabia que elas haviam brigado no passado e não era muito fácil pra minha mãe engolir o orgulho e, humildemente, pedir uma bolsa de estudos pra que eu pudesse me formar. Mas ela fez exatamente isso. Foi até lá, sentou na sala de espera e aguardou; cumprimentou uma ex-amiga que não via havia anos e pediu um favor. Conseguiu uma vaga pra mim no turno da tarde, no qual a própria Dona Miranda era diretora, e no qual eram alocados os estudantes "de favor" e outros rejeitados de escolas de Brasília, duas categorias nas quais eu me encaixava.

Então, embora eu desse um jeito de matar aulas todos os dias, fazia isso com remorso e preocupação. Nos primeiros dias, decidi só não descer do ônibus. Ficava a tarde inteira rodando no Grande Circular e, quando passava das 18 horas, eu simplesmente descia e ia pra casa. Parecia um plano ótimo, mas era cansativo demais ficar rodando, e acho que o cobrador e o motorista começaram a ficar incomodados com a presença daquele menino de cabelo desgrenhado, camiseta do Slayer e tênis todo remendado durante um dia inteiro!

Além do visual punk-thrash-metal-satânico, eu fazia questão de andar com a cara mais fechada possível. Eu sabia que não tinha como meter medo nas pessoas, então nem tentava isso. Mas queria ser visto como um ermitão, um cara calado que não fala com ninguém, alguém de quem não valia a pena se aproximar. Pelo menos esse objetivo eu acho que estava atingindo.

Mas eu precisava começar a ir para o colégio porque não queria decepcionar minha mãe mais do que havia decepcionado até então. Por isso, decidi pelo meio-termo. Assistia às aulas até a metade – ficava calado no fundo da sala, os professores me viam, a Dona Miranda me via –, mas eu não precisava passar o intervalo sozinho num canto, nem tinha que me enturmar com ninguém. Eu simplesmente ia embora e perdia as três últimas aulas. Fiz isso por vários meses.

O colégio era enorme, como descrevi no prólogo, e com o passar dos anos ele ficou ainda maior. Foi construído mais um prédio, um ginásio esportivo que parecia uma nave espacial e quadras de esporte de primeira qualidade. No turno da tarde, ele ficava meio vazio, o que funcionou muito bem pro meu plano de ir embora mais cedo. A cada dia eu descobria um novo ponto de fuga: uma nova cerca meio solta, um muro que dava pra pular, uma porta que não trancava, uma janela numa sala vazia. Acabei me tornando especialista em sair do colégio sem autorização.

Apesar da minha tentativa de ser discreto, essa minha expertise se tornou conhecida pelos outros alunos. Caras da minha turma vieram me pedir pra ajudá-los a ir embora mais cedo. Foi surpreendente. Fiz o máximo esforço pra manter minha cara fechada, falar pouco, mas acabei dando pra eles dicas de qual era a melhor saída. Depois vieram caras de outras turmas, e eu ajudei também. Até que veio uma menina.

Uma menina loira, de olhos verdes, tênis All Star, calça jeans rasgada, camiseta dos Ramones, que apertava os olhos e ficava vermelha quando sorria. A menina mais bonita da escola.

– Oi, tudo bem? – ela disse, sorrindo, mas visivelmente constrangida de estar falando comigo.

– Oi... – foi tudo que consegui responder enquanto ligava todos os alertas de manter a cara fechada, não fazer amigos.

– Alguém me contou que você sabe quais são as saídas pra ir embora do colégio sem ninguém perceber – ela foi direto ao assunto.

Agora, sim, as coisas faziam sentido.

Mas eu não falei nada. Fiquei calado, porque pensei que ela poderia me dedurar, o que acabou involuntariamente servindo ao meu disfarce de cara durão que não fazia amigos. Ela continuou:

– Eu e meu amigo temos que ir embora porque ele precisa ir a uma loja que fecha às seis horas...

Ela explicou o que era tão urgente, mas eu não consegui prestar atenção. Só pensava que a menina mais bonita da escola, que usava camiseta dos

Ramones, estava falando comigo e eu não podia estragar tudo dessa vez. Eu devo ter ficado em silêncio por muito tempo, porque ela parou de falar e perguntou, com algum cuidado:

– Você sabe por onde dá pra fugir? Pode falar pra gente?

Eu só balancei a cabeça positivamente e falei pra ir por dentro do parquinho, que tinha um alambrado solto e, por isso, ela não precisaria pular. Mas era preciso se certificar de que ninguém estava vendo, porque era num lugar não muito escondido.

Ela me agradeceu e foi embora.

E isso mudou tudo.

Até esse momento eu estava conformado com a ideia de ser o cara que não falava com ninguém. De ser o "menino roqueiro", o "da camiseta de monstro", o "que não corta o cabelo". Que fique bem claro: era só pose. Só defesa. Já que eu não era CAPAZ de fazer amigos, então era melhor aparentar que eu não QUERIA ter amigos. Já que eu não era CAPAZ de falar normalmente com uma garota, então era melhor FINGIR que eu não queria falar com garota nenhuma. E estava dando certo.

Pelo menos até a menina da camiseta dos Ramones aparecer. O nome dela era Andressa, fiquei sabendo logo depois, quando um cara da minha classe veio falar comigo:

– Aí, moleque, Andressa veio falar com você, hein?

Mantive minha pose de punk revoltado e não respondi. Mas, por dentro, queria realmente dar um *high five* com ele. Era a menina mais bonita da escola. Usando uma camiseta dos Ramones.

A partir desse dia, por mais difícil que fosse admitir, ir pra escola ficou um pouco mais interessante. Eu não fazia nada diferente, tentava me manter firme na minha decisão de ser o "lobo solitário". Achava um pouco ridículo, mas, como não falava nada com ninguém, ninguém percebia, então ficava tudo bem. Era melhor do que tentar alguma coisa e estragar tudo outra vez.

Então eu ficava lá, admirando a Andressa de longe. Convicto de que era melhor não me aproximar. Satisfeito com a ideia de que ela poderia ser só uma inspiração para uma música. E passei alguns dias focado nisso. Fiz pra ela uma letra que era bonita e romântica, inspirada e verdadeira. Chamei a canção de "Aprender a Voar". A letra falava sobre o quanto eu queria me afastar daquele mundo e que, quando a vi, tudo aquilo ali se tornou verdadeiro. É meio juvenil, eu sei. Mas era isso que eu era. Por sorte, essa canção nunca veria a luz do dia na minha banda punk-hardcore.

Essa, aliás, é uma parte importante da história. Toda essa pose de durão, a solidão, a admiração a distância da menina de quem eu gostava, a falta de compromisso com a escola... tudo isso só era possível por conta da minha banda de punk rock hardcore, a Lactobacilos Vivos. Eu era o legítimo guitarrista-vocalista-frontman de uma banda punk.

Era formada por mim e mais dois amigos, Filipe e Nando. Eles tinham juntos uma banda de rock progressivo chamada Ares. Tocavam muito bem, estavam começando a fazer shows e gravar, mas em certas férias escolares, enquanto o resto da banda deles estava viajando, a gente acabou se juntando para tocar. Eu na guitarra e no vocal, Filipe na bateria e Nando no baixo. Tocávamos covers de bandas punk mais antigas, como Ratos de Porão e Detrito Federal, além de algumas composições rápidas e raivosas minhas. Agora que eu não matava mais aula nem ficava vagando pela cidade, essa era a minha única válvula de escape, e funcionava bem.

E viria a calhar. Num desses dias em que eu estava quieto e sozinho no fundo da sala de aula, recebi um aviso sobre a Semana Cultural do Colégio Península, que iria acontecer na semana seguinte. O mesmo evento no qual vi meu primeiro show de rock, quando eu tinha 8 anos. Só que agora eu poderia fazer parte dele.

Poderia ter um palco. Poderia reviver aquele momento que mudou a minha vida. Era muita empolgação. Eu tinha que fazer aquilo acontecer. Do mesmo jeito que minha vida mudara lá atrás por conta daquele show... Ela mudaria de novo. Eu faria o show da minha vida, como imaginava desde criança. Minha pose de durão caiu naquele momento.

E, claro, a cereja no bolo seria poder tocar músicas dos Ramones e chamar a atenção da Andressa. Mesmo muito a contragosto, a esperança encheu meu coração juvenil. Como todo adolescente apaixonado, eu achava que o que me faltava era chegar num cavalo branco com uma armadura brilhante e tudo seria diferente. No meu caso, esse cavalo seria o palco, e minha armadura brilhante, uma camiseta dos Ramones surrada e uma velha guitarra Jeniffer, que pertencia ao Filipe e eu tocava de cabeça pra baixo por ser canhoto.

Segundo o panfleto da escola, a Semana Cultural era um espaço para manifestações artísticas, esportivas e científicas. Dentro dela, seriam organizadas competições esportivas de vôlei, futebol e basquete entre as classes (o Colégio Península era conhecido por ser um dos mais bem-sucedidos nos esportes) e uma gincana (que parecia ser a parte "artística e científica" da coisa).

Fui falar com a pessoa com quem eu tinha mais proximidade na escola, a professora Selma, de Português. Eu me identificava com ela porque, assim como eu, ela não pertencia muito bem àquele lugar. Era jovem e classuda, como uma apresentadora de telejornal. Era inteligente e acho que dava aula para um bando de rejeitados nesse colégio só por amor ao ofício, porque não parecia precisar da grana. Eu a admirava bastante, ela percebia isso e me dava alguma abertura pra conversar.

Ela também tinha algum apreço por mim porque, ao contrário do resto da turma, eu não lia livros apenas por obrigação. Por incrível que pareça, eu tirava boas notas em gramática e literatura, fazia boas redações e tinha certo reconhecimento dela. Contei tudo para a professora Selma. Falei dos Lactobacilos Vivos, da nossa postura contestadora e enérgica, mas com cuidado para não falar nenhum palavrão. Falei da Semana Cultural que eu tinha visto quase uma década antes e de como aquilo havia mudado a minha vida. Falei que eu queria mudar a vida de outras crianças de 8 anos que pudessem me ver naquele palco. Enfim, abri meu coração, mas ela jogou um balde de água fria, me olhando com alguma pena:

– A Semana Cultural não é mais assim, Gustavo. Ainda mais no turno da tarde. São só os campeonatos esportivos e a gincana, que é uma competição de tarefas bobas, como "encontrar a pessoa mais velha possível". Não tem mais shows, teatro, essas coisas.

"Muito cultural", pensei. Devo ter feito uma cara de muita decepção. Era a primeira vez que eu tomava iniciativa pra alguma coisa na escola, e acho que isso a fez se comover um pouco:

– Olha, no turno da manhã, tem um menino, o Cláudio, que também tem banda e quer organizar um festival. Tente falar com ele. Quem sabe você se apresenta de manhã ou tenta estender o festival até o começo da tarde. Pode ser que dê certo.

E me deu o telefone do cara. Era a minha melhor chance. Melhor do que nada.

– Alô, o Cláudio está?

Antes da internet e dos smartphones, era assim que você começava uma conversa ao telefone. Você ligava pra um lugar e tentava achar a pessoa com quem queria falar. Com sorte, ela te atenderia.

– Quem gostaria?

– Aqui é o Gustavo. Eu sou aluno do Colégio Península, peguei esse número com a professora Selma.

– É o Cláudio que está falando.

– Oi, Cláudio. Eu... bom... olha, eu estudo à tarde e queria levar minha banda pra tocar lá no colégio. A professora Selma me falou que você está organizando um festival de manhã, então pensei que a gente podia fazer isso junto.

– A gente já fechou todas as bandas, Gustavo. Tem banda demais pra tocar, não dá pra colocar mais uma.

Pode parecer meio rude da parte dele, mas essa é uma resposta normal. Conseguir lugar pra tocar quando você tem uma banda nova é bem difícil. Ainda mais em Brasília nos anos 90. Se você tinha um palco, tinha uma chuva de bandas querendo tocar nele. Então, até pra isso eu estava preparado com uma carta na manga.

Nas tardes em que eu passava vagando pelas ruas, sempre fazia uma visita ao Tião. Um cara que, por algum motivo, tinha uma loja de instrumentos musicais no lugar mais improvável: uma galeria escondida em uma rua comercial bem na frente da minha casa, do lado de um chaveiro e um cabeleireiro. Eu, o Filipe e o Nando passávamos um bom tempo lá testando todos os instrumentos. Um dia, mencionei que meu pai trabalhava em um clube que estava contratando uma banda de pagode pra tocar aos domingos. O Tião ouviu e perguntou se eu podia levar a fita demo do grupo dele, que tinha o incrível nome Um Sonho de Liberdade. Pois bem. Levei a fita demo para o meu pai, que levou para o clube, que contratou a banda. E o Tião, como forma de agradecimento, me disse: "Se um dia você precisar de equipamento para tocar com a sua banda, me fala que eu te empresto o material completo".

Se tinha algo mais difícil do que conseguir um lugar pra tocar com sua banda nos anos 90, era conseguir o equipamento para o show. Era tudo muito caro para alugar e ainda mais para comprar. Eu sabia que o colégio não ia providenciar isso, então era algo muito valioso que eu poderia levar para essa empreitada. Dei a notícia pro Cláudio:

– Cláudio, se tiver lugar pra minha banda, eu consigo todo o equipamento: caixas, amplificadores, microfones, pedestais, potências, mesa de som, cabos, bateria. Você só precisa conseguir o palco.

– Sério?

– Sério.

– Ok. Não dá pra dizer não pra isso. A gente ia fazer um mutirão com todas as bandas pra cada uma trazer alguma coisa, mas se você tem tudo... Vai lá no colégio amanhã de manhã pra gente conversar.

– Vou sim. Nos vemos lá!

Na manhã seguinte, fui pro colégio encontrar com o Cláudio. Ele já tinha uma lista de bandas participantes e havia conseguido com o diretor do turno da manhã – um senhor de bigode, que andava armado, chamado Carlão – autorização para montar e usar o palco, que ficaria no pátio no meio dos prédios, no mesmo lugar onde eu tinha visto o primeiro show da minha vida. Combinamos que a minha banda seria a última a tocar, depois das 13 horas, para que eu pudesse me apresentar para os alunos do meu turno, já que meu interesse era tocar para uma aluna em especial.

Assim que cheguei em casa, liguei para o Filipe, contando a novidade. Seria nosso segundo show. O primeiro tinha sido na escola do Nando, em um festival em que ele conseguira nos encaixar de última hora. Acabamos tocando depois das atrações principais e quase todo mundo já tinha ido embora. Só as outras bandas ficaram para nos ver, mais por camaradagem do que por interesse. Tinha tudo pra ser um fracasso, mas foi um show muito bom. Nunca tínhamos tocado ao vivo antes e conseguimos fazer um show superenérgico. Foi a primeira vez do Filipe no palco como baterista – tocava guitarra na banda principal dele –, e ele tocou com muita força e peso. Eu também toquei com tanta força que quebrei uma corda da guitarra, mas toquei com ela assim até o final. Gritava as letras com o máximo de agressividade que podia, tentando emular um Max Cavalera juvenil. Tocamos com toda a rapidez, força e fúria que conseguimos e deixamos as outras bandas impressionadas. Todo mundo veio falar com a gente no final. Por isso eu estava muito empolgado para tocar de novo, agora no meu território. Mas o Filipe não ficou tão empolgado assim.

– Filipe, você não vai acreditar, cara. Arranjei um show pra gente tocar, no festival do meu colégio. Vai ter um equipamento de primeira e um monte de gente assistindo – falei, acelerado.

– Putz, sério... Quando? – ele perguntou, lento.

– Sexta-feira. Vai ser de tarde, então dá pra você ir depois da sua aula...

Ele me interrompeu:

– Putz, não vai dar, Gustavo. Eu tenho um trabalho em grupo pra apresentar, vai ficar apertado. E também a gente teria que ensaiar, e eu preciso estudar essa semana toda...

Eu fiquei com muita raiva. Como assim? Eu consegui um lugar pra tocar, um lugar LEGAL, e o cara não vai? Quem faz isso? Mas não falei nada.

– Beleza, então. A gente se fala. – E desliguei o telefone.

Liguei ainda pro Nando, porque precisava contar pra ele, mas eu sabia que ele só iria se o Filipe, que era primo dele, fosse. E foi aí que eu percebi que aquele show e a nossa banda eram importantes só pra mim. Era um projeto sério – apesar do nome Lactobacilos Vivos, que sempre provocava risadas –, feito pra durar, pra gente se expressar, fazer nossas músicas, deixar nossa marca na história. Pra gente tocar com fúria nos palcos. Mas pra eles era só uma diversão de férias. Eu sempre soube que a banda era secundária pra eles. Mas, caramba, se a gente tinha conseguido lugar pra tocar, precisava ir tocar. Isso era fundamental.

E, com isso, tudo que eu havia planejado, construído até ali, foi por água abaixo.

O pior não era perder a oportunidade de tocar, ou perder a minha chance de usar o equipamento do Tião – já que eu não ia dar pra trás com o Cláudio por causa disso –, o pior era perder a chance de reproduzir o show da minha vida. Eu já passava os dias sonhando com o momento que eu ia tocar "Polícia" e "Light My Fire" e "Bichos Escrotos", igual tinha visto quando criança e igual tinha simulado tantas vezes com a minha raquete. O pior era perder a chance de tocar as músicas dos Ramones para impressionar a menina loira que eu admirava de longe.

Enquanto eu tentava me conformar com o fato de que tudo estava perdido, o Cláudio me ligou pra combinar alguns detalhes do equipamento. Aí eu tive uma ideia.

– Cláudio, você me falou que toca bateria, não é?

– Sim.

– Meu baterista acabou de dar pra trás. Você topa tocar com a minha banda no lugar dele?

– Putz... Eu não vou conseguir ensaiar. Tem pouco tempo até lá.

– Eu sei. A gente só toca música fácil. Se precisar, a gente toca só Ramones. Não precisa ensaiar.

Eu falava quase suplicando. Ele ficou em silêncio por alguns segundos. Respirou fundo e disse:

– Bom... Ok. Você parece um cara legal, Gustavo, e dá pra ver o quanto você tem se esforçado pra esse show acontecer. Então eu não vou te deixar na mão. Vem aqui em casa hoje à noite e me mostra as músicas que você quer tocar. A gente dá um jeito.

Eu sei que parece resumido, rápido... Mas foi EXATAMENTE assim. Eu conheci o cara pela manhã... E à noite estava indo até a casa dele pra organizarmos um show juntos.

Como combinado, naquela noite cheguei na casa dele com uma fita cassete e meu violão embaixo do braço para mostrar as músicas que eu queria tocar. Apesar de eu ter dito que não precisava de ensaio, meu plano era convencê-lo a ensaiar pelo menos uma vez. E ainda teria que convencer o Nando a tocar, mas já era um começo.

Sentamos os dois no quarto que o Cláudio dividia com o irmão, com duas camas, pôsteres da *Playboy* na parede, coleção de latinhas na estante. Televisão ligada na MTV. Ele me ofereceu refrigerante, bolachas, me mostrou alguns brinquedos que ainda tinha pelo quarto. Perguntou coisas banais da minha vida: onde eu havia morado, estudado. Era engraçado estarmos nos conhecendo e, ao mesmo tempo, já montando um festival juntos, ainda mais formando uma banda de emergência pra tocar lá.

Mostrei algumas músicas que queria tocar. "Polícia", "Bichos Escrotos" ("Light My Fire" eu nem ia tentar). Perguntei o que ele sabia dos Ramones. Ele se empolgou:

– Tudo! Eu sei todas as músicas dos Ramones! Pode falar qualquer uma! – ele respondeu, confiante.

– Cara... É melhor então você me dizer as músicas que são mais fáceis de a gente tirar. Eu conheço algumas, mas não todas.

E aí o Cláudio me explicou por que estava topando tocar comigo.

Ele também tinha uma banda recém-acabada, que se chamava Reinhardt. Era uma banda de punk rock engraçadinho, com letras em português, bem típica dos anos 90, formada por ele, o guitarrista Vinicius e os irmãos Leandro e Leonardo no vocal e no baixo, respectivamente. Uma demo deles teve uma resenha publicada na revista *Rock Brigade*. A crítica detonou a banda, o que não diminuía o feito. Mas eles tinham encerrado as atividades e ele me contou o porquê:

– A gente arranjou um lugar pra tocar. Era um bar muito louco, com um palco improvisado num buraco na parede revestido de discos de vinil! Ia ser nosso show de estreia, num domingo à tarde! Estávamos animadões, preparando várias coisas pra falar e tocar, chamando todos os nossos amigos e até os nossos pais. Mas aí, na noite anterior ao show, o Leandro e o Leonardo resolveram não tocar! Igual aconteceu com a sua banda!

– Caramba, por quê? – perguntei, me solidarizando.

– Sei lá! Sei que foi uma decepção. Se a banda tem lugar pra tocar, tem que tocar. Quem faz isso?

Eu sabia exatamente o que ele estava sentindo.

– Mas, e aí, vocês não tocaram? – perguntei.

– Claro que a gente tocou! Olha aqui as fotos.

Ele me mostrou as fotografias. Ele tocando baixo, o Vinicius na guitarra e um outro cara na bateria, dentro de um buraco revestido de discos de vinil, exatamente como havia descrito. O lugar era legal. Tosco, mas legal. Ele continuou:

– Eu e o Vinicius combinamos que íamos tocar de qualquer jeito, nem que fosse só bateria e guitarra. A gente não ia perder a chance. Mas meu professor de bateria, o Bolacha, se ofereceu pra tocar também. Então a gente fez um show só de covers dos Ramones, com o Bolacha na bateria, eu no baixo e o Vinicius na guitarra, todo mundo dividindo os vocais.

Achei FODA a atitude deles. Eu nem conseguia esconder minha admiração. Era EXATAMENTE ISSO que eu queria. Então tive uma ideia:

– Cara, vamos tocar uma música do Reinhardt, me ensina aí.

E foi aí que ele realmente se animou. Pegou a fita demo que tinham gravado, pôs no toca-fitas e apertou o play. Pegou um caderno com todas as letras e as cifras das músicas. Mostrou as quinze músicas que eles tinham, e eu fiz questão de aprender pelo menos uma: um hardcore de menos de um minuto chamado "Sal com Limão", que era a mais fácil. A letra era assim:

SAL COM LIMÃO

Não é porque eu gosto de sal com limão
Não é porque eu não gosto de andar na contramão
Não é não me digam que eu não tenho o que fazer
Tô pouco me fodendo eu não vou obedecer
Diga não! Eu faço o que eu quero
Diga não! E vai tomar no cu! (hey)

Tocamos a música várias vezes, eu no violão, o Cláudio batendo com as baquetas na cama. Do mesmo jeito que eu estava empolgado ao ver nele uma forma de retomar o objetivo de tocar no festival do colégio, o Cláudio viu em mim uma forma de retomar o projeto de sua banda, de suas músicas. Ele não se conteve e precisou envolver o guitarrista:

– Eu vou ligar pro Vinicius e chamá-lo pra tocar também. Assim você nem precisa chamar esse seu baixista aí. Topa?

É claro que eu topei! Eu queria mesmo tocar baixo. Era mais fácil, e por isso eu até cantava melhor. Tocava melhor também. E eu tinha um. A guitarra que eu usava era do Filipe, e não queria ter que pedir emprestada. Cláudio pulou na hora, pegou o telefone, discou pro Vinicius, que respondeu...

(Pausa dramática.)

– Lógico! Tô dentro!

E assim estávamos combinados. O Cláudio tocaria pela manhã com a banda dele, o Mr. Moustache, que fazia covers do Nirvana. E eu, ele e o

Vinicius seríamos a última banda. Tocaríamos covers dos Ramones, "Sal com Limão" e uma música minha, "English Song", que o Cláudio curtiu tanto que aprendeu na hora e tocou pro Vinicius pelo telefone mesmo:

ENGLISH SONG	MÚSICA EM INGLÊS
I can't speak English very well	Eu não sei falar inglês muito bem
But I can understand it if you spell	Mas consigo entender se você soletrar
What do you think about hypocrisy?	O que você acha da hipocrisia?
I don't know, I don't watch MTV	Eu não sei, eu não assisto MTV
How can a silver chair transform into a pearl jam	Como uma cadeira de prata se transforma em uma geleia de pérolas?
The creativity is the best of them	A criatividade é o melhor deles
Folk in USA	Folk nos EUA
Fuck the USA	Fodam-se os EUA
What do you think about this?	O que você acha disso?
I don't know, I'm not from here	Eu não sei, eu não sou daqui
I'm gonna join the army in September	Eu vou me alistar no exército em Setembro
I wanna be the best goaltender	Eu quero ser o melhor goleiro
I'm gonna burn in hell when I die	Eu vou queimar no inferno quando morrer
But all I know is I ain't givin' up my pie	Mas tudo que eu sei é que não vou desistir da minha torta
I saw in the sky a little shiny star	Eu vi no céu uma estrelinha brilhante
And I finally found the key of my car	E finalmente encontrei a chave do meu carro
A roof in the floor	Um telhado no chão
A window in the door	Uma janela na porta
What do you think about this?	O que você acha disso?
I don't know, I'm not from here.	Eu não sei, eu não sou daqui

E, claro, tocaríamos também "Polícia" dos Titãs ("Bichos Escrotos" não ia dar pra tocar sem ensaio). O dia do festival ganhou outra importância. Seria minha chance de reencenar o primeiro show da minha vida, de cantar para a menina que eu queria conquistar e de recomeçar a minha história na música.

No dia do show, saímos às 5 da manhã para buscar o equipamento na casa do Tião, que ficava em um bairro muito longe. A ideia era chegar na escola às 8 horas, para poder começar às 9h30 e dar tempo de todas as bandas tocarem. Eu e o Cláudio ainda não dirigíamos, então fomos com os companheiros de banda dele. Aproveitei a guitarra que estava no carro e mostrei meu plano: tocar o hino do colégio na guitarra, igual ao Jimi Hendrix tocando o hino americano em Woodstock. O hino tinha sido composto por Dona Miranda e eu era provavelmente a única pessoa que lembrava dele, da época em que estudei no colégio quando criança. Seria uma forma de homenagear a senhora que me deu a bolsa de estudos e, quem sabe, garantir que eu continuasse tendo uma caso repetisse de ano. Cláudio e o pessoal do Mr. Moustache ficaram impressionados com o fato de o colégio ter um hino e de eu me lembrar dele.

A manhã foi dedicada a ensaiar, da maneira que dava, as músicas que tocaríamos. Depois de toda a empolgação, bateu certo nervosismo de ter que subir no palco. Ajudei a carregar e montar o que eu podia e fiquei ali praticando o hino – que eu tocaria em uma guitarra destra, já que a canhota do Filipe não estava lá – e as músicas dos Ramones.

Cláudio subiu no palco com sua banda e fez um show excelente com covers do Nirvana. Era o auge da banda e todo mundo cantou em uníssono enquanto eles pulavam de cima do palco no mosh pit. Um verdadeiro show de rock bem no meio da manhã. Enquanto isso rolava, o Vinicius chegou. A gente se conheceu ali, sentou no chão e ficou treinando as músicas e conversando. Depois o Cláudio se juntou a nós, batendo as baquetas num caderno.

– Com que nome a gente vai tocar? Reinhardt ou Lactobacilos Vivos? – lembrou Cláudio.

– Não importa. Pode ser com qualquer nome. Põe qualquer coisa – disse Vinicius.

Ficamos olhando pra ele, esperando ele completar a frase.

– Chumainos! – Deu de ombros.

"Chumainos" era uma palavra gritada constantemente em shows de bandas punk pela cidade quando surgia um silêncio. Era provavelmente um apelido para maconha, ou cogumelo, ou ácido. A gente não sabia na época.

– Beleza, vou colocar isso aí – disse Cláudio, escrevendo SCHUMAINOUS, no papel, com várias letras extras.

Eu mal pude curtir os shows, de tão preocupado que estava com nossas músicas e com o horário enquanto ficava de olho no portão da escola, esperando a Andressa chegar. A escola havia esvaziado e começava a encher de novo com os alunos da tarde. O nervosismo também ia aumentando e atingiu o ápice quando eu a vi chegar, com a mesma camiseta dos Ramones que ela usava no dia em que falou comigo. Igual a que eu estava usando, aliás. Eu já planejava o momento em que ia fixar o olhar nela cantando "Sheena Is a Punk Rocker". O Vinicius me viu e sacou tudo na hora:

– É essa aí a razão de tudo?

– É, sim. – Eu nem tentei explicar.

– Então bora lá!

E fomos pro palco. Tudo em câmera lenta. Seguimos em fila, com todo mundo nos olhando, acenando e cumprimentando. Com nossos instrumentos pendurados nos ombros, paramos rapidamente pra cumprimentar de novo o Tião, que operava a mesa de som. Fiz sinal com as mãos pra ele aumentar o volume o máximo que podia. Ele sorriu e levantou um polegar. Checamos a afinação da guitarra e do baixo. Subimos os degraus do palco. Ligamos os instrumentos. Checamos os microfones.

Por alguns segundos, que pareceram horas, eu contemplei o pátio do colégio. Todos os alunos nos olhavam. Não só os alunos daquele ano. Eu conseguia visualizar também toda aquela galera de quando eu estava na terceira série urrando, gritando, esperando o início do show. Consegui me ver ali, com 8 anos, admirando aquilo tudo e pensando: "É isso! É isso aqui que eu quero fazer!". E agora eu estava lá. Cruzei o olhar com o da Andressa, que também me olhava e sorriu pra mim, percebendo as nossas camisetas iguais. ERA A HORA!

– ONE, TWO, THREE, FOUR!

Depois da contagem acelerada, o primeiro acorde matador, fulminante, massacrante de "Sheena Is...". Um volume que fazia a guitarra parecer uma serra elétrica cortando um Opala ligado, seguido de um estouro e de total silêncio, interrompido pela bateria desacelerando.

Levou alguns segundos até entendermos. A energia elétrica tinha acabado. Só se ouvia o vozerio do pessoal assustado com o pipoco das caixas de som. Inicialmente, achamos que tinha sido uma sobrecarga, mas o Tião garantiu que estava tudo certo. Ficamos ali tentando entender o que tinha acontecido enquanto um funcionário da escola, que ajudara com a montagem do palco, foi tentar religar a luz no quadro. Ele voltou acompanhado da Dona Miranda, enfurecida:

– Quem deu autorização para isso aqui? Pode acabar com essa barulheira – ela ordenou.

O Cláudio, que estudava de manhã, ainda tentou argumentar:

– A gente pegou autorização com o Carlão. Estamos tocando desde de manhã.

Ela não quis saber:

– O Carlão não manda aqui à tarde. Quem manda sou eu. E eu não permito essa barulheira. Pode acabar com isso já!

Eu ainda tentei argumentar. Tentei mostrar que eu ia tocar o hino do colégio, segurando bravamente um choro que já me doía a garganta. Nada adiantou. Ela mesma subiu no palco e começou a desconectar os cabos. O público dispersou. A Andressa sumiu. O sonho acabava ali.

Foi bem triste. Mas, horas depois, sentados no chão e tocando com os instrumentos desligados, já estávamos superando:

– Esse dia vai entrar pra história como o maior show de estreia que não aconteceu! – disse o Cláudio, já fazendo piada da história.

E foi mesmo. O show não aconteceu, mas os Schumainous, sim. A partir daquele momento, passaríamos os próximos dias ensaiando, escrevendo músicas e nos tornando não a maior, não a melhor, mas a banda mais legal de Brasília pelos próximos anos. E um grupo extremamente unido de três caras que tinham a mesma visão do rock 'n' roll e da vida.

Os meus dias posando de lobo solitário tinham chegado ao fim. Todos os rancores que eu tinha começaram a ser superados. Filipe, Leandro e Leonardo, das nossas bandas anteriores, chegaram mais tarde no Colégio Península, na tentativa de ver o nosso show. Qualquer briga que tínhamos também acabou naquele instante. Mesmo sem conseguir tocar, viramos uma lenda no colégio por termos feito a diretora dar um chilique e cancelar pra sempre a Semana Cultural. Eu passei a tirar boas notas. Minha fama de fugitivo do colégio passou. E eu fiquei amigo de um monte de gente.

Menos da Andressa. Com todas essas mudanças, acabei superando essa paixão gótica que eu tinha e parei de segui-la com o olhar durante os intervalos. Talvez ela devesse ser "aquela que não deu certo" na minha história. Ainda a vi, no último dia de aula, entrando no carro da mãe e indo embora. Observei a cena, pensando na música que eu havia feito pra ela e que aquela seria provavelmente a última vez que eu veria "a menina da camiseta dos Ramones".

Não seria. O show da minha vida ainda estava por vir.

CAPÍTULO 2
A SUAVE ARTE DE FAZER INIMIGOS

Com a formação dos Schuzz – apelido carinhoso que demos para o nosso projeto –, todo tempo livre que tínhamos passou a ser dedicado à banda. Ensaiávamos duas, três vezes por semana. Brasília nos anos 90 era repleta de estúdios de ensaio. Alguns eram muito legais, bonitos, bem decorados e bem equipados, mas nosso tipo de estúdio era aquele que, na melhor das hipóteses, tinha equipamentos que funcionavam. As baterias eram sempre destruídas e repletas de silver tape tentando manter as peças no lugar. O único jeito de você se ouvir cantar era gritando. Era assim que passávamos os dias: aprendendo a tocar as músicas do Reinhardt, dos Lactobacilos, dos Ramones, do Nirvana e todos os jingles de comerciais de que fôssemos capazes de lembrar, simplesmente porque era muito engraçado.

De lá, saíamos pela rua carregando os instrumentos e tendo longas conversas, que acabavam nas praças das superquadras de Brasília. Lugares de convivência com quadras de esporte detonadas, parquinhos enferrujados e bancos de concreto quebrados que não eram frequentados por ninguém. Lá podíamos ficar sem ter que consumir nada e fazer barulho com os violões sem incomodar ninguém, exceto os moradores do primeiro andar dos prédios mais próximos.

Nós tínhamos vidas bem diferentes. O Vinicius era o filho mais novo de uma feliz e rica família do Lago Sul, o bairro mais nobre da região. A casa dele poderia ser considerada um hotel-fazenda de luxo em qualquer site de aluguel de imóveis por temporada. Apesar de serem apenas ele, o irmão e os pais, eles tinham uns oito carros. A relação dele com os pais, e vice-versa, era de dar inveja a qualquer outro adolescente. Os pais o apoiavam em tudo. Falávamos que ele era o "Rebelde sem Causa" da música do Ultraje a Rigor:

> Minha mãe foi quem me deu essa guitarra
> Ela acha bom que o filho caia na fama

Exceto pelo fato de que ele não era nem um pouco rebelde. Na primeira vez que experimentou bebida alcoólica, ele contou para os pais como foi. Eles só o aconselharam a esperar um pouco mais para começar a beber, mas disseram que confiavam nele e na sua capacidade de tomar decisões e fazer a coisa certa. Seu pai falou que, se ele fosse beber de novo, que fizesse isso em casa. Assim não teria problemas para dirigir.

Ele tinha tudo para ser um típico *playboy* mimado e consumista, mas era exatamente o contrário. Quando o conheci, achei que ele era o mais pobre de nós três, porque usava sempre as mesmas roupas e só tinha um par de tênis. Ele se recusava a gastar dinheiro. Quase nunca comia ou bebia nada nos bares ou lanchonetes porque "tinha comida em casa". Foi meu único amigo a entrar no apartamento em que eu morava e não fazer uma expressão de quem está se perguntando "como é que seis pessoas vivem aqui?". Nunca olhou com pena ou constrangimento. Pelo contrário. Nunca falou nada, mas provavelmente achava que eram metros quadrados suficientes.

Vinicius sempre estudou nas melhores escolas de Brasília, mas nenhuma era boa o suficiente para ele, que nunca sentou pra estudar para uma prova e, ainda assim, só tirava notas máximas. Ele só precisava ouvir a informação uma única vez para entendê-la e memorizá-la. Sabia TUDO de química, física, matemática, com uma facilidade que, honestamente, dava raiva. E, por conta disso, passou em primeiro lugar no vestibular para engenharia mecânica da

UnB. Enquanto eu e o Cláudio lutávamos para nos formar no segundo grau, o Vinicius já estava na faculdade. E continuava, sem esforço algum, tirando notas máximas e sendo parte da minoria que passara em Cálculo I de primeira, para horror dos colegas. Provavelmente, ele é o único engenheiro do mundo que dedicou mais tempo do seu primeiro ano de faculdade a uma banda de rock do que aos estudos e, ainda assim, tirou nota máxima em tudo. Além disso, se formou com um semestre de antecedência em relação ao resto de sua turma.

O Cláudio ia na direção contrária, pelo menos no que dizia respeito aos estudos. Como boa parte dos alunos do Colégio Península, tinha ido parar lá depois de repetir de ano algumas vezes e ser expulso de vários colégios. Ele simplesmente não conseguia levar a sério a ideia de estudar. Era algo que, de certa forma, eu e ele tínhamos em comum, mas por motivos diferentes. Enquanto eu era tímido, solitário, retraído e tinha dificuldades de me socializar, o Cláudio se tornava rapidamente o líder da bagunça onde quer que estivesse. Um bom exemplo disso é que ele havia sido expulso da última escola em que estudou porque organizara uma competição de quem conseguia ficar mais bêbado durante as aulas. E era um colégio de padres.

Cláudio era o mais novo de quatro irmãos e estava sempre sendo vítima de pegadinhas dos mais velhos, especialmente em relação ao seu cabelo longo, das quais ele não reclamava. Dava risada e se orgulhava da criatividade da família em sacanear uns aos outros. Uma vez ele acordou quase derretendo de calor e notou que estava coberto com um cobertor elétrico e seu cabelo estava todo amarrado na cabeceira da cama. Essa implicância com o cabelo, que se estendia também para as roupas e basicamente para tudo de que ele gostava, vinha do fato de a família do Cláudio ser bem conservadora, composta por políticos, juízes e advogados bem-sucedidos. Ser o garoto roqueiro, cabeludo, que aprontava confusão na escola era uma afronta direta à seriedade e à reputação da família. Exceto talvez pelo pai, que era separado da mãe havia muitos anos e morava em Porto Alegre. Eu só vim a conhecê-lo bem mais tarde. Era o oposto do conservadorismo do resto da família, curtia festas e viver perigosamente. O Cláudio herdou o melhor dos seus pais. Tinha a habilidade, que vinha da sua mãe, de organizar, socializar e falar de igual pra igual com qualquer um, e o ímpeto, a ousadia e a capacidade de curtir tudo ao máximo, que foram herdados do pai.

Eram *backgrounds* muito diferentes, especialmente na questão da grana. O Vinicius e o Cláudio tinham vidas bastante confortáveis, enquanto eu passei uma fase de extrema falta de dinheiro. As coisas já estavam um pouco melhores, tanto é que eu tinha dinheiro para ter o meu próprio baixo e, eventualmente, conseguia pagar minha parte nos estúdios em que tocávamos. Mas, antes de retornar ao Península para concluir o segundo grau, eu tinha caído de paraquedas no Colégio Kubitschek, a maior escola pública de Brasília, por conta da falência da empresa do meu pai.

Meu pai tinha, em sociedade com um dos meus tios, uma pequena fábrica de cremes para cabelos, que abastecia lojas atacadistas e profissionais locais, como salões de cabeleireiro. Era um negócio modesto, mas permitia que a família tivesse um apartamento, um carro e até pequenos luxos, como videogames ou viagens. E estava indo bem. Desde que meu pai tinha montado a fábrica, o número de potes de cremes para cabelos vendidos por mês crescia com consistência, assim como o número de funcionários. E, em certo ponto, parecia que ia dar um salto: um dos maiores compradores de cremes para cabelos do Brasil havia feito um pedido gigante, para o qual foi necessário dobrar a capacidade da fábrica. Meu pai comprou novas máquinas, contratou mais funcionários, produziu como nunca. Porém, bem na hora de entregar o pedido, rolou um furacão no Brasil chamado Plano Collor.

O Brasil tinha um problema grave de inflação: os preços das coisas aumentavam todos os dias e, no final do mês, haviam dobrado de valor. Pra tentar conter isso, o governo teve a "brilhante" ideia de confiscar todo o dinheiro que as pessoas tinham guardado no banco, deixando só uma pequena parte disponível. O resto seria devolvido pouco a pouco nos meses seguintes. O objetivo era fazer as pessoas pararem de comprar, pra ver se os preços paravam de subir.

Como todo mundo sabe, o plano não funcionou. Mas ele aconteceu bem na época que meu pai tinha esse enorme pedido para entregar, e não só o maior comprador de creme para cabelos do Brasil, mas todos os outros compradores ficaram sem dinheiro. Então, meu pai ficou com um carregamento enorme de creme para cabelos e dívidas gigantescas. E, eventualmente, sem dinheiro para pagar as despesas da casa.

Nossa vida, que já era modesta, foi sendo dilapidada aos poucos. O carro foi vendido. O apartamento em que a gente morava também. Meu pai foi usando parte do dinheiro das vendas pra pagar as dívidas com funcionários e a outra parte pra tentar manter a casa funcionando. Minha família de seis pessoas – meus pais, eu, meu irmão mais novo e minhas duas irmãs mais velhas – teve que se mudar pra um apartamento de apenas um quarto. Meus pais dormiam nele, eu e meus irmãos dormíamos espalhados na sala. Com a situação ficando cada vez mais difícil, meu pai vendeu o que podia, inclusive os móveis. Lembro de um dia bem triste, quando ele vendeu um relógio de parede do qual gostava muito, que tinha sido de seu bisavô. Ele vivia falando como o relógio era uma relíquia e como desejava que o objeto ficasse pra sempre na família. No dia em que o vendeu, disse: "É só um relógio".

Claro que nenhuma família passa por isso numa boa. Éramos até bem unidos, mas meus pais começaram a brigar o tempo todo, entre si, comigo e com meus irmãos. Cada coisa dita era uma ofensa. Pedir pra comprar um sorvete era uma ofensa, porque era como colocar o dedo numa ferida. Não pedir alguma coisa também. Precisar se locomover era um problema. Não tendo carro, não saíamos juntos mais pra lugar nenhum (até porque seriam seis passagens de ônibus). Nos afastamos dos amigos e da família, porque havia um pouco de vergonha de não ter dinheiro pra mais nada. Meu pai brigou com meu tio que era sócio dele – que estava na mesma situação – e, com isso, parei de ver meus primos mais próximos. Eu e meu irmão estávamos crescendo, as roupas não serviam mais e não tínhamos dinheiro pra comprar novas. Eu usava uns tênis velhos do meu pai e só tinha duas bermudas – uma pra sair, outra pra ficar em casa.

Foi durante essa época infeliz e sem esperança que fui estudar no Colégio Kubitschek, que, apesar das suas paredes descascando, vidros estilhaçados, carteiras quebradas e falta de professores, era uma das melhores escolas públicas da cidade. Imagine como eram as outras. A adaptação foi a pior possível. Eu vinha de um pequeno colégio de padres onde era tratado como uma criança, e os alunos recebiam atenção e cuidados. Na escola nova, era cada um por si. Os professores faziam questão de fingir que não te conheciam. Com todo esse carinho e receptividade, eu mergulhei de cabeça na única coisa que fazia razoavelmente bem até então: jogar basquete.

Uma coisa que não contei é que, depois daquele show que assisti aos 8 anos de idade, a história de me tornar um rockstar ficou adormecida por um bom tempo. Eu bem que tentei aprender a tocar um instrumento: fiz aulas de violão, guitarra e bateria. Tentei aprender sozinho com as revistinhas e os violões dos primos mais velhos. Achava que tinha uma superaptidão pra música, mas a verdade é que eu não evoluía. E, com a falta de evolução, acabei voltando minha atenção para o esporte e fui treinar basquete num clube perto de casa, ainda antes dos 10 anos. Treinava tanto que virei um bom jogador. Não que fosse um craque, mas eu jogava direitinho. Era a época em que a NBA começou a passar no Brasil, e virei fã do esporte. Passei a saber tudo dele. Colecionava o que podia do Magic Johnson, do Larry Bird, do Michael Jordan... Charles Barkley era meu jogador preferido. Eu torcia para o time dele, o Phoenix Suns. Tinha um pôster gigante dele... isso quando eu tinha um quarto. Na busca por uma identidade, e com meu sonho de ser um rockstar posto de lado, meu objetivo era me tornar... bem... um sportstar.

Foi nisso que foquei todo o meu esforço nos primeiros meses no Colégio Kubitschek. Me inscrevi no time da escola e participava dos treinos todas as segundas, quartas e sextas-feiras pela manhã, já que naquela época eu estudava no turno da tarde. Ia pra escola às 8 horas e ficava na quadra até depois do meio-dia. Às terças e quintas, eu tinha aulas de educação física, nas quais podia escolher um esporte para jogar. Claro que também escolhi basquete. Na hora do almoço, voltava pra casa, colocava o uniforme e andava de novo até a escola. Em vez de ir pra sala, matava as aulas e ficava jogando basquete na quadra. Por conta disso, eu obviamente não ia muito bem nos estudos. Mas os professores não estavam nem aí. E meus pais estavam ocupados tentando de alguma forma colocar comida na mesa. Então, ninguém percebia. Ninguém se importava.

Exceto meu colega Hector, que também jogava basquete no time da escola e estava na mesma classe que eu. Aos 15 anos, ele tinha quase 1,90 metro de altura, usava óculos fundo de garrafa e era meio desengonçado. Mesmo sem eu pedir, ele fazia o possível pra pôr meu nome nas listas de chamada e nos trabalhos em grupo. Tentava como podia me avisar de provas e trabalhos que precisavam ser entregues.

Acho que fazia isso porque era a única pessoa que sabia o que estava acontecendo na minha casa e se sentia compelido a ajudar. Logo nas primeiras semanas na nova escola, eu e ele formamos uma dupla pra fazer um trabalho. Teríamos que nos encontrar algum dia pela manhã pra fazer a tarefa, e, como eu morava mais perto da escola, sugeri que ele fosse até a minha casa. Ele almoçaria lá e iríamos juntos pra escola naquele dia. Até o ano anterior, isso era algo normal na minha casa, ter amigos e colegas da escola por lá de manhã e almoçando com a gente. Então, não vi problemas em combinar isso. Mas, na manhã em que ele chegou lá em casa, minha mãe me chamou na cozinha e me perguntou quando ele iria embora pra podermos almoçar. E eu disse que ele almoçaria com a gente, e que depois iríamos pra escola.

Minha mãe surtou! Eu nunca a havia visto tão transtornada. Primeiro ela começou a me dar bronca, dizendo que não podia levar gente pra almoçar sem avisar. Depois se calou de repente, o que foi ainda mais assustador. Eu fui tentar confrontá-la:

– Mãe, não é justo você ficar brava comigo porque eu trouxe um amigo pra almoçar. A gente está fazendo trabalho da escola. Minhas irmãs sempre fizeram isso e nunca foi um problema – protestei.

Então percebi que ela estava chorando discretamente. Fiquei sem saber o que fazer. Ela segurou um pouco o choro, respirou fundo e falou bem baixinho:

– O problema é que a gente não tem comida pra todo mundo.

Ela queria falar mais, porém acho que se calou pra não chorar. Nunca imaginei que viveria numa casa em que faltasse comida. Vi que ela tentava dividir um omelete fininho em um prato. Sem saber o que fazer, voltei pra sala pra terminar o trabalho com o Hector, que provavelmente ouviu tudo.

Não lembro como o assunto se resolveu, acho que minhas irmãs foram almoçar na casa de alguém. Fato é que apareceu um pedaço de omelete maior pra mim e pro Hector naquele dia. Ele deve ter ficado com um pouco de pena e, provavelmente, com um pouco de fome também. Desse dia em diante, sempre me chamava pra almoçar na casa dele. E tomava o cuidado de pôr meu nome nas chamadas e tarefas.

O treino de basquete das aulas de educação física era mais leve, já que muitos eram iniciantes no esporte e as meninas também faziam aula junto com os meninos. O professor, que era o técnico do time de basquete da escola, costumava pedir para os jogadores do time atuarem como monitores, ensinando e ajudando os outros alunos a fazer os exercícios e os movimentos do jogo de forma correta. Numa dessas aulas, fui ajudar uma aluna iniciante, toda atrapalhada com a bola. Na educação física, eu me sentia um pouquinho superior aos outros alunos, e isso me ajudava a superar a timidez natural de falar com garotas na adolescência.

Timidez que essa garota não tinha. O nome dela era Tatiana, tinha mais ou menos a minha altura, cabelos castanho-escuros e olhos grandões. Era sorridente e divertida. Levava a sério as coisas que eu ensinava e tentava fazer corretamente os movimentos de passada e arremesso. E mais: começou a acompanhar a NBA como podia e escolheu o MEU TIME para torcer. É óbvio que eu a achei incrível, e senti que tinha uma chance para me aproximar ainda mais dela.

Tatiana tinha todos os pré-requisitos pra se tornar a paixão da vez: bonita, divertida, gostava de conversar e, principalmente, falava comigo. Bastante, aliás. Ainda por cima, a cereja do bolo: GOSTAVA DE BASQUETE. Pra mim, maníaco pelo esporte que eu era, não tinha nada mais sexy do que uma menina que gostava de basquete! Quem podia não se apaixonar por uma garota assim? O problema é que o Hector, que também fazia as aulas de educação física conosco, chegou à mesma conclusão.

Daquele dia em diante, tudo que eu fazia pra tentar me aproximar da Tatiana, o Hector copiava. Falava pra ela se encontrar comigo meia hora antes da aula pra treinar... Lá estava o Hector. Falava que ia acompanhá-la até em casa... O Hector resolvia ir junto. Onde eu estava, o cara estava também. Ele era um cara bastante sem noção e, olhando em retrospecto, provavelmente não percebeu o quanto eu gostava dela ou que eu estava tentando alguma coisa ali. Mas, na época, interpretei essa falta de noção como uma piada de mau gosto. Achei que ele estava fazendo de propósito, com o objetivo de me sacanear.

Essa impressão se agravou durante um descompromissado jogo de trios na quadra da escola. Estávamos jogando em times opostos e o Hector deu um tapa na minha mão na hora do meu arremesso. Achei que tinha sido sem querer e deixei passar. Mas logo em seguida ele fez de novo. Em vez de pedir falta – que é a regra não escrita do jogo de trio –, resolvi ficar quieto, mas comecei a achar que, por causa da Tatiana, ele estava tentando me provocar, e eu não queria entrar no jogo. Vendo que eu não pedia falta, ele começou a me testar. Ficou me empurrando no meio do jogo, me dando rasteiras pra eu tropeçar e dando tapas no meu braço quando eu arremessava. Mas eu continuava não pedindo falta. Achava que aquilo ali era a provocação maior, que ele só estava tentando me desestabilizar, me humilhar na frente dos outros caras do time, que já não se aguentavam de rir cada vez que Hector me dava uma pancada. Até que perdi o controle, joguei a bola nos óculos dele e comecei a xingar ele e a mãe.

Ele fechou a cara na hora e veio me encarar:

– Você tá maluco? O que você tá fazendo? Você quer morrer?

O Hector era muito maior que eu na época, e eu não tinha a menor condição de encará-lo numa briga.

Ele só virou as costas e foi embora. Eu também. Até hoje não sei muito bem o que foi aquilo. Acho que ele só estava achando engraçado o fato de eu não pedir falta, e a piada foi longe demais. Mas na minha cabeça ele estava num complô contra mim. E a Tatiana era o motivo.

Com isso, as coisas ficaram um pouco difíceis pra mim, tanto na classe como no time de basquete. Eu já era um *outsider* na sala de aula e, depois da briga sem sentido, com o pessoal tomando o partido do Hector, o era na quadra também. Aos poucos todo mundo parou de falar comigo e começou a rir de mim e me dar um monte de apelidos, fazendo referência ao fato de eu não pedir falta, de eu chamar o cara pra briga, ou de eu estar apaixonado pela mesma menina que ele.

Ficou insuportável ir para os treinos. Eu só ia pra quadra à tarde – quando eles estavam estudando –, e na hora do intervalo procurava não ser visto, me escondendo em algum canto da escola. E isso não poderia ter acontecido numa época pior. Pela primeira vez, nosso time ia disputar uma eliminatória do campeonato das escolas de Brasília. Teríamos um primeiro jogo contra o melhor time da cidade: o do Colégio Península. Sim, Brasília é uma cidade realmente pequena.

A escola nunca participava de campeonatos porque o time não tinha muitos recursos, mas, antes da briga com o Hector, nos esforçamos pra ter o mínimo para nos inscrever. Tínhamos camisetas – não uniformes –, e cada jogador tinha que ter o cuidado de ir com um short preto, para que estivessem todos da mesma cor. O time tinha quinze jogadores inscritos, e só doze camisetas. A ideia era que, se alguém precisasse de uma emprestada, usaria a camiseta de outro jogador do avesso, com o número desenhado com fita adesiva. Cada jogador precisaria se deslocar até o local da partida com recursos próprios. O técnico do time até se dispôs a levar alguns alunos no seu Corcel II, mas não caberia todo mundo.

Eu não queria arranjar confusão com o resto do time, mas queria muito participar desse jogo porque, afinal, eu tinha participado de todo o processo pra chegar até ali. Para evitar qualquer problema com os outros jogadores, resolvi ir a pé. Caminhei quarenta minutos até o local do jogo, e cheguei a tempo de ver o time do Colégio Península chegando com seu ônibus personalizado e o Corcel do nosso técnico, com sete atletas enfiados dentro dele. "Ainda bem que eu vim andando", pensei. Pelo menos tinha servido de aquecimento.

Não tínhamos nenhuma perspectiva de ganhar. Nosso time era recente, treinava pouco e ninguém era muito bom. Eu era um dos reservas, assim como Hector. Minha perspectiva era de, na melhor das hipóteses, entrar em quadra por alguns minutos.

Mas, como que por um milagre desses de filme de esporte, o time jogou de igual pra igual contra o Colégio Península durante todo o primeiro tempo. O placar estava lá e cá, empatando e mudando quem estava na frente a cada instante. Na emoção da torcida, o time se uniu e parecia que estava tudo bem eu estar ali. Todo mundo estava engajado no jogo, gritando para o time prestar atenção na defesa e nas roubadas de bola. Nos pedidos de tempo, todo mundo, inclusive eu e Hector, dava ideias de jogadas e alertas de defesa para o time titular que estava em quadra. Parecia que toda aquela briga havia acabado.

No intervalo, o time era só confraternização. Com o placar empatado, víamos uma chance real de derrotar o melhor time do campeonato e, ainda, ter mais um jogo pra disputar. Alguns jogadores já faziam promessas. Os melhores reservas nem queriam entrar em quadra pra não estragar.

Mas... A situação não durou. O time do Colégio Península se acertou no intervalo e voltou para a quadra com outro jogo. Em pouco tempo se distanciou no placar e controlou a partida, acabando com a esperança que havíamos construído durante toda a primeira metade do jogo. Eles acertaram todas as jogadas e arremessos. Nós paramos na defesa. Foi triste.

Todó mundo começou a se conformar com a realidade e a situação se inverteu totalmente. Em vez de gritos de torcida e incentivo, sarcasmo, piada e autodepreciação. Os jogadores começaram a xingar uns aos outros, e o time adversário ria da situação. Sem ter mais o que fazer, o professor começou a colocar os reservas em quadra para, pelo menos, todo mundo poder jogar um pouco.

E nisso chegou a minha vez. Entrei em quadra já com a tarefa de "bater um lateral", ou seja, repor a bola em quadra depois que o outro time a jogou pra fora. No basquete, você tem cinco segundos para fazer isso ou então o juiz reverte a posse de bola. Em geral, os jogadores em quadra executam um corta-luz, isto é, um jogador do time bloqueia o marcador de um companheiro, para que ele possa sair livre e receber a bola. Eu fiquei esperando alguém fazer um corta-luz, mas ninguém apareceu. Eles estavam propositalmente querendo que eu errasse o passe. Com o limite se aproximando, joguei a bola pro Hector, que estava em quadra e fez questão de não pegá-la.

Imediatamente depois dessa jogada, o time começou a me zoar e a me humilhar. Como se eu tivesse feito algo ridículo, imbecil, digno de vergonha. O time inteiro começou a agir como se eu, que joguei dois minutos, fosse o culpado pela derrota. Era obviamente uma zoeira coordenada, mas passou do limite da brincadeira e doeu de verdade. Tava claro que eu não era mais bem-vindo. A única coisa de que eu gostava. Eu senti raiva, ódio e, claro, medo. Eu era o menor do time e, se aquilo virasse uma briga de verdade, não teria nenhuma chance.

A briga com o Hector e com todo o time de basquete acabou com a escola pra mim. A quadra era o único lugar onde eu me sentia seguro e, agora, eu tinha receio de ir pra lá. Também não tinha mais a amizade do Hector, que era a única constante de normalidade na sala de aula. Comecei a não entregar trabalhos, a faltar nas provas, a não ir mais pra escola.

Eu precisava achar algum lugar pra passar as tardes e comecei a jogar basquete sozinho em uma quadra que descobri perto de casa. De tarde, na hora da escola, normalmente não tinha ninguém pra jogar, então eu passava várias horas lá treinando arremessos, o que me fez melhorar muito. À noite, sempre apareciam algumas pessoas que moravam por perto pra algumas partidas.

Um deles se chamava Filipe, um cara alto e muito magro, a cara do Scottie Pippen, jogador do Chicago Bulls. Eu detestava ser marcado por ele. Por eu ser canhoto, tinha uma pequena vantagem contra meus marcadores destros. Na hora do drible ou da infiltração, eu sempre ia pra esquerda, quando eles estavam acostumados a defender a direita. Mas, como Filipe era canhoto também, essa tática não funcionava com ele.

Ele era um cara legal de jogar e às vezes, depois de algumas partidas, ficávamos conversando um pouco sobre a NBA.

Numa dessas tardes em que eu jogava sozinho, ele apareceu. Conversamos por algumas horas, falando sobre a vida e arremessando a bola. E aí, do nada, ele me solta uma pergunta sem nenhum contexto:

– Cara... você... gosta de música?

Como assim? Todo mundo gosta de música, né? É tipo perguntar se alguém gosta de sorvete. Música pra mim era quase tão importante quanto basquete.

– Gosto, sim, mas não de todas.

– De que tipo você gosta? Você gosta de dance music, essas coisas? Ou gosta de rock?

De novo, como assim?

– Cara, eu gosto de rock. É quase tão importante pra mim quanto basquete.

– Fala uma banda de que você gosta – pediu.

– Uma banda? Bom, Legião Urbana é a minha preferida. Tenho todos os discos, sei todas as músicas. Mas eu gosto de tudo do rock nacional: Paralamas, Engenheiros, Nenhum de Nós, Ultraje a Rigor, Camisa de Vênus, Capital Inicial, Biquíni Cavadão... Também curto demais as grandes bandas internacionais: Queen, Guns N' Roses, Bon Jovi, Skid Row, Extreme... Beatles, lógico! Dire Straits, conhece?

– Legal, deu pra ver que você gosta das coisas certas. Eu tenho uma banda que toca rock. Vai lá em casa um dia pra ver a gente tocar – falou, como se fosse algo corriqueiro.

Confesso que não havia entendido muito bem. Pra mim, estar numa banda era tipo ter um emprego. Mesmo tendo visto a banda da Semana Cultural quando criança, tinha essa visão de que toda banda era profissional. Nunca tinha parado pra pensar como elas se formavam. Não era algo que adolescentes podiam ter. Era como... sei lá, ter um restaurante.

Achei que ele estivesse brincando, mas me interessei. Sempre gostei de ver meus primos tocando violão e imaginei que seria algo parecido.

– Legal, quando? – perguntei.

– Ah, vamos lá agora. Eu te mostro umas músicas, a gente toma água e depois volta aqui.

Topei. Fomos ao apartamento dele, que era perto, e ele me mostrou as coisas de que gostava. Tinha muita coisa mais pro heavy metal: Iron Maiden, Metallica, Megadeth. Esquecemos o basquete e passamos um tempão sentados no chão, de frente pro aparelho de som, ouvindo música por música do acústico do Eric Clapton, que era bem recente. Depois ele me mostrou todos os "the's" dos anos 70: The Who, The Cream, The Animals, THE DOORS! "LIGHT MY FIRE"!

– Cara, eu adoro essa música! Esse órgão no começo é massa! – falei.

– Pô, eu sei tocar. Olha só.

Ele pegou um violão Giannini que estava deitado num sofá e o empunhou de cabeça pra baixo. Achei que ele estava brincando, que não sabia tocar coisa nenhuma, que era só uma piada. Nas minhas tentativas de aprender a tocar, eu não aprendi quase nada, mas sabia pelo menos empunhar o instrumento direito.

– Cara, o violão tá de cabeça pra baixo – avisei, sem querer ofender.

– Não, é que eu sou canhoto. Eu toco assim.

Minha. Cabeça. EXPLODIU.

Em segundos, comecei a me lembrar de cada momento, cada aula de instrumentos que eu tinha feito e da minha dificuldade de aprender a tocar, de quando via os outros alunos conseguindo fazer os primeiros acordes de "Asa Branca" enquanto eu não saía do dedilhado com as cordas soltas. Quando via meus primos ganhando um violão em um Natal qualquer e arranhando umas músicas já no mês seguinte. Era isso. Toda a minha vida. Era só isso. Era só ter o instrumento adaptado pra mim!

– Caramba, cara! Eu nunca tinha pensado nisso. Eu tentei a vida inteira tocar como destro...

– Não precisa. Olha, tenta aqui.

Ele me deu o violão e me ensinou um acorde. E simplesmente saiu. Com naturalidade. Claro que eu ainda tinha que aprender, mas era infinitamente mais confortável do que tudo que eu já havia tentado.

– Cara. Me ensina a tocar? Quero aprender! – pedi, quase implorando.

– Claro, vou desenhar uns acordes pra você. Peraí.

Ele desenhou alguns acordes num papel, me emprestou umas revistinhas de cifras e falou:

– Leva essas aqui, são fáceis de tocar.

– Mas eu não tenho violão. Pode me emprestar o seu?

– Pode, leva pra casa. Amanhã você me devolve.

E foi por conta da generosidade desse cara que eu mal conhecia que finalmente consegui aprender a tocar. Ele tinha me visto poucas vezes, não sabia onde eu morava e ainda assim me emprestou o único violão que possuía. Se não fosse por isso, considerando a minha condição econômica na época, eu nunca teria aprendido a tocar.

A vida toda eu tinha confiado em primos, tios e até entrado em escolas. Todos tentaram me ensinar como destro. Todos partiram da ideia de que, se eu aprendesse como destro, não faria diferença. Não é assim. Existem até alguns canhotos que têm essa habilidade, mas não é o meu caso. Se alguém tivesse prestado atenção nisso antes, eu não teria perdido tanto tempo.

Mas eu não estava chateado. Estava animadão por finalmente ter descoberto a fórmula. Fui pra casa e fiquei a tarde toda, a noite toda e o outro dia inteiro praticando. Eu tocava e cantava "Walk of Life", dos Dire Straits, e "Eu Nasci Há Dez Mil Anos Atrás", do Raul Seixas. Claro que de um jeito horroroso, todo travado. Mas saía. Aprender a tocar um instrumento, encontrar uma nova habilidade e uma nova paixão, me ajudou a superar o resto do ano. Eu ainda amava o basquete, mas já não precisava mais dele nem do time. Nem da Tatiana, que nunca mais vira desde que eu parara de frequentar as aulas. Eu tinha uma nova paixão.

O Filipe estudava em outra escola, mas sempre que podia me recebia na casa dele pra me ensinar umas músicas e pra compartilharmos tudo sobre rock 'n' roll. Um dia ele me apresentou uma lojinha de instrumentos que ficava numa galeria na frente da minha casa. E comecei a passar por ali todos os dias, sonhando em conseguir comprar meu próprio violão e poder praticar mais. De tanto perturbar o dono da loja, ele acabou me vendendo um Di Giorgio usado, cheio de rachaduras, pelo preço de um sanduíche. Eu praticamente dormia abraçado com ele e voltei a frequentar a escola, levando meu violão embaixo do braço pra treinar nos intervalos.

Mas não foi suficiente. Mesmo com um pouco da autoestima recuperada, a quantidade de aulas e provas que perdi foi muito grande, e acabei sendo reprovado.

Quando dei a notícia pra minha mãe, ela nem brigou. Só se conformou:

– Bom... Você era adiantado um ano mesmo, então tinha esse crédito. Vamos ver se agora fica mais fácil – falou, tentando não demonstrar muita decepção, comigo e com ela mesma.

Acho que meu pai nem ficou sabendo. A vida em casa estava tão difícil que uma reprovação na escola não era o maior dos problemas. Me castigar, ou tentar recuperar de alguma forma, parecia só mais um enorme problema no topo da montanha de problemas que eles tinham que resolver.

No ano seguinte, lá fui eu começar tudo de novo. Estudando de manhã, voltei a jogar basquete à tarde, o que ajudou a me livrar da maioria dos jogadores do time, que estudavam e treinavam nos turnos contrários. Mas em boa parte do tempo eu ficava num dos banquinhos da lateral da quadra com meu violão, aprendendo e treinando novas músicas.

Foi num dia desses que vi, entrando pela portinha da quadra, um pequeno par de Nike Forces pretos com uma bola laranja quicando na frente dele. Levantei lentamente o olhar e vi uma camiseta com a clássica foto do Jim Morrison estampada. Olhando um pouco mais pra cima, já com uma cara de abobado, travei o meu olhar no dela. Ela sorriu, sentou na minha frente e falou:

– Eu já te vi na minha quadra. Que legal que você toca!

Lembra que eu falei que não tinha nada mais sexy do que uma menina que gosta de basquete? Bom, e se ela vier com uma boa dose de rock 'n' roll?

Eu só conseguia responder coisas automáticas, como "sim", "ahã", "claro!", enquanto ela falava comigo. Mas na minha cabeça, e no meu coração, soavam todos os alarmes de que essa era pra valer.

CAPÍTULO 3
GAROTAS E GAROTOS

O nome dela era Bruna. Ela jogava no time feminino da escola e estava chegando pra treinar naquele dia. Morava na mesma quadra que eu e já tinha me visto por ali, carregando meu violão, indo e voltando da casa do Filipe. Como ela também era fã de rock, acabei chamando sua atenção, e foi por isso que ela veio falar comigo. Era um pouco mais alta do que as outras meninas. Tinha um sorriso lindo, olhos castanho-escuros, cabelos também castanho-escuros e curtos – ela tinha raspado a cabeça um ano antes e eles estavam crescendo (o que eu achei foda!).

Vou pedir desculpas por dizer isso aqui mais uma vez – sei que já tá ficando repetitivo –, mas... Eu me apaixonei na hora.

Sei que parece meio bobo. E é mesmo. Mas leve em consideração que eu NÃO estou falando de todas as meninas que eu conheci e NÃO me apaixonei. Se eu também falasse delas, ia parecer menos recorrente. Então, não é que eu me apaixonasse por toda menina que eu conhecia, ok? Mas a verdade é que eu me apaixonava a todo instante, e só estou contando as que importam.

Também é uma questão de coerência. A vida inteira achei que eu TINHA que estar apaixonado. É como ter uma cor favorita, um prato preferido, um time de futebol no Brasil, ou uma escola de samba no Rio de Janeiro... Você tem que ter um, você tem que ter a resposta na ponta da língua quando alguém te perguntar "de que menina você gosta?". Eu achava que isso era obrigatório, tinha que ter alguém preenchendo esse espaço. Devo ter visto filme ou novela demais quando criança, porque acreditava nisso com todas as minhas forças. E vivia isso intensamente, desde bem cedo.

No jardim de infância (sério!), em um recreio qualquer, um coleguinha veio me avisar que uma das meninas da sala, a Thaís, falou pra todo mundo que ela era minha namorada. Ele me contou como se fosse uma ofensa, com o objetivo de criar uma intriga, achando que eu ia me revoltar e jogar areia na cara dela, sei lá. Porém, frustrando as expectativas dele e das outras crianças de 5 ou 6 anos que participavam dessa conversa, eu curti. Adorei a ideia: ter uma namorada era como ter um carro de Fórmula 1 ou pilotar um foguete. Era coisa que só adultos podiam fazer, e agora eu também podia. Para espanto da turminha, fui confirmar com ela enquanto a menina brincava em cima de um cavalinho de madeira, usando o uniforme da escola e marias-chiquinhas:

– Thaís, me falaram que você disse que é minha namorada. É verdade?

– É, sim – respondeu, envergonhada.

É claro que eu não sabia o que fazer com essa informação e só voltei pra brincadeira no forte de madeira que tinha no parquinho. Na tarde daquele mesmo dia, resolvi ligar pra minha namorada. Não faço ideia de como eu tinha o telefone dela. Aliás, não faço ideia de como eu sabia operar um telefone, que nessa época tinha um "disco" no meio e ocupava uma mesinha no corredor do apartamento (por quê? Por que no corredor?). E de alguma maneira eu disquei os sete números e aguardei alguém atender.

– Alô, a Thaís está? – Era como eu tinha sido ensinado a falar ao telefone. Que criança fala "está"?

– Tá, sim, quem quer falar com ela? – perguntou uma voz do outro lado da linha, claramente espantada com o fato de a Thaís estar recebendo uma ligação.

– É o Gustavo.

– Que Gustavo?

– O namorado dela. – É sério, eu falei isso.

– Hahahahahaha.

Pensando agora, esse deve ter sido o momento que me fez detestar falar ao telefone pro resto da vida. Devo carregar esse trauma até hoje.

– Thaííís! Telefone pra vocêêêê!

Antes de a Thaís chegar ao telefone, a pessoa que atendeu retomou a conversa comigo.

– Você já beijou a boca dela? Namorado tem que beijar na boca!

Não tive tempo de responder esse comentário impróprio a respeito de uma criança de 6 anos que morava na casa dela, mas concordei. Beijar na boca. Ok. Instrução entendida.

A Thaís pegou o telefone e falamos sobre o que estávamos fazendo naquela hora, porque eu não tinha me planejado para coisas secundárias como, por exemplo, ter o que falar. Mas me lembro que ela me contou que sua irmã havia atendido o telefone. A conversa não demorou muito. Desligamos rapidamente, e no dia seguinte fui até a Thaís para cumprir a instrução recebida de sua irmã. De forma quase protocolar, eu disse:

– Se a gente é namorado, a gente tem que beijar na boca.

Ela simplesmente virou as costas e saiu correndo.

Foi um breve e desastroso primeiro passo para o meu histórico de relacionamentos. A partir daí, eu decidi que era isso que eu queria: ter uma namorada, como os adultos tinham. Se a Thaís já tinha passado, eu precisava de alguém para ocupar o lugar dela.

E não demorou para isso acontecer. Em uma época em que todos os primos mais velhos já estavam namorando e trazendo seus respectivos pares para as festas da família, propus pra minha prima Daniela, que tinha os mesmos 7 anos de idade que eu, que formássemos um casal. Era bonitinho, era só a gente imitando o que os mais velhos faziam (e que era apropriado pra gente ver). Andar de mãos dadas, passar o dia juntos e ver televisão um do lado do outro.

Pra mim aquele era um relacionamento de verdade. Mesmo depois que a família dela se mudou de Brasília. Fiz o esforço de escrever umas cartinhas apaixonadas, com a ajuda da minha mãe, que as enviava por mim. A Daniela me respondia, depois de alguns dias, num papel de carta fofinho dentro de um envelope com corações. Isso era a prova definitiva de que eu tinha uma namorada. Afirmação que eu fazia para todos os meninos que encontrava e que nunca acreditavam. O "namoro" em si foi sendo esquecido com a distância e o tempo, mas desde essa época eu já tinha um pedestal para a "menina da vez", e a Dani ocupou esse lugar por muito tempo. Com uns 10 anos de idade, nos reencontramos, e essa história deixou de ser bonitinha pra ser embaraçosa. Principalmente pra ela, que já estava um pouco mais madura do que eu, se preocupava com a própria imagem e não queria ser vista com uma criança como eu, que ainda brincava de *Changeman*.

E aí, algum tempo depois desse reencontro, a Dani me contou que ela nunca curtiu a ideia de namoro. Que ela só topou porque a mãe achava bonitinho o jeito que eu gostava dela e pedia para ela ser legal comigo e responder as cartinhas. Já estávamos mais velhos e isso não deveria importar, mas partiu meu coração um pouquinho. Eu achava que o primeiro namoro inocente da minha vida era real, porém foi só uma farsa.

Ainda aos 10 anos, enquanto a Dani me desprezava, eu conheci uma das garotas mais legais que já passaram pela minha vida, a Cecília, na escolinha de basquete. Como minha história com o esporte ainda estava no começo e eu era muito novo, aquele negócio de "meninas que jogam basquete são sexy" ainda não existia. Mas Cecília era uma menina linda, com o cabelo loiro sempre preso em trancinhas e usando um conjunto de camiseta e shorts combinando. Passávamos as manhãs de sábado e domingo juntos depois do treino. Não éramos só eu e ela. Ficava toda uma turma brincando pelo clube, sendo Cecília a única menina, porque ela curtia as mesmas coisas que o resto dos garotos, como dar pulo-bomba na piscina.

Mas o que mais fazíamos nessa época era conversar. Sentávamos na lanchonete do clube, tomávamos um guaraná e ficávamos horas falando sobre a nossa vida de criança de 10 anos. Era o prenúncio da adolescência. Cecília tinha uma história de vida bem triste, era filha única e morava só com a mãe, que aliás estava sempre com ela no clube. Não sabia o paradeiro do pai. Só lembrava que um dia ele chegou pra ela, deu um abraço e disse que eles nunca mais se veriam. E foi embora pra sempre. Ela era incrivelmente capaz de contar uma história dessa e, na sequência, sair correndo e pular na piscina. Com todo esse laço que a gente desenvolveu, e com o meu plano firme de estar sempre apaixonado, fui me apegando à Cecília.

Outro problema que eu tinha – e que levei também vários anos para resolver – é que não conseguia ficar calado a respeito disso. Eu TINHA que contar pra alguém. De que adianta você ser perdidamente apaixonado se não tem ninguém para ver esse nobre sofrimento? Então, eu contei para o nosso amigo Paulinho, que jogava e brincava com a gente no clube. E, claro, o garoto, depois de me zoar por algum tempo, foi correndo contar pra Cecília, para meu desespero completo.

Nesse dia, passei o resto da manhã tentando me esconder dela, andando sorrateiramente pelos cantos do clube e tentando não ser visto no parquinho, na área da piscina, na lanchonete e na quadra de esportes. No entanto, ela me achou. Eu estava sentado em um banco atrás de uma árvore, de sunga, camiseta e chinelos, com a minha bola de basquete tamanho mirim e uma mochila com as roupas do treino. Ela veio confirmar a informação, como anos antes eu tinha feito com a Thaís.

Sentados no banquinho lado a lado, mas sem olhar um pro outro, ela começou:

– É verdade o que o Paulinho me falou? Que você gosta de mim? – perguntou assim, na lata, sem rodeios.

– É... – respondi, tímido como um personagem de desenho animado, um daqueles que fazem um semicírculo com o pé no chão.

Ela virou de lado e me olhou. Não falou nada. Não me apressou a falar nada também. Simplesmente sorriu e continuou me olhando, como quem diz: "A bola tá na sua mão, mas eu não vou ficar aqui por muito tempo".

E juntando toda a coragem que podia existir no corpo de um menino franzino de 10 anos, eu soltei as palavras quase que num único suspiro:

– É... – (Inspira.) – Você-quer-namorar-comigo? – (Expira.)

Ela apertou os lábios. Olhou pra cima e de volta pra mim. Falou com uma carga de sinceridade surpreendente para uma criança:

– Somos muito novos pra isso. Eu gosto de você, mas não tá na hora ainda.

Como é possível uma menina de 10 anos ser tão madura a respeito da própria imaturidade? Eu não tinha como discordar. Ela estava certa.

– Eu sei – disse, desapontado, olhando pro chão. – Vamos só continuar brincando mais um pouco. Quando a gente for mais velho, a gente vê.

Esse foi o fora mais doce que já levei na vida. Saí dali com vontade de simplesmente continuar brincando e também com a esperança de um dia podermos ficar juntos.

Mas esse dia nunca chegou. Em um certo sábado, ela me falou que ia se mudar pro Rio de Janeiro. Perguntei por quê, e ela disse que não podia falar. Não deixou contato. Já no domingo ela não apareceu mais. Era minha melhor amiga e fez comigo a mesma coisa que o pai tinha feito com ela.

Esse duro rompimento coincidiu com o momento em que deixei de estudar no Colégio Península. Lembra que falei que minha mãe brigou com a Dona Miranda? Foi nessa época. Mudei pra Escola Delta, que era uma das melhores de Brasília e, na época, ocupava um terreno enorme, tinha um *campus* muito grande, cheio de prédios, quadras de esporte, áreas verdes, parecia uma universidade. Mas a mudança aconteceu no pior cenário possível: no meio do ano, quando todas as turmas estão formadas, e você é o "aluno novo", o forasteiro, que tem que se adaptar à situação, que, no meu caso, era agravada por eu ser mais baixo e mais novo. Pra piorar, na minha sala estudava uma menina que morava no meu prédio... e que eu odiava.

Shana – esse era o nome dela –, por algum motivo que nunca fui capaz de entender, era uma líder, uma espécie de general de todas as meninas do prédio, que organizavam brincadeiras como desfiles de moda, ou esses jogos tipo pular elástico e corda, ocupando o máximo de espaço que podiam. Sempre sob o comando daquela chata, encrenqueira, irritante, que se achava a dona do pedaço e tinha mania de começar brigas com os meninos do prédio, por pura implicância. Se estávamos jogando bola, ela chegava com todas as meninas em fila, e começavam a se espalhar pelo campo propositadamente, atrapalhando o jogo. Outra tática de guerrilha era sentar do nosso lado quando estávamos conversando e começar a falar alto, só pra provocar.

E agora eu teria que lidar com essa menina na escola também? Sério?

Mesmo não gostando dela, como era a única pessoa que eu conhecia na turma, fui falar com ela. Para minha surpresa, e acho que dela também, ela até que foi legal. Parecia que eu estava conversando com alguém normal.

– E aí, Shana?

– Oi, Gustavo. Você estuda aqui agora? – perguntou educadamente, não demonstrando muita decepção com o fato.

– Sim.

– Aqui é bem difícil. Não pode faltar na aula, não pode ficar sem fazer dever de casa. Tem dois professores na sala durante as provas...

E ela continuou me falando de cada professor, de alguns alunos, de como a escola funcionava. Parecia outra pessoa.

Parando pra pensar, eu me toquei que, no prédio, com a minha turma, que eu conhecia havia mais tempo, eu também era bem mais criança. Era natural tentar parecer mais adulto na escola, com todo mundo te olhando e te julgando. Eu fazia isso inconscientemente e, com ela, devia ser a mesma coisa. Talvez ela também estivesse com receio de eu contar para as pessoas sobre a criançona sádica que ela era fora da escola.

Essa vida no novo colégio tornou a minha relação com Shana menos infantil e mais civilizada. E me fez ver que ela, quando queria, era uma menina legal. Nas aulas, dava pra ver que era inteligente. Além disso, com o esforço de se arrumar – já que nessa escola não tinha uniforme –, ela até que era bonita. Você já sabe pra onde isso está indo, né? Quem precisa estar sempre apaixonado? Que menina cumpriria com perfeição esse papel, tornando essa relação sofrida, impossível e complicada?

O curioso é que, paralelamente, eu cultivava uma amizade com a irmã da Shana, a Michele. Enquanto eu beirava os 12 anos, a Michele estava com uns 15. Ela tinha tudo pra me considerar um pirralho chato – o que eu era de fato – e não me dirigir a palavra, mas ela era uma pessoa incrível e me dava uma atenção absurda, considerando a diferença de idade. Foi justamente nessa época que comecei a me interessar por música e literatura e passava várias tardes ouvindo música no rádio e tentando gravar mixtapes. E, às vezes, encontrava Michele na loja de discos perto de casa.

Morando no mesmo prédio, um dia ela me viu carregando uns discos, se interessou e engatamos uma conversa. Trocamos várias figurinhas. Eu mostrei pra ela um monte de músicas incríveis que achei nos discos de trilhas sonoras de novela que minha irmã colecionava: Elton John, Colin Hay, Joe Cocker... Tinha até Led Zeppelin. Ela, que era mais velha e conhecia mais coisas do que eu, me apresentou os cantores brasileiros que curtia: Lulu Santos, Caetano Veloso, Raul Seixas, Leo Jaime e Cazuza.

Ah! Mesmo com essa história de estar sempre apaixonado, eu nunca me apaixonei pela Michele. Acho que meu coração conhecia limites, e seria ridículo (como se as outras paixões não fossem) ficar sonhando com uma menina três anos mais velha e que era não só a mais bonita da escola, mas também era modelo e bailarina. Eu a enxergava como uma prima mais velha que me acolheu pelo meu intelecto, o que me deixava bem orgulhoso.

Michele foi quem me convidou pela primeira vez pra ir a um show, do cantor Oswaldo Montenegro, que ela adorava. Seria o primeiro show da minha vida, descontando talvez os do Trem da Alegria e do Balão Mágico. Foi muito legal ter sido convidado, mas acho que contou um pouco também o fato de não haver muitas pessoas da idade dela, ou da minha, dispostas a pagar para ver o Oswaldo Montenegro. Mas não importava. Ela fez uma mixtape pra mim, e eu aprendi todas as músicas, que aliás sei de cor até hoje. Chegando lá, encontramos uma menina que estudava com ela e assistimos ao show juntos, cantando. Inclusive, fomos ao backstage depois, onde conseguimos uma foto com Oswaldo Montenegro e autógrafos da flautista Madalena Salles e do saxofonista Milton Guedes. No dia seguinte, a Michele me contou que a amiga dela falou, na volta pra casa, que queria que eu fosse uns três anos mais velho. Isso me fez ficar convencidíssimo por vários dias.

Mas, mesmo sendo um apaixonado crônico, eu era realista. Nada de sonhar com a amiga da minha amiga três anos mais velha. Meu foco era a irmã da Michele, que eu costumava achar feia e chata e que, agora, achava incrível e legal. Mesmo com as brigas que costumava ter pelo prédio com a Shana, eu eventualmente ia ao apartamento dela pra visitar a Michele. Entrava, cumprimentava os pais delas e a ignorava por completo. Mas desde que passamos a estudar na mesma classe e ter uma relação civilizada, quando eu aparecia, dava um oi pra Shana, que me devolvia um oi. Parecia que estávamos crescendo e amadurecendo. Com a autoconfiança adquirida por conta da história do show, finalmente contei pra Michele que, depois de anos de inimizade estilo Mônica-Cebolinha, eu agora gostava da irmã dela, na esperança de que ela me ajudasse a encontrar um caminho para o coração da Shana. No entanto, após eu ter contado toda a história, ela olhou por um tempo pra mim em silêncio e, medindo as palavras, finalmente emitiu um parecer:

– Gustavo, eu acho que ela NUNCA pode saber disso, porque ela TE ODEIA! Nunca fale isso pra mais ninguém.

Isso porque ela mediu as palavras.

Segui o conselho dela e nunca deixei a Shana saber do meu sentimento, embora tenha gostado dela por mais um tempão. Talvez a Michele tenha contado pra ela um dia, ou talvez ela vá saber quando ler este livro. Mas, mesmo em segredo, esse sentimento durou bastante e serviu pra eu aprender a ficar quieto. Essa paixão só foi interrompida pela história que vivi com uma garota também da Escola Delta: Andrea, que estudava na sala ao lado da minha, junto com o meu melhor amigo da época, o Victor.

Victor era o estereótipo do nerd dos anos 90: gordinho, óculos fundo de garrafa, fã de super-heróis. Passávamos a hora do recreio andando pelo *campus* da escola, comendo Fandangos e conversando sobre filmes, programas infantis da TV e brinquedos que ainda curtíamos, enquanto a maior parte dos nossos colegas já tinha superado. Às vezes, a Andrea se juntava a nós nessas caminhadas. Ela curtia de verdade nossos papos. Achava tudo engraçado e, depois, vinha nos contar que tinha repetido as piadas por aí, mas que ninguém entendeu. Ela era uma menina legal e animada. E que parecia gostar da gente. Até demais, talvez, porque em certa manhã eu cheguei na escola e recebi um bilhetinho.

Oi, Gustavo. Aqui é a Andrea, sua amiga da sala do lado. Escrevo para te fazer um pedido especial. Eu estou apaixonada pelo seu amigo Victor. Ele mesmo. Acho ele um fofo e não sei mais o que faço para chamar a atenção dele. Então, tive a seguinte ideia: que tal se a gente fingir que está namorando? Acho que isso ia fazer ele ficar com ciúmes e, finalmente, tomar uma iniciativa. Você me ajuda? Beijinhos da sua "namorada", Andrea.

O Victor era um dos caras mais legais que já havia pisado naquele lugar, mas não era alguém que você esperava que atraísse a atenção das meninas.

Então, mesmo eu, que era bem bobão e incapaz de notar essas coisas, percebi que isso era, na verdade, um truque dela pra ficar comigo. Fiquei até me sentindo lisonjeado, mas sem saber o que fazer. Eu não queria dizer não pra ela, mas também não queria fazer parte daquele plano. Outro problema era que Andrea era conhecida por todos os meninos como "Monstro". Seus cabelos estavam sempre presos em um rabo de cavalo, daqueles puxados com toda força pra trás. Usava óculos enormes e infantis e um daqueles aparelhos nos dentes que passavam por fora do rosto da vítima, amarrado na nuca. Um prato cheio para a crueldade sem limites das crianças dos anos 90.

Eu não concordava com o apelido, até porque era vítima da mesma crueldade, né? Eu passava as manhãs comendo Fandangos e falando sobre séries de TV com outro nerd. Também usava um aparelho que parecia um instrumento de tortura, com uma grade que se formava atrás dos meus dentes superiores. Ainda bem que não tenho fotos. Minha vida já não era fácil, e um namoro com a Andrea não iria ajudar.

Mas ela nem me deu a chance de responder. Na hora do recreio, assim que coloquei o pé pra fora da sala, um menino da turma dela veio correndo até mim e disse, sem rodeios:

– Gustavo, é verdade que você está namorando com a Monstro?

Sem saber o que dizer, fiz o que sempre fazia: me enrolei mais ainda.

– É... Não, eu... É que... Ela queria que... Mas eu...

– Sabia que era mentira! Essa Monstro...

E saiu andando, comentando o assunto com outro colega, que comentou com outro, e o assunto se espalhou rapidamente. Eu só pensava em me esconder em algum canto. Comprei meu lanche e fui pra trás da placa da escola, um lugar aonde ninguém ia porque era longe pra caramba e do lado das latas de lixo. É claro que ela me achou rapidinho.

– Gustavo... Você não leu minha carta? Você não topa dizer que a gente está namorando? – ela me cobrou, com um misto de decepção, raiva e vergonha.

– Então... Não, eu não quero fazer isso... Poxa, a gente nem conversou...

Os olhos dela se encheram de lágrimas. Ela sabia que os meninos a chamavam por um apelido cruel e que isso tinha pesado na minha decisão. E porque ela era uma das poucas meninas que enxergava em mim um cara legal, e eu não percebia isso, o que era bem injusto. Também, acho, porque ela gostava de mim e pensou que esse plano maluco fosse dar certo.

No ônibus, voltando pra casa, depois de toda a emoção e zoação do episódio, fiquei refletindo. Primeiro curti o momento, porque, com essa maldição que eu me autoimpunha de estar sempre apaixonado, era raro haver uma abertura pra alguém se apaixonar por mim. E acho que isso só aconteceu porque eu estava enterrando meu sentimento pela Shana lá no fundo, sem falar pra ninguém, tentando esquecer. O conselho da Michele realmente funcionou. Mas eu me arrependi um pouco. Seria legal ter uma namorada que gostasse de mim. Andrea era legal e divertida, e gostávamos das mesmas coisas. Sem falar que eu ligava "só um pouco" pro que iam dizer.

É claro – óbvio, e nem um pouco surpreendente – que nessa história manjada de filme dos anos 80, a Andrea voltou depois das férias de julho transformada. Sem o aparelho-instrumento-de-tortura, com óculos mais adequados para sua idade, cabelos cacheados soltos e bem cortados. Enfim, sem os disfarces que escondiam a beleza que ela sempre teve. Por incrível que pareça, mesmo assim não me apaixonei por ela, mas fiquei com um pouco de ciúme quando a vi andando lado a lado com aquele menino que me perguntou se eu estava namorando com ela. Lição aprendida.

Lembra que falei de toda a crise econômica que a gente viveu quando o negócio do meu pai faliu? Pois bem, essas coisas nunca acontecem de repente. Uma crise econômica é como uma enchente provocada pela chuva. A água começa a entrar por baixo da porta e você tenta salvar tapetes, móveis, objetos... Não percebe que dali a algum tempo estará correndo pra salvar a sua vida, e que não devia ter se preocupado com coisas banais. Mas só se dá conta depois.

Era isso que estava acontecendo com a minha família enquanto eu cursava o último ano do primeiro grau. A crise econômica, que nos deixou quase sem dinheiro pra comprar comida, começara um ano antes. Na tentativa de fazer cortes, de tentar se adaptar a uma vida mais modesta, em vez de sairmos de uma das melhores escolas da cidade direto para uma pública, fomos estudar no Centro de Ensino Louvador, uma pequena escola que pertencia à Igreja e ficava em frente ao meu prédio.

Meus pais foram falar com o padre e negociaram um bom desconto. Era um bom meio-termo, economicamente falando. Mas seria mais um começo, mais uma adaptação, mais uma mudança de turno pra mim e pro meu irmão. Mais uma vez entrar numa nova turma, sendo o mais baixo e mais novo. Engraçado que eu e meu irmão vivíamos zoando os alunos dessa escola por causa do uniforme amarelo-ovo ridículo que eles eram obrigados a usar. E lá estávamos nós, no primeiro dia de aula, usando aquela roupa, que poderia muito bem ser a de um palhaço.

Como uma boa escola religiosa, o lugar era rígido nos processos e costumes. Mas, como toda escola da periferia, sofria um pouco com as limitações de verba. Era um predinho de três andares, com as salas e os corredores voltados pra um grande vão livre no centro e conectados por escadarias. Parecia um velho casarão, embora não existam velhos casarões em Brasília, inaugurada nos anos 60. Na hora da entrada, todo mundo formava uma fila pra cantar o hino nacional e participar da primeira oração do dia no pátio. Depois, íamos ainda em fila para a sala de aula, onde as carteiras eram numeradas e os lugares pré-marcados em ordem alfabética, o que me colocou na primeira fileira, ao lado da mesa das professoras (não havia professores homens).

Quando nada parecia poder piorar, na minha primeira aula, a professora pediu para que os alunos se organizassem em grupos. Essa tarefa, ainda mais quando o resto da turma se conhece, é um dos maiores pesadelos das pessoas introvertidas. Para a maioria dos alunos daquela turma foi uma festa: todos se conheciam, estavam há um tempão sem se ver e loucos para se juntar e poder continuar conversando. Para minha surpresa, a menina que sentava ao meu lado, como se soubesse de todo o tormento que eu estava sentindo, se virou em minha direção e falou:

– Você não conhece ninguém, né? Vem, você vai fazer parte do meu grupo.

Bárbara era a pessoa mais extrovertida que eu já tinha conhecido. Dava pra ver que ela era amiga de todo mundo na escola, inclusive das professoras, secretárias, equipe da limpeza e do padre. E, mesmo no primeiro dia de aula, quando estava revendo todo mundo, se preocupou em conversar comigo e me enturmar. Perguntou meu nome, me apresentou para os colegas e ficamos conversando um tempão. Foi o melhor primeiro dia numa escola de todos os tempos.

Foi ela que tornou os dias que vieram mais fáceis também. Depois de algum tempo, em vez daquela aversão à escola, eu almoçava rapidinho, colocava meu uniforme e ia pro colégio o mais cedo possível, na ânsia de encontrar minha amiga, que sabia tudo de música e de rock. O fato de ela ser amiga de todo mundo também ajudou bastante. Pela primeira vez, eu não andava por aí me escondendo com algum outro menino introvertido. Eu andava com a menina mais popular da escola. E dava pra ver que ela também gostava de mim. Por conta dos meus interesses por literatura e música, acho que dei a impressão de ser um pouco mais maduro do que o resto da molecada, o que fez com que a gente se identificasse. Isso devia ser influência da Michele, com quem eu também tinha esses papos. Então decidi que, dessa vez, eu não ia estragar tudo. Não ia me apaixonar pela menina, virar um paspalho e afastá-la de mim.

O plano estava indo bem até que o trem começou a descarrilhar quando a vi pela primeira vez fora da escola, indo fazer um trabalho na casa de uma colega. Enquanto eu estava lá de bermuda e camiseta de criança – porque eu ainda tinha porte de criança –, a Bárbara estava usando roupas típicas de uma adolescente mais velha: calça jeans, camiseta com corte e gola femininos, com a alça do sutiã à mostra.

Estou aqui há várias páginas falando de todas as meninas que eu amei na vida, mas, até aqui, todo mundo era criança. Era uma mistura de uma paixão inocente com uma tentativa de imitar os adultos, imitar os filmes. Mas naquele momento o jogo passou a ser outro. Ela era como a amiga da Michele no show do Oswaldo Montenegro, que falou que eu seria interessante se fosse da idade dela. Lá estava eu, lado a lado, vivendo essa bonita amizade com uma linda garota, pequenininha, de cabelos escuros e cacheados, quase da minha idade, mas bem mais adulta.

Ela me ligou de noite só pra contar como o dia fazendo o trabalho de escola foi legal. E, no dia seguinte, veio correndo me ver e me abraçar.

Fez questão de dizer que me ver era a parte mais legal de ir pra escola. Eu falava a mesma coisa. Todo dia a gente se encontrava e contava como tinha sido o dia anterior, falava sobre os discos novos do Guns N' Roses, do Faith No More e do Extreme, que era a banda preferida dela. Ela idolatrava o guitarrista Nuno Bettencourt, o que me causava ciuminho. Falávamos também da revista *Bizz*, da *Mad* e dos programas da rádio Transamérica, que eu ouvia sabendo que ela também escutava. Falávamos da série *Anos Rebeldes* e da novela *Vamp*, que passavam na TV e eram a febre do momento. E trocávamos bilhetinhos na sala. E nos ajudávamos nas lições. Eram dias bem divertidos.

Mas, do nada, no meio do ano letivo, meus pais precisaram viajar para Florianópolis, onde moravam meus avós maternos e boa parte dos meus tios e primos. Devia ser alguma coisa ligada a negócios, porque viagens de lazer já tinham sido cortadas havia um bom tempo. Por algum motivo logístico, eu e meu irmão precisávamos ir junto, o que significaria faltar uma semana nas aulas. Como não éramos consultados a respeito desse tipo de decisão, só fomos comunicados que teríamos de ir muito perto da viagem. Sem celular ou internet nessa época, um belo dia eu não apareci na escola, e a Bárbara ficou sem saber por quê. No dia seguinte, também. E ela devia estar me ligando e ninguém atendia.

Eu também estava preocupado. Queria pelo menos poder avisar onde estava, mas, naquela época, ligações interurbanas eram caríssimas. Não era algo que se podia fazer de qualquer lugar, nem meus pais ou meus tios, donos dos telefones disponíveis, estavam muito preocupados com a necessidade de uma criança falar com seus amigos em meio a uma crise econômica que já começava a fazer grandes estragos.

Então só me restou tentar curtir as férias fora de hora com os meus primos e primas, pra quem eu contava tudo que estava rolando com essa minha amiga incrível.

Minhas primas, que eram um pouco mais sensíveis e sabiam que eu era o menino que estava sempre apaixonado, perceberam que dessa vez era diferente e me deram dicas de como selar o acordo:

– Só se aproxima e dá um beijo nela. Ela vai corresponder – aconselhava uma prima.

– Não precisa. Fala o que você tá sentindo que ela vai querer te beijar – dizia a outra.

Meus primos eram mais diretos:

– Se tu não ficar com ela, tu é um merda.

Musicalmente, duas coisas foram importantes nessa viagem. Um dia, um dos meus primos chegou com um disco que tinha um bebê pelado e uma nota de um dólar num anzol embaixo d'água na capa.

– Acabei de comprar esse disco aqui. O cara da loja falou que essa banda é foda – falou, sem acreditar muito. Imagina só.

Queria poder dizer que eu, na hora, percebi a genialidade daquele álbum, mas foi o contrário. Era tão tenso, tão introspectivo e ao mesmo tempo raivoso que eu não entendi. Não achei ruim, mas não falou comigo de primeira. Eu só lembraria desse episódio meses mais tarde, quando o Nirvana explodiu como a maior banda daquela geração.

O que me chamou atenção mesmo foi uma música que tocou no rádio do carro enquanto estávamos todos indo para a praia, num dia frio. Sei que serviu como a trilha sonora perfeita para o que estava acontecendo e para o que eu estava sentindo naquele momento:

> De tarde eu quero descansar, chegar até a praia
> Ver se o vento ainda está forte
> E vai ser bom subir nas pedras
> Sei que faço isso pra esquecer
> Eu deixo a onda me acertar
> E o vento vai levando tudo embora

Era "Vento no Litoral", da Legião Urbana. Tem certos momentos na vida que você tem CERTEZA de que está dentro de um filme. E esse, pra mim, foi um deles. EU ESTAVA INDO PRA PRAIA, CARAMBA! NUM DIA FRIO!

Eu fiquei ali, bem quietinho, tentando segurar o choro e a saudade da primeira menina que eu amava de verdade. Era só uma semana, mas parecia uma eternidade. E durante a caminhada na praia, me sentindo o próprio personagem daquela canção, jogando as conchinhas no mar e olhando para um sol pálido atrás das nuvens, decidi que, quando chegasse em Brasília, eu ia falar pra ela o que eu estava sentindo.

Depois de uma semana – que pareceram meses –, a viagem acabou. E a gente voltou pra casa.

Eu queria poder contar que tivemos um reencontro lindo, correndo um para os braços do outro, na mesma praia em que eu caminhei triste e melancólico pensando nela. Mas não foi assim. Nunca é. Não foi nem pessoalmente, porque cheguei num domingo à noite e não podia ir até a casa dela. Também não dava pra esperar. Ia ser por telefone mesmo.

Quando cheguei em casa, fui correndo ligar pra ela. Não ajudei com as malas, não fui ao banheiro, não disse oi pra ninguém. Cheguei, subi as escadas correndo, abri a porta e fui direto pro telefone. Achei que ela ia me atender muito feliz e aliviada de falar comigo, que era como eu estava me sentindo de poder falar com ela. Mas não foi assim. Acho que foi um dos irmãos dela que atendeu:

– Alô, por favor, a Bárbara está?

– Quem é?

– É o Gustavo.

– Espera um pouco.

Longo silêncio...

– Ela não pode atender. Está ocupada – disse meu interlocutor e, naquele momento, algoz.

O quê? Como assim? Fiquei sem saber o que fazer por um segundo.

– É... Bom... Pode falar pra ela que eu liguei? É muito importante. Pede pra ela me ligar. Pode ser a qualquer hora...

– Tá bom, tchau – falou, sem dar muita importância.

Desliguei. Fiquei ali na sala olhando o telefone e me sentindo completamente inseguro.

Será que ela não sentia o que eu sentia? Será que ela nem ligou? Por que ela não estava ansiosa pra falar comigo?

Devo ter ficado sentado ali no escuro, de frente para a mesinha do telefone, por menos de dez minutos, mas pra mim foram algumas horas. Ele finalmente tocou.

– Alô?

– Gustavo?

– Bárbara! Caramba... que bom que você ligou. A gente teve que viajar. Eu não consegui ligar antes. Acabei de chegar. Eu precisava muito falar com você!

– Precisava, é? Não parece! Porque eu tô há uma semana sem notícias suas! Como você pôde fazer isso comigo?

Tentei responder, mas ela não deixava. Ela estava muito brava. Eu esperava tudo, menos aquilo. Ela me contou como ficou preocupada por eu ter faltado dois dias seguidos, por ter me ligado várias vezes e ninguém atender. Ela imaginou todas as coisas horríveis possíveis, inclusive que minha família toda morrera num acidente. Mas faltar dois dias ainda é normal. Ela continuou:

– No terceiro dia, eu tava tão preocupada, tão assustada, que todo mundo veio falar comigo e perguntar o que eu tinha, porque eu estava quieta e triste.

Ela era a pessoa mais querida e mais animada da escola, e deve mesmo ter sido muito estranho vê-la triste.

– Quando a professora fez a chamada, na hora em que chegou no seu nome, ela falou assim: "Gente, cadê o Gustavo, hein? Será que aconteceu alguma coisa?". E ela falou... olhando... pra mim...

Bárbara começou a soluçar. Eu me senti horrível.

– ... porque eu que tinha que saber, né?

Ela continuava tentando segurar o choro pra poder seguir me dando bronca. Toda vez que eu tentava falar alguma coisa, ela não deixava.

– Se tinha alguém pra saber o que aconteceu com você, era eu!

Soluços e choro. Eu consegui falar um pouco.

– Eu sei, eu tava preocupado. Eu não consegui falar. A gente teve que viajar. Eu tentei ligar. Juro! Eu...

Ela conseguiu controlar um pouco o choro e continuar a história, sem se importar com o que falei.

– ... eu não conseguia parar de chorar! Tava há três dias com esse choro na garganta.

De vez em quando ela parava de falar para soluçar e recuperar o fôlego. Eu sentia cada soluço. Percebi o sofrimento que estava sendo pra ela. Sofrimento que eu estava causando.

– ... então eu fui pra sala da coordenadora. Ela esperou eu me acalmar e aí pude dizer que estava sentindo sua falta, que estava com medo de que algo horrível pudesse ter acontecido...

Ela falava muito rápido, tentando segurar os soluços e o choro.

– ... e aí ela me contou que você tava viajando! Que sua mãe ligou pra avisar que você ia faltar a semana toda... Que você tava bem...

Eu sabia que ela ainda estava brava, mas fiquei tão aliviado ao saber que ela recebera notícias minhas! Que sorte. E, por fim, consegui falar um pouco.

– Eu tava muito preocupado em te dar notícias, mas ninguém me deixou fazer a ligação interurbana. Eu queria que você soubesse. E tava sentindo muito a sua falta também. Não queria te deixar assim. Me desculpa. Se eu pudesse eu ia aí te ver agora.

Ela aproveitou o tempo que eu falei pra recuperar o fôlego e se acalmou.

– Poxa... Não faz mais isso comigo...

Chorou baixinho mais um pouco. Me partiu o coração. Eu só queria que ela parasse de sofrer.

– Bárbara... Tá tudo bem. Tava tudo bem. Eu tava pensando em você e morrendo de saudade também. Eu só não consegui ligar, mas senti sua falta cada segundo. Não fica brava comigo...

– Que bom que você tá bem – ela disse, tentando se recompor e deixar passar.

– Eu queria muito te ligar de lá. Juro. Se eu pudesse teria ligado todos os dias. Tenho um monte de coisas pra te contar. Foi uma viagem muito legal e eu trouxe presentes. E eu tenho um segredo enorme pra te contar.

– O quê? O que aconteceu? Que segredo?

Acho que falar do segredo ajudou a amenizar um pouco a braveza.

– Eu te conto amanhã. Prometo! Chega mais cedo pra gente poder conversar? Não tá dando pra falar aqui.

O telefone ficava na sala. Nenhuma privacidade.

– Tá bom. Fica pensando em mim, tá?

Eu desliguei e continuei parado na sala, tentando me recuperar da conversa. Toda a confiança de que ela estaria alegremente me esperando havia acabado. Hoje eu sei que era só saudade, mas, na hora, a bronca me abalou.

No dia seguinte, nos encontramos e eu dei pra ela uma camiseta com o mapa de Florianópolis desenhado. Mostrei onde era a praia em que eu estava e falei que pensava nela enquanto ouvia a música nova da Legião.

– Você também ouviu essa música? Eu fiquei ouvindo sem parar, pensando em você! – ela confessou, animada com a coincidência.

Apesar de a braveza toda ter passado, comecei a sentir um frio na barriga, porque eu teria que contar o "grande segredo". Mas não tinha mais volta. E passada a emoção do reencontro, ela foi direto ao assunto:

– E aquele grande segredo? O que é? – perguntou, me colocando contra a parede.

Uma pausa aqui neste projeto de comédia romântica. Era óbvio pra todo mundo que eu gostava dela e ela de mim. Eu sabia disso. Ela sabia disso. Eu sabia que ela sabia e ela sabia que eu sabia. Mas era tudo tão novo, e tão intenso, e tão inocente, que era muito difícil falar! E muito difícil agir! Eu nunca tinha beijado nenhuma menina. Nunca havia chegado tão perto. Eu sabia ser apaixonado, mas não sabia ser correspondido. Então não era uma enrolação, não era uma coisa banal. Era a coisa mais importante da vida de um adolescente.

Com toda a coragem que fui capaz de juntar antes de o sinal bater e a aula começar, disse:

– Eu... estou... gostando... de... uma menina.

Ela ficou pálida. Quem é que fala isso? Desse jeito? E num momento daqueles?

Ela tinha todos os motivos para saber que era ela, mas eu ter falado aquilo deve ter tirado um pouco a sua convicção. E ela passou o resto da aula tentando arrancar de mim o restante da informação. Sentou do meu lado nas primeiras aulas, mas não conseguimos conversar. Ficou na minha cola na hora do recreio, mas era impossível falar no meio do pátio da escola, com todo mundo olhando. Ficou me mandando bilhetinhos nas aulas finais, mas eu não ia colocar isso em um papel, por escrito, correndo o risco de uma professora pegar. Então prometi que eu a acompanharia até sua casa – eu morava na frente do colégio e ela a algumas quadras de lá – para finalmente revelar o "grande segredo".

Mas eu não consegui pôr pra fora o que queria dizer. Não saiu. Então, enquanto andávamos com as mochilas nas costas a caminho da casa dela, ela começou a tentar adivinhar.

– Quem é? Me fala!

– ...

– É a sua prima Daniela?

– ...

– É sua prima Daniela? Você encontrou com ela?

– Não! Não é minha prima...

– É alguém do seu prédio? A menina com nome esquisito?

– Não! Não é a Shana. Já passou.

– É a irmã dela? Como é o nome dela?

– Michele.

– É a Michele?!

– Não, não é a Michele...

– Eu conheço?

– ...

– Eu conheço?!

– É... Você conhece.

– É alguém da escola?

– ... Sim.

Só faltava ter uma luz na minha cara.

– É alguém da nossa classe?

– ...

– É alguém da nossa classe?!?!?!

E aí ela começou a citar o nome de todas as garotas da sala, em ordem alfabética, porque ela sabia de cor a lista de chamada.

– Adriana.

– ...

– Me fala! Eu vou falar os nomes. Você só precisa dizer sim ou não!

– Ok! – Respirei fundo.

– Adriana?

– Não.

– Alessandra.

– Não.

– Aline Castro.

– Nunca nem falei com a Aline Castro!

O momento estava chegando. Eu tentava ganhar tempo, mas ela não mordeu a isca. Continuou:

– Aline Guimarães

– Até parece!

– Andrea.

– Não.

– Bárbara.

– ...

Ela parou e virou de frente pra mim. Subiu no meio-fio pra ficar da minha altura.

– Sou eu? Sou eu essa menina de quem você gosta?

– É sim. Você sabe que é – falei baixinho.

E ficamos nos olhando um tempo, por alguns segundos, apreciando aquele instante, sentindo as borboletas no estômago. Percebendo todo o amor que a gente sentia um pelo outro fluindo. Eu não sabia o que fazer com as mãos. Coloquei uma mão na cintura dela. A outra, no rosto, e cheguei bem pertinho, tentando não deixar aquele momento acabar. Ela pôs os braços em volta do meu pescoço e os nossos lábios finalmente se tocaram. E a gente ficou ali, de olhos fechados, nos abraçando e nos beijando de um jeito meio desajeitado.

Namoramos por quase um ano. Mesmo sendo tão novinhos, foi supersério. Éramos como um casal de noivos. Já sabíamos até os nomes dos nossos filhos. Nos víamos todo dia na escola e ajudávamos um ao outro em tudo. Eu enfrentava toda a crise econômica que ia se agravando cada vez mais lá em casa. Ela enfrentava os pais dela se separando, e não de um jeito muito legal. Ela cuidava sozinha dos dois irmãos mais novos. Às vezes eu saía da educação física, que era de manhã, e ia pra casa dela ajudar a fazer almoço, trancar a casa e íamos pra escola. Era quase um estágio da vida adulta.

Conversávamos sobre tudo e, com isso, amadurecemos muito também. Tinha briga, ciúme e bobagem de casal. Se casais adultos e maduros têm isso, imagina dois adolescentes de 13, 14 anos? Mas a gente sempre conversava e resolvia. Eu acordava cedinho pra ir com ela de ônibus às competições de natação de que ela participava. Ela dividia seu lanche comigo na escola. No aniversário dela, juntei toda a grana que tinha e dei pra ela um ursinho de pelúcia dentro de um balão gigante, que era O PRESENTE mais desejado por todas as meninas da época, e que eu tive que carregar no ônibus do shopping até em casa e, depois, até a casa dela. No meu aniversário, ela me deu uma camiseta com o logo da NBA que eu usaria por vários anos, até ela começar a se desfazer. Trocávamos todas as mixtapes possíveis e cartas, muitas cartas, algumas eu tenho até hoje.

No final do ano, a fábrica do meu pai finalmente quebrou e minha família precisou vender o apartamento. Nos mudamos pra longe do Colégio Louvador e da casa dela, e o dinheiro para o ônibus era bem escasso. Quando as férias chegaram, paramos de nos ver todos os dias e praticamente nos relacionávamos por telefone. Isso se agravou ainda mais quando eu e meu irmão fomos passar um longo período em Florianópolis. Ficamos lá por três meses, para aliviar a tensão e também as despesas de casa. Foi de repente, meio a contragosto, e eu estava com raiva e desconectado quando Bárbara foi lá em casa se despedir. Já instalado na casa dos meus tios, ela tentou me ligar algumas vezes de um daqueles orelhões azuis que faziam chamadas interurbanas, mas as fichas duravam apenas um minuto. Ela me mandou algumas cartas, que eu deixei pra responder na última semana que estava lá.

Mesmo tão jovem e enfrentando tantos problemas em casa, ela tinha força e maturidade para tentar manter um relacionamento a distância. Eu não. Fui me desconectando e regredindo um pouco na criancice por causa da convivência com os meus primos. Quando voltei, tentamos continuar, mas já não era mais a mesma coisa. Enquanto eu fui para Colégio Kubitschek, ela foi pra Escola Delta. Ela se tornou uma jovem adulta, e eu me tornei aquele cara que eu descrevi, que não falava com ninguém, que matava aula, que arranjava encrenca com os amigos. E, antes que o namoro se tornasse só uma obrigação, uma burocracia, ela fez o que eu nunca seria capaz de fazer: terminou comigo. Numa boa, sem brigas. Continuamos amigos de verdade por muitos anos ainda.

Levaria tempo para eu me recompor, pra conseguir colocar em prática tudo que aprendi com essa história: boa parte do que sei até hoje sobre ser uma pessoa legal e da importância de conversar e resolver problemas, eu aprendi com a Bárbara.

Também aprendi muito com a paixão seguinte da minha vida, mas por motivos bem diferentes.

CAPÍTULO 4
SINFONIA AGRIDOCE

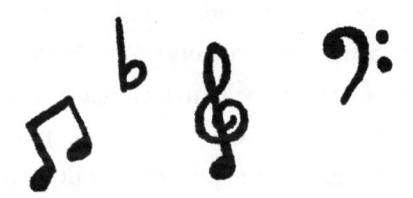

Depois de todo o meu primeiro ano no Colégio Kubitschek, em que faltei a maior parte das aulas pra jogar basquete; depois de brigar com o time inteiro de basquete; depois de faltar às aulas e ao basquete; depois de ter aprendido a tocar violão com meu amigo Filipe – que me mostrou que o problema estava só em como eu segurava o instrumento; depois de ter voltado pro turno da manhã, me afastando das pessoas com as quais eu tinha me indisposto no ano anterior, depois de tudo isso... Achei que estava pronto pra recomeçar.

O violão ajudou bastante. Afinal, eram os anos 90 – década do Hootie and The Blowfish, da Dave Matthews Band, do Counting Crows e de todos os MTV Unplugged. Ir para a escola carregando um violão era um atalho para fazer amigos e conhecer meninas. Na verdade, aqui entre nós, você não precisava nem tocar se não quisesse. Só andar com ele por aí já faria bem pra sua imagem. E se uma eventual roda se formasse, com pessoas ávidas por ouvir música e cantar, sempre ia ter alguém querendo dar uma palhinha. Você ainda pareceria bastante generoso se deixasse os outros tocarem um pouco.

Eu bem que cogitei, mas nem precisei recorrer a essa farsa. Em poucas semanas já estava tocando os acordes básicos. No intervalo, estava sempre em algum banco embaixo de uma árvore, tocando Legião, Paralamas,

Engenheiros. U2 e Beatles sempre pegavam bem. Led Zeppelin e Metallica faziam parecer que você tocava pra caramba. Bob Marley atraía outra turma, que era legal também! A vida estava começando a ficar boa de novo. E ficou ainda melhor e mais empolgante após aquele breve encontro com a Bruna. Eu não conseguia pensar em nada além daquela menina do Nike Force. Da camiseta do Jim Morrison. Do cabelo curto. Da minha quadra. Que veio falar comigo (provando, aliás, minha teoria do violão).

Falei bastante dela para um amigo que eu tinha acabado de conhecer, o Celsão, um cara magro e muito alto, que fazia parte da galera do basquete da manhã. Ele impressionava pela capacidade de enterrar – o que poucos jogadores conseguiam – e de falar por horas sobre *Cavaleiros do Zodíaco*, um anime que era febre na época e a respeito do qual ele sabia tudo. Um cara simpático e engraçado, que acreditava seriamente que era um ninja capaz de matar uma pessoa com as próprias mãos. De um jeito ou de outro, alguém legal de se ter ao lado. Sempre otimista, ele botava fé nas minhas chances com a Bruna.

– Não vejo por que você não teria chances – falava de um jeito meio intelectual. – Você é pra ela o que ela é pra você: um cara do basquete que gosta de rock. E sem contar que ela veio falar com você do nada. Alguma coisa você fez pra atrair a atenção dela. Immanuel Kant falava que a nobreza era mais atraente que a beleza.

Encarei como um elogio. Como disse, ele falava de um jeito meio intelectual e acabava sendo uma espécie de líder filosófico da galera que andava com ele, eu inclusive. Na tentativa de aprofundar minha capacidade de conversar, comecei a ler algumas coisas de filosofia grega. Kant ainda era muito avançado.

Enquanto eu e outros recém-conhecidos esperávamos no gramado próximo à quadra de basquete para um rápido joguinho pós-aula antes de ir pra casa, avistamos o Celsão conversando com uma menina estilosa, que certamente não poderia pertencer ao rol de alunos do turno da manhã do Colégio Kubitschek. Até porque ela não vestia a homogeneizante camiseta cinza do uniforme. Usava um minivestido preto justinho, coturnos e uma camiseta xadrez vermelha e preta amarrada na cintura. Parecia saída de um clipe do Soul Asylum. Eu e vários amigos ficamos interessados na menina e intrigados com o fato de ela estar conversando animadamente com o Celsão. Certamente não era sobre *Cavaleiros do Zodíaco*.

– É a Luana. Estudou comigo no ano passado, mas repetiu e não voltou pra escola. Está fazendo supletivo. Ela veio encontrar a irmã, que continua estudando aqui.

– Quem é a irmã dela?! – perguntou toda a turba de jogadores.

– Ela se chama Bruna. Ah, Gustavo, a propósito, ela é aquela menina de quem você gosta.

– O quê?! Você conhece a irmã dela e só agora me fala isso?

– Foi mal, nem me toquei. Mas eu combinei de ir à casa dela hoje à tarde. Quer ir comigo?

Claro que eu queria!

Fomos andando da escola até a minha casa, atravessando os dois quilômetros e meio e as rodovias sem sinal para pedestres de Brasília que separavam o Colégio Kubitschek do prédio onde eu morava. Entre um risco de atropelamento e outro, Celsão foi me dando informações sobre a Bruna e a irmã:

– As duas moram só com a mãe. O pai é completamente ausente, elas não têm nenhum contato com ele. A Luana tem alguns problemas, já foi reprovada duas vezes na escola. Está numa fase existencialista. Tenho falado para ela ler Nietzsche. A Bruna é o contrário, só tira notas boas. Faz aulas de guitarra, já a vi treinando em casa. Ela também está sempre nos shows das bandas aqui de Brasília. É muito ligada no movimento.

Cheguei na casa das irmãs completamente informado sobre quem elas eram. Talvez Celsão fosse mesmo um ninja. As duas o viam como um primo mais velho, um amigo e conselheiro. A mãe delas gostava dele, achava que era uma boa companhia e boa influência, principalmente pra Luana.

Fizemos o que adolescentes faziam. Ouvimos música, assistimos à MTV, comemos e respondemos o "caderno de perguntas" da Bruna, um questionário que as meninas criavam para os amigos responderem perguntas sobre si. Tive longas conversas com a Bruna, e ela me ensinou bastante sobre as bandas de Brasília que estavam começando a fazer sucesso na época, como Raimundos, Little Quail e Maskavo Roots. Ela acompanhava toda a cena, tinha várias fitas demo e camisetas das bandas. E esse passou a ser um tema constante nas nossas conversas.

Com a nossa aproximação, eu queria estar perto dela O TEMPO TODO e comecei a bolar estratégias para isso. Uma delas era sair bem cedo para ir à escola e ficar esperando por ela. A gente morava na mesma quadra, então o caminho era o mesmo. Eu só precisava garantir que chegaria lá antes. Eu saía cedo, sentava numa praça no meio do caminho e fingia estar terminando um trabalho ou um dever de casa. Eu me achava muito esperto, mas é óbvio que ela percebia que era só uma desculpa para eu estar ali "casualmente".

Nos intervalos das aulas, eu ia com meu violão para o gramado na frente da sala dela, pra ter certeza de que ela passaria por mim. Fazíamos educação física juntos e eu estava sempre lá, esperando. E, por mais que eu estivesse começando a exagerar, ela era receptiva. Andávamos juntos, conversando sobre música, sobre as bandas de Brasília e sobre a NBA. Ela sentava e participava da rodinha de violão no intervalo. Jogava comigo nas aulas de educação física. Ela dava mesmo a entender que eu tinha alguma chance.

No entanto, acabei elevando o grude para um nível muito alto e me tornei ciumento em relação a ela, como se isso fizesse algum sentido. É claro que uma menina bonita, legal e inteligente como ela não ia ter só um cara interessado. Eu não só percebia vários movimentos de outros garotos tentando se aproximar, como achava que o mundo queria tirá-la de mim. Eu estava certo até um ponto. Tinha um cara, por exemplo, também chamado Gustavo, que começou a estar sempre presente. Jogo de basquete? Ele estava lá. Rodinha de violão? Estava lá também. Até que ele começou a também aparecer no meio do caminho quando a gente estava indo pra aula. E ele nem tinha a desculpa de dizer que era o caminho dele, porque não era. Ainda me preocupava o fato de o Gustavo saber das minhas histórias com o time de basquete no ano anterior, e que ele poderia falar mal de mim pra Bruna. Então, eu "só" aumentei a marcação cerrada, a ponto de não dar nenhum espaço para a menina respirar. As duas coisas – o Outro Gustavo a envenenando contra mim e o sufoco que eu mesmo causava nela – começaram a fazer ela me evitar.

Tinha outro agravante nessa relação. A paixão pela Bruna surgiu numa época em que eu, inspirado pelo Celsão e por outros amigos mais intelectuais, tinha acabado de ler *O Banquete*, de Platão, no qual ele descreve diálogos com vários filósofos da Grécia Antiga, entre eles Aristófanes, que explica a origem do amor e diz que para cada pessoa há um par perfeito. Era só uma alegoria, mas eu não entendi e passei a usar isso como desculpa para acreditar fervorosamente que eu e a Bruna éramos predestinados, feitos um pro outro, e esse namoro acabaria rolando, cedo ou tarde:

– A gente é compatível em tudo! – argumentava, me achando repleto de razão.

Falei isso para o Celsão, que habilmente me deu uns conselhos usando minhas próprias palavras, enquanto a gente disputava partidas de 21 sob o sol quente de Brasília na quadra esburacada da escola.

– Se você acha mesmo que existe isso, então é só mais um motivo para você se distanciar. Se for realmente predestinada a você, ela vai voltar. Mas, se você continuar com esse grude, ela vai fugir pra sempre. As criaturas de Aristófanes se uniam pelas costas, lembra? Você precisa virar pro outro lado.

Eu ouvi um conselho similar, porém bem menos lírico, da Luana, com quem um dia eu tive uma longa conversa sem a presença da Bruna e do Celsão, o que era raro. Ela foi bem mais direta:

– Você é muito grudento, garoto. Dá umas desprezadas nela que ela volta correndo pra você.

Por incrível que pareça, apesar de toda a burrice, teimosia e comportamento dramático que eu apresentei até aquele momento, fui capaz de fazer exatamente o que ela falou. Com muita dificuldade, mas fiz. Parei de encontrar a Bruna no caminho, de procurá-la nos intervalos e de marcar de perto. Se a via andando por aí com o Outro Gustavo ou com qualquer outro cara, eu dava oi e seguia meu caminho. Não era natural. Não era fácil. Eu queria desistir a todo momento. Mas consegui.

Até que um dia, numa manhã preguiçosa de domingo, recebi um telefonema:

– Oi, Gustavo! Aqui é a Bruna. Tudo bem?

Eu queria dizer algo como: "Tudo bem. Quanto tempo! Preciso saber tudo que você fez nos últimos dias, que horas dormiu, acordou, com quem falou... Do que você precisa? Posso atender as suas mais indulgentes demandas".

Mas eu só disse:

– Oi.

Incrível, não?

A conversa continuou assim, comigo controlando todos os impulsos e tentando ser descolado, desinteressado e indiferente.

– Eu tô meio doente, e todo mundo saiu. Tô sozinha em casa. Quer vir aqui?

– Hummm... Não sei. Fazer o quê?

Meu deus, quem é esse cara?

– Ficar aqui comigo, ué! Me fazer companhia.

– Hummm... Ok. Vou dar uma passada aí, mas não dá pra ir agora. Vou terminar um negócio aqui, e depois eu vou, tá bom?

Temos um novo homem, senhoras e senhores!

– Ok, te espero. Beijo!

Desliguei o telefone. Sem responder. Ok, isso foi até frio demais, mas eu estava aprendendo.

Eu obviamente não tinha que terminar negócio nenhum e, mesmo se tivesse, esse negócio teria sido abandonado na hora.

Fui tomar um banho e escolher cuidadosamente uma roupa que fizesse parecer que era o que eu já estava vestindo quando ela ligou. Logo depois, o Celsão me ligou:

– Saí da casa da Bruna agora. Ela está sozinha lá e me disse que está te esperando. Só falou de você o tempo todo e disse que está com saudade. Se eu fosse você, iria pra lá agora.

Ainda fiz o possível para deixar o tempo passar um pouco, mas depois de longos três minutos não resisti e fui pra lá, atravessando sob o sol implacável o enorme gramado e os parquinhos que separavam meu prédio do dela.

Ela me recebeu usando um shortinho e uma camisa de flanela. Meu coração queria sair pela boca, mas me contive. Sentei no sofá da sala de TV. Ela sentou grudada em mim e me deu uma carta escrito "confidencial".

– Minha irmã escreveu isso pra você. Pediu pra eu te entregar, pra você ler. Não sei o que tem dentro.

Abri a carta e li o seguinte:

Oi, Guga! Desculpa a intimidade de te chamar pelo apelido, mas afinal estamos para nos tornar CUNHADOS! A Bru está aqui na minha frente, mas não deixarei que ela leia esta carta – a não ser que você queira depois. Estamos ouvindo "VALENTINE GIRL", do New Kids on the Block. Eu disse que essa é a música de vocês e ela concordou INTEIRAMENTE (melhor aprender a tocá-la). Pois é.

Eu disse que era uma questão de afastamento... e ela já está no maior LOVE. Que lindo! Ela disse que adorou suas respostas no caderno de perguntas dela (que coisa ridícula, aliás!) e até pensou em te mandar FLORES (é sério, só não sei se ela o fará).
Beijos da sua amiguinha e CUNHADA,
Luana
PS: Resolvi escrever porque fiquei muito happy e emocionada!

Bruna deve ter ficado com a impressão de que eu leio muito devagar, porque fiquei vários minutos lendo e relendo a cartinha de uma página.

Respirei fundo, olhei nos olhos dela e disse:

– Você sabe o que está escrito aqui, né?

Ela fez que sim. Então eu a peguei em meus braços, deitei-a um pouco de lado e dei-lhe um beijo arrebatador. "Don't You (Forget About Me)", do Simple Minds, começou a tocar ao fundo. O sol se punha iluminando nossos rostos...

É claro que não aconteceu nada disso. Fiquei nervoso e sem saber o que fazer. Perguntei se ela sabia o que estava escrito. Ela disse que não (claro que ela sabia), e eu guardei o papel no bolso, querendo acreditar nessa resposta que era a mais conveniente pra mim. Não fiz absolutamente nada. Passamos o resto do dia vendo TV juntinhos, jogando videogame, comendo sucrilhos com sorvete... Só isso. Meu estômago embrulhava só de pensar em tomar uma atitude. Ela não deve ter entendido nada e provavelmente achou que eu não gostava dela.

Depois de longas horas, a família dela chegou em casa, e a mãe falou que eu deveria ir embora. Bruna me acompanhou até a portaria, como se quisesse me dar uma última chance pra fazer alguma coisa. Eu não conseguia me mover. Eu mal conseguia falar. Ela me deu tchau, e, antes de virar as costas, movido mais pela vergonha de sair sem ter feito nada do que pela coragem, tirei a carta da Luana do bolso, a desdobrei e apontei pra parte que dizia que ela estava em *love* (que tinha uns coraçõezinhos desenhados).

– Eu passei a tarde inteira sem conseguir acreditar nisto aqui.

Ela sorriu envergonhada. Olhou pra baixo, sem saber o que fazer. Eu queria falar um monte de coisas, fazer um monte de perguntas, mas consegui me manter em silêncio, esperando uma resposta.

– É verdade. Por que acha que eu te chamei aqui?

E aí, finalmente, a gente se beijou.

Foi incrível! Ficamos curtindo o momento, mas a mãe dela estava em casa e já era hora de ir embora. Nos despedimos e combinamos de nos ver no dia seguinte, na escola.

Sabe aquele cara que finalmente aprendeu a segurar a onda com a menina por quem está apaixonado? Que age com confiança? Que sabe manter uma distância, dar espaço pra ela? Esse cara em que eu havia me transformado nas últimas semanas e que proporcionara esse momento? Bom... esse cara morreu.

No dia seguinte, tudo voltou ao que era antes. Fiquei esperando no caminho e levei um chocolatinho (sério!). Fui encontrá-la no recreio e já logo pegando na sua mão, abraçando e beijando. Eu queria não só curtir o amor que eu tinha por ela e que finalmente estava liberado, como queria que TODO MUNDO VISSE que eu estava com a garota que eu amava tanto, que era linda e desejada por outros caras da escola. Ela era MINHA!

O Colégio Kubitschek era muito grande e era ok namorar lá se fosse para um lugar mais discreto e não muito movimentado. E foi exatamente o que eu não fiz. Eu a agarrei no meio do pátio, pra todo mundo ver. Não tentei ser discreto. Era romântico, lascivo. Era pra parecer um videoclipe do Aerosmith, beirando o impróprio. Por incrível que pareça, mesmo que um pouquinho envergonhada, ela topou numa boa. Curtiu também.

Terminadas as aulas do dia, voltamos juntos pra casa. De tarde, fui visitá-la. Na manhã seguinte, tudo de novo: encontro no caminho, beijo lascivo no recreio, ficar junto de mão dada... Você entendeu, né? O Celsão, mais uma vez, veio falar comigo:

– Você está passando todos os limites. Isso não é amor, é só um show.

Entrou por um ouvido e saiu pelo outro. Só podia ser inveja. Eu não tinha nenhuma intenção de recuar. Não tem essa de limites. Isso não é uma rodovia. Eu queria acelerar até o fim.

Na quarta-feira, ela já estava me evitando. Na quinta, não a encontrei nenhuma vez. Na sexta, quando fui beijá-la, ela me afastou:

– A gente precisa conversar.

Parados em frente da sala de aula dela, com muita gente olhando, ela disse que gostava de outra pessoa. Perguntei quem era, e ela respondeu:

– Um menino da minha sala.

Se a gente estivesse parado na frente de um carrinho de cachorro-quente, ela teria dito: "Um vendedor de cachorro-quente". Ela só queria – precisava – se livrar de mim, dessa marcação cerrada e desse show beirando o impróprio que eu estava querendo promover todos os dias.

Aceitei a derrota, baixei a cabeça e voltei pra minha sala.

Era estranho. Viver apaixonado e não ter a perspectiva de ser correspondido era algo normal pra mim. Mas viver apaixonado, já ter sido correspondido e não ser mais era totalmente novo. Achava que tinha que ficar de pijama e tomar sorvete, como nas séries de comédia romântica, mas o que me fez aprender a conviver com isso foi uma jornada pelos cinco estágios do luto.

Primeiro estágio: negação. Fui conversar com o Celsão a respeito do que aconteceu.

– Eu falei pra você. Ninguém é capaz de aguentar essas demonstrações públicas de afeto todos os dias. Você não deixava a menina respirar. Literalmente! – ele disse.

– É só uma fase, igual antes de eu ficar com ela. Ela me amava, lembra? "Valentine Girl"? É só eu dar uma afastada de novo e ela volta!

– Você abandonou qualquer busca pela razão. Precisa ler Spinoza.

Bem que eu tentei (me afastar da Bruna, não ler Spinoza). Fingi que estava tudo bem. Tentava parecer descolado, desinteressado e indiferente. Não tentei encontrá-la no caminho de manhã. Não liguei. Passei na frente da janela dela só umas cinquenta vezes, mas porque era no caminho da escola pra minha casa. E, se eu estava descolado, desinteressado e indiferente, não ia mudar o meu caminho só por causa dela, né?

Todo o esforço para me manter calmo e distante me levou para o segundo estágio: raiva.

– Por quê? Por que não posso amar uma garota e querer estar perto dela 24 horas por dia? Querer mostrar pra todo mundo o quanto a gente se ama, na hora do intervalo, bem no meio do pátio? Por quê? O que há de errado nisso? – perguntei pro Celsão, chutando a bola com toda a força pra longe da quadra.

Ele não respondeu. Respirou fundo, virou as costas e foi andando devagar para buscar a bola. Voltou no mesmo ritmo. Em vez de retomar o jogo, o que claramente era inviável no meu estado, enfiou a bola numa sacola e sentou na cerca.

– Segundo o diálogo de Aristófanes, que você tanto ama também, o objetivo do amor é fazer a pessoa enlouquecer na busca por sua outra metade. Talvez seja essa a sua resposta.

Estava claro que o Celsão, com a sua argumentação lógica, razoável e BASEADA EM FILOSOFIA GREGA, não era a pessoa certa para se conversar com raiva, o que me levou a querer discutir o problema com outras pessoas. Com isso, veio o terceiro estágio: barganha.

Samantha era uma menina que estudava na minha turma. Curtia ficar por perto nas rodas de violão, gostava de muitas das músicas que eu tocava, especialmente as de rock dos anos 70, como Led Zeppelin, The Who e The Doors. Cantava a plenos pulmões as da Janis Joplin. Tinha uma vibração meio hippie: cabelo loiro e encaracolado, usava pulseiras e acessórios de couro, essas coisas. Era bonita e tinha um jeito bem exótico.

Desde que eu tinha terminado com a Bruna, deixei de levar meu violão pra escola porque queria ficar solitário e remoendo meus sentimentos. Mesmo fazendo cara de poucos amigos e não sendo boa companhia, Samantha sempre dava um jeito de se aproximar e falar comigo. Sentava do meu lado e me oferecia algo que estava comendo. Contava piadas. Zoava os professores. Pacientemente, insistia na dura tarefa de me animar.

Um dia, olhando pra ela, que estava sentada na minha frente na aula, notei como estava indo mais bonita pra escola. Com o cabelo solto, acessórios diferentes, sapatos descolados. Não dava pra ir muito além disso, já que a gente era obrigado a usar uma camiseta de poliéster com o nome da escola NA GOLA!

Na hora do intervalo, ela se sentou ao meu lado, sendo legal como sempre:

– E aí, o que posso fazer pra te animar, pra trazer o violão e aquele sorriso de volta? – Ela repetia a pergunta quase todo dia. Era como um bordão nosso.

Resolvi finalmente me abrir:

– Eu tenho uma coisa pra te contar.

Em poucos minutos desabafei, contei do meu namoro com a Bruna e de como ele tinha acabado. Não contei o porquê. Lembrando agora, era visível que ela tinha ficado meio triste ao ouvir a história. Na hora eu não percebi e, pra piorar ainda mais a situação, tive uma ideia:

– Você toparia se a gente andasse abraçado por aí? Queria que ela me visse com outra garota. Quem sabe assim ela fica com ciúme...

Sim, é isso mesmo. Você leu esta história até aqui para me ver admitir que recorri à mesma manobra que uma menina usou comigo na sétima série. E lembre-se que, já naquela época, aos 12 anos, eu era capaz de perceber que era uma má ideia. É isso que o desespero faz. Para tornar a cena ainda mais vergonhosa, eu falava isso enquanto colocava um braço em volta dela.

A expressão dela mudou de desapontamento para reprovação enquanto removia meu braço de seu ombro.

– Cara, engraçado você falar isso, eu vou te contar uma coisa que está me deixando triste também. Eu gostava de um cara que eu achava legal, divertido. Passei um tempão me preparando pra chegar e falar pra ele o que eu sinto, porque não é fácil, né? Precisei de bastante coragem. Aí, no dia que falei, ele diz que gosta de outra menina, na minha cara!

– Poxa, sério? Quem faria isso com você?

Ela só ficou me encarando. Eu continuei focando no meu problema:

– Então, vamos fazer isso que eu falei? Quem sabe ele não fica com ciúme de você também!

Ela respirou fundo:

– Não, cara, não vou fazer isso porque é ridículo. Eu ia me achar ridícula e ia achar você ridículo. Não faça isso com você.

Fiquei olhando para ela, como quem tinha acabado de levar um fora. Ela aproveitou o momento para me dar mais uma opinião:

– Além disso, essa garota é uma chata, ela é grosseira com todo mundo e não é isso tudo que você vê.

Ela se levantou e voltou pra sala de aula.

Sei que é óbvio que o cara de quem ela gostava era eu. Mas levei ANOS pra me tocar. Quando finalmente entendi, a tristeza no olhar dela, o desprezo quando a abracei e a impaciência ao insistir no assunto fizeram sentido. O Celsão tinha razão: esse amor todo estava me deixando maluco.

O que me levou ao quarto estágio do luto: depressão.

Ela chegou numa viagem de três dias que fizemos para o sítio dos avós do Celsão. Eles moravam em uma comunidade rural no norte do estado do Goiás, quase na divisa com Tocantins. O Celsão precisava ir vê-los e eu precisava fazer QUALQUER COISA que não fosse ficar em casa. Teríamos um feriado, a viagem de ônibus era bem barata e meu amigo prometeu atividades dignas de hotel-fazenda:

– Dá pra andar a cavalo e comer frutas no pomar. Vai ser bem aristotélico!

Aristotélico não é o que você quer de uma viagem, mas eu estava topando tudo. Na véspera do feriado, fui para a rodoviária, com mochila e violão nas costas. Encontro Celsão acompanhado de outro amigo. A pessoa que eu menos queria ver naquela situação: o Outro Gustavo, com uma bolsa de viagem a tiracolo. Maldito Celsão e seus experimentos antropológicos.

Nem tentei disfarçar.

– Se esse cara for eu não vou.

– Eu falei que não era boa ideia, Celsão. Eu vou pra casa, numa boa – disse o Outro Gustavo, sem olhar direto pra mim.

– Olha, tem dois quartos lá. Cada um dorme em um, eu durmo na sala. Se der qualquer merda, é só vocês ficarem separados – tentou argumentar.

Ele se virou pra mim:

– Você só quer ficar quieto num canto escrevendo e sendo bucólico. E vai ser bom eu ter alguma companhia nos momentos em que você estiver assim.

Não tendo muito o que fazer, com a passagem já comprada, aceitei. Entramos num ônibus não muito cheio, e cada um sentou num canto. O Outro Gustavo e o Celsão ligaram seus walkmen e, como eu não tinha um, me foquei em escrever uma carta para a Bruna. Era praticamente um diário contando como estava sendo esse período sem ela. Foram quase seis horas de viagem, com o ônibus parando em cada cidadezinha no caminho. Escrevi umas vinte páginas, movido a refrigerante Goianinho e pão de queijo vendido pelas janelas durante as paradas.

O lugar era muito modesto, uma pequena casa numa comunidade rural, com uma horta e galinhas no quintal. De fato tinha cavalos na frente, mas eles eram usados como meio de transporte, não como lazer. Não tinha televisão. Passei a primeira noite no meu quarto, tocando violão sozinho, lendo e pensando na Bruna.

No dia seguinte, pegamos carona na caçamba de uma picape em uma estrada de terra até a fazenda de um tio do Celsão, que ficava ali por perto. A gente não falou com ninguém, nem viu casa nenhuma. Depois que a picape nos deixou, andamos uns quinze minutos à beira da estrada até entrarmos no meio do mato denso, caminhando por uma trilhazinha que levava até uma cerca de arame farpado. Pulamos a cerca e andamos por mais quinze minutos. Parecia que estávamos invadindo uma propriedade. Ou que éramos alguma facção de guerrilha colombiana, andando no mato fechado, sob o sol quente, cheio de mosquito. Não estava muito agradável. Eu e o Outro Gustavo começamos a reclamar da aventura, o que colocou a gente do mesmo lado por um tempo, enquanto o Celsão seguia incentivando a gente a continuar.

– Tá quase lá! – dizia, depois de quase uma hora de caminhada.

Eu já tinha perdido as esperanças de um dia voltar pra civilização quando chegamos a um pequeno estábulo com cavalos selados. Só os cavalos, nenhum ser humano. O Celsão levou um tempo pra nos convencer a montar, porque achávamos que estávamos correndo risco de morte. Mas ele insistiu, mostrou que sabia o nome deles, montou em um e, por fim, acreditamos. Cavalgamos por outra trilha até um pequeno laranjal. Tinha muito mosquito e muito mato, não era exatamente a expectativa que se tinha de contato com a natureza, mas serviu. Ficamos ali comendo laranjas em cima dos cavalos.

Durante todo o trajeto, o Outro Gustavo e o Celsão conversavam sobre a vida amorosa do meu "concorrente", mesmo comigo estando ali do lado. Era a continuação de uma conversa que eles tinham tido na noite anterior. O Outro Gustavo não era um cara bonito, também não tinha grana e relatava não ter muita sorte com as mulheres. Tinha vergonha de si, da pobreza dele e dos pais. Ali parados, todos de frente um pro outro, ele acabou me dirigindo a palavra pela primeira vez:

– Eu te odiei quando você ficou com a Bruna. Principalmente naquele dia em que ficaram se agarrando no meio do pátio. Pra mim você fez aquilo só pra me provocar.

Celsão interveio:

– O Gustavo sabe que isso foi um erro, mas não foi pra te provocar. Você não é o centro do mundo. Devia ler Piaget.

Não ajudou muito.

– Foi um tapa na cara. Eu nunca vou ter uma namorada bonita e legal. Nenhuma menina nunca vai ficar comigo.

E desabou a chorar. Poucas coisas podem fazer você ficar tão comovido como ver um menino chorando e comendo laranjas em cima de um cavalo.

A gente desceu dos animais, e o Celsão foi consolar o rapaz. Eu fiquei um pouco mais distante. Esperei ele se acalmar.

Depois de comer as laranjas e servir de almoço para os mosquitos gigantes do Goiás, pegamos o caminho de volta. Celsão tomou a frente na trilha e eu fui andando ao lado do Outro Gustavo, tentando levantar o astral dele:

– Cara, você precisa confiar no seu taco. Sempre vai ter alguém pra você. Não é a Bruna, mas ela está por aí. – Fiz questão de deixar claro. – Tenta! Se gosta de uma menina, vai atrás. Fala pra ela. Se ela não gostar de você, tudo bem, vai pra próxima. Você é um cara legal, tem seus atrativos. Vai achar alguém.

Eu acreditava mesmo nessas coisas. Era uma interpretação meio errada do que eu tinha lido de Platão, mas encaixava direitinho no que era conveniente pra mim e na história toda com a Bruna. E nesse caso era positivo pelo menos.

A conversa com o Outro Gustavo serviu um pouco para tirar o foco da minha própria tristeza e se alongou por todo o caminho de volta pra casa. E realmente deu certo. Ele se animou e inclusive passou a aprovar meu relacionamento com a Bruna.

– Vocês vão ficar juntos de novo. Quando eu andava com ela, ela falava o tempo todo de você. Toda vez que eu tentava falar de coisas patéticas que você fez no time de basquete do ano passado, ela te defendia. Não é possível que esse sentimento tenha acabado. (Quero deixar claro que eu não fiz nada patético. O cara que não pegou meu passe de propósito.)

Quando chegamos na casa dos avós de Celsão, fui direto pro quarto ficar um pouco sozinho, sentindo pena de mim mesmo e finalizando a carta de mais de vinte páginas que eu estava escrevendo pra Bruna. Só saí mais tarde, quando a avó do Celsão bateu à porta, com um prato de bolo na mão, pedindo pra eu tocar violão pra eles. Eu toquei todas as músicas antigas que sabia:

"No Rancho Fundo", "Gente Humilde", "Meu Primeiro Amor". Tinha umas marchinhas de carnaval também – "Máscara Negra", "Jardineira" –, e algumas coisas da Jovem Guarda que eram versões dos Beatles: "Menina Linda" e "Alguém na Multidão". Foi muito divertido, foi como um show particular pra eles e alguns vizinhos que vieram ver. Todo mundo cantando junto. Foi bem legal proporcionar isso pra eles!

Quando todo mundo foi dormir, inclusive o Outro Gustavo, eu mostrei para o Celsão a longa carta que tinha escrito e imaginava entregar para a Bruna um dia. Trinta páginas. Depois de um longo tempo lendo – o que foi uma grande prova de amizade –, ele deu seu veredito.

– Isso não é amor. Não é nem paixão. É só você sendo um ser humano ignorante, que deseja o que está à sua volta. Ela é só a bola da vez. Acho que desejo é pouco – ele falava enquanto balançava as folhas de caderno no ar. – É só obsessão. Assumir que ela não é o amor da sua vida é assumir que tudo que sofreu nos últimos meses foi em vão. Então, prefere continuar querendo ela. Se eu fosse você, nunca mostraria essa carta, mesmo que um dia estejam casados e com filhos, porque daqui a vinte anos, quando olhar pra este momento, você vai ter bastante vergonha.

(Aliás, ele estava certo, aqui estou eu décadas depois olhando pra esse momento e achando bastante vergonhoso.)

Ainda tentei argumentar, dizendo que sabia o que estava sentindo.

– Você devia ler Rousseau. Ou o mangá dos Cavaleiros do Zodíaco – finalizou, levantando da cadeira.

Na volta pra casa, o Outro Gustavo veio me agradecer os conselhos. Enquanto ele falava, eu finalmente percebi a estratégia do Celsão. Ao aconselhar meu rival, olhei para os meus próprios problemas. Se eu estava falando para ele seguir a vida, para ele ser confiante, eu também precisava fazer a mesma coisa. Esse Celsão devia ser mesmo um ninja.

A viagem também ajudou o Outro Gustavo. Seguindo nossos conselhos, ele arranjou uma namorada na semana seguinte. E mais outra um mês depois. E outra depois de algum tempo. O cara virou um Don Juan. Sério.

Para concluir, toda essa aventura me levou para o estágio final: aceitação.

A ficha finalmente caiu. Minha história com a Bruna terminou de vez, e eu lidei com isso de duas formas: às vezes achava que simplesmente a amaria pra sempre e tudo bem; às vezes ficava imaginando que um dia, no futuro, a gente ia se reencontrar e começar de novo. Mas tudo aquilo ali que tínhamos vivido tinha acabado mesmo, sem volta. A maior evidência disso é que eu comecei a me referir a ela como "minha ex-namorada".

Então o período de "luto" pela perda da Bruna estava superado. Mas eu acabei perdendo outras coisas também. Apesar da "viagem aristotélica" com o Celsão, ele passou a ter que dividir o seu tempo entre mim e o resto da turma e a Bruna e a Luana, já que não era muito confortável ficar todo mundo junto. A Luana foi outra perda: ela era uma amiga legal, porém, como estava sempre com a Bruna, a gente se afastou.

Tudo bem que até isso teve um lado positivo: um pouco mais avesso a participar dos jogos de trio da escola, onde o Celsão, a Bruna e a Luana sempre estavam, eu voltei a chamar o Filipe pra jogar na quadra perto da casa dele. Nessa época, não havia telefone celular, e, em vez de ir até a portaria, tocar o interfone e convidá-lo para uma partida de um-a-um, eu simplesmente gritava o nome dele na rua. Ele descia junto com o vizinho do apartamento de cima, o Rodrigo, um menino uns dois anos mais novo, mas que jogava muito bem, era engraçado e, mais tarde, a gente viria a descobrir que era o cara mais legal do mundo.

Depois de várias tardes jogando juntos, eu e o Filipe decidimos chamar o Rodrigo pra se juntar à turma da música. O Rodrigo não tocava nenhum instrumento, mas curtia rock e cantar junto. Além disso, ao contrário de mim e do Filipe, ele era um cara muito extrovertido. Não tinha vergonha nem receio de nada, o que foi providencial pra gente começar a frequentar os shows da cena do rock em Brasília. Sem o Celsão por perto, todo mundo tinha cara de criança. Os locais onde os shows se realizavam não tinham muita fiscalização, mas a gente ficava meio inibido de entrar nos lugares cheios de adultos bebendo, fumando e, bem... sendo adultos.

O Rodrigo não tinha receio. Pelo contrário. Ele resolveu agir quando em uma sexta-feira estávamos ouvindo o programa *Cult22* na casa dele. Era um programa da rádio Cultura FM de Brasília, que falava de rock e dava muito espaço para as bandas brasilienses. Era a nossa MTV local. Nessa ocasião, o apresentador Marcos Pinheiro anunciou a volta do Terças no Garagem, um festival semanal de bandas da cidade que acontecia no Teatro Garagem, que ficava a uns quinze minutos a pé da minha casa. O Rodrigo percebeu a nossa animação e subsequente hesitação em ir. Mas não falou nada.

Na terça-feira, por volta das 20 horas, ele apareceu lá em casa, tocou a campainha e falou:

– Bora aí, Guga! A gente tá indo no Terças no Garagem.

O Filipe estava junto, empolgado e envergonhado ao mesmo tempo, como se tivesse sido capturado.

Foi como começar a frequentar um lugar mágico. Como era toda terça, e tinha umas quatro ou cinco bandas por noite, vimos muita coisa. Vimos algumas bandas que se tornaram grandes depois, como Little Quail e Maskavo Roots. Outras que não cresceram tanto, mas eram bem conhecidas na cidade, como Os Cabeloduro, Nata Violeta, Restless, Dungeon. Algumas delas viraram referências para todo mundo que tocava rock na cidade, como Oz, Low Dream e Câmbio Negro. Tinha umas que eram mais uma trupe de teatro cômico do que uma banda, como os Wallaces e os Cachorros das Cachorras. Vimos até algumas bandas lendárias dos anos 80, como Detrito Federal, BSB-H, Peter Perfeito. Quando tocavam covers, a gente chegava perto pra aprender a tocar olhando, o que era bem raro numa época pré-YouTube. Quando a gente gostava muito, comprava as fitas demo direto das bandas. E sonhava em um dia estar ali, vendo a galera cantar nossa música, comprando a nossa fita, fazendo parte daquela cena.

Cena, aliás, que me havia sido apresentada pela Bruna. E não demorou para ela também começar a aparecer nesses showzinhos, acompanhada da Luana e outras amigas, sempre promovendo encontros que eram, nos melhores momentos, apenas desconfortáveis – apesar de ainda doer bastante, dava para aguentar –, como quando ficávamos lado a lado em uma fila, sem ter pra onde ir ou sem ter o que falar. Ou quando, na pista, curtindo alguma banda (que provavelmente ela tinha me apresentado), a gente se esbarrava. Já nos piores momentos, esses encontros eram patéticos: como quando eu tentei dar o maior stage dive da minha vida sem esperar a galera se juntar para me segurar e me estatelei no chão do lado dela, com as costas e o orgulho ferido. Ela fingiu que não viu e me deixou lá.

Cada vez que a via, eu explicava pro Rodrigo toda a história com a Bruna. De como eu a amava, que achava que isso nunca ia passar, que eu havia estragado tudo e como eu tinha sofrido... Mas em vez de ser paciente e solidário como o Celsão, ou ser entusiasmado e encorajador como a Luana, o Rodrigo achava tudo RIDÍCULO. Cada vez que eu contava alguma coisa, esperando solidariedade e compaixão, ele simplesmente CAÍA NA GARGALHADA, da maneira mais espalhafatosa possível, colocando a mão na barriga e apontando pra minha cara. Após um desses desconfortáveis ou patéticos encontros com a Bruna em um dos showzinhos, quando cheguei pra ele de cabeça baixa e contei o episódio, medindo as palavras pra não ser muito sacaneado, ele falou:

– Vamos lá. Quero conhecer essa menina tão fantástica!

E simplesmente foi, sem esperar eu tentar impedir, porque era assim que ele fazia as coisas. A viu junto com a Luana num grupinho e já foi se apresentando. Eu fiquei do lado, tentando fazer o mundo voltar alguns minutos no tempo com o poder da mente. Não deu certo. Não só eu não consegui controlar o espaço-tempo, como o Rodrigo CONQUISTOU todas as meninas ali. Bruna, Luana e as amigas delas. Especialmente a Luana. Enquanto eu ficava tentando mandar sinais telepáticos pra ele, pra gente ir embora dali, ela fazia a exata mesma coisa, mas por motivos completamente diferentes. Pelo menos essa batalha eu venci. A gente saiu dali, mas não sem antes o Rodrigo compartilhar o telefone dele com todas elas.

Mas já que tive que passar por aquilo, eu queria pelo menos ter o benefício de saber o que ele achou delas.

– Guga, você é melhor do que todas essas meninas, principalmente a... como é mesmo o nome dela? – Ele fingiu esquecer o nome só pra me sacanear.

– Bruna.

– Isso, a Bruna. Você é um cara legal, sensível e talentoso. Quando perceber isso, ela vai voltar correndo pra você. Deixa comigo!

Como assim, deixa comigo?

No dia seguinte, ele me falou que a Luana ligou e o chamou pra sair.

– Falei que eu não ia, porque ia sair com você.

– Por que você inventou isso?

– Eu não inventei, a gente vai sair. Está rolando um campeonato de basquete lá no clube Vizinhança. Tem times de várias cidades jogando. Vai ser legal.

Vizinhança era o nome do clube. É o lugar onde eu e o Oscar Schmidt aprendemos a jogar. Não que haja relação entre as duas coisas.

– Tá bom, eu topo. Parece legal.

– Eu falei pra ela aonde a gente estava indo. Aposto o que você quiser que elas vão também.

Eu não apostei nada.

À noite, fomos pra lá. Era realmente um evento interessante. A quadra do clube Vizinhança era coberta, mas não era um ginásio. As laterais eram abertas, fazendo parecer um evento ao ar livre, com um monte de gente jovem de outras cidades reunida e curtindo. Na quadra, os times tentando dar show, fazendo passes mirabolantes, dando enterradas. Um clima muito legal. Achamos dois lugares no topo das arquibancadas e ficamos por lá. Passado algum tempo, quem aparece casualmente?

– Achei legal que você me falou desse jogo e falei pra Bruna pra gente vir ver – disse a Luana, com seu vestidinho preto indefectível e sua irmã do lado.

– Legal, sentem aqui – disse o Rodrigo, descolado, desinteressado e indiferente, apontando com os olhos para um espaço onde certamente não caberiam duas pessoas.

– Não acho que a gente caiba aí – disse Luana, não sabendo lidar com a situação.

Eu me mantive quieto.

– Vamos fazer assim. Sentem vocês aqui, eu vou comprar alguma coisa pra comer.

Rodrigo levantou, esperou a Bruna sentar e começou a despejar coisas em cima de mim e dela:

– Cuida aqui da minha mochila, do meu casaco, da minha bola. Fica aí pra gente não perder o lugar.

E pegou pela mão a Luana, que já se preparava pra sentar e só então entendeu a manobra, e saiu arrastando-a dali. "Espero que ele pelo menos traga coxinhas", pensei.

Pela primeira vez, depois de alguns meses, depois do término, depois dos cinco estágios do luto, eu estava ali, ao lado da Bruna, preso pelas coisas do Rodrigo. Eu não sabia o que falar, mas acho que consegui pegar um pouco da atitude descolada, desinteressada e indiferente dele. Fiquei um tempão sem falar nada. Não por desconforto, e sim porque não tinha o que falar. Exceto quando o time de Uberlândia começou a humilhar o do Uberaba na quadra, e a gente ficou ali, numa boa, comentando e curtindo o jogo. Foi legal. Foi despretensioso.

Quando o jogo acabou, levantamos carregando as coisas do Rodrigo e fomos procurar ele e a Luana, que nunca voltaram pra ver o resto da partida, muito menos pra levar coxinhas. Encontramos os dois abraçados no topo da escada, e ficou bem claro que tinha rolado alguma coisa.

Quando fui me despedir de Bruna, revelações surpreendentes foram feitas no meu ouvido:

– Saudades de ter dias assim com você – ela disse.

Eu só fiquei calado. Indiferente. Não deu pra ser descolado nem desinteressado.

– Seu amigo é um gostoso – disse Luana.

Andando de volta pra casa, no meio das quadras desertas de Brasília, perguntei pro Rodrigo o que tinha acontecido entre ele e a Luana.

– Ela não me deixou nem sair da área de arquibancada, me agarrou no topo da escada!

Como esse cara faz isso?

– Eu só queria tirar ela de lá pra deixar vocês conversarem sem ser no meio da escola ou da aula. Como foi?

Eu contei pra ele o que rolou e que tinha sido legal. Pelo menos ia tirar o desconforto das próximas vezes.

– Eu te falei, é só você ser esse cara legal que é quando não tem nenhuma menina por perto e tudo vai dar certo.

Lembrando que ele era mais novo que eu, que por minha vez era mais novo que a Luana. Esse cara precisa ser estudado.

Eu passei a ver a Bruna na escola e falar oi como uma pessoa normal. Até nos encontramos casualmente – de verdade dessa vez – no caminho da escola e fomos andando junto. Falávamos de português, matemática, física, química e biologia, que eu finalmente estava entendendo. Falávamos de filmes: *Forrest Gump*, *Pulp Fiction*, *Um Sonho de Liberdade*... E também *Débi e Loide* e *Wayne's World*. E de música, claro. Era época do *Zooropa* do U2, do *Dookie* do Green Day e do *Smash* do Offspring. O Weezer tinha lançado o *Blue Album*. O Aerosmith era a maior banda de videoclipes. No Brasil, os Titãs tinham lançado um disco grunge. Renato Russo lançava seu primeiro disco solo e bandas queridas nossas, como Raimundos, Little Quail, Maskavo Roots, Pravda e Pato Fu lançavam seu primeiro disco. Tínhamos muito o que falar.

E com isso nos reaproximamos a ponto de ser natural se encontrar e conversar, como sempre deveria ter sido. Ser natural inclusive ela vir ao nosso encontro na pracinha da quadra, que ficava na frente da janela dela, em uma noite que ficamos por lá.

Como eu falei no começo da história, essas pracinhas abandonadas e enferrujadas eram um lugar excelente para a gente se juntar, tocar e conversar sem incomodar muita gente. Eu andava evitando a nossa quadra justamente pela localização – de frente pra janela dela –, mas, como as coisas tinham voltado ao normal, não vi problema de ficar ali, junto com o Filipe e o Rodrigo, pra tirar umas músicas novas e ensinar o Rodrigo a tocar a gaita de "Love Me Do", dos Beatles, e de "Desire", do U2. Aliás, ele aprendeu.

Nesse dia, a Bruna e a Luana desceram para nos encontrar. Todo mundo ficou conversando por várias horas e, aos poucos, começaram a ir embora. Primeiro a Luana, depois o Filipe e mais tarde o Rodrigo, deixando só nós dois ali. Eu e Bruna. O friozinho da madrugada de Brasília fez a gente se aproximar. E essa aproximação nos fez falar um pouco das coisas que gostávamos um no outro. E essa conversa nos fez ficar de frente um pro outro e finalmente nos beijarmos de novo. Sem carta, sem palavras de amor, sem um prenúncio de namoro. Simplesmente nos beijamos e ficamos abraçados ali até amanhecer.

ATÉ AMANHECER!

Talvez o tamanho desta história tenha feito parecer o contrário, mas eu ainda não tinha idade suficiente nem para votar! Não é comum adolescentes dessa idade ficarem fora de casa até essa hora. Quando nos tocamos que o tempo tinha passado, corremos pra casa, já pensando no problema que enfrentaríamos.

Quando entrei, encontrei minha mãe sentada na cozinha, com o rosto vermelho de tanto chorar. Eu esperava gritos, broncas e ameaças, mas só ouvi ela falando bem baixinho.

– Onde é que você estava, Gustavo?

– Eu tava ali embaixo na pracinha, mãe. Não vi o tempo passar. Desculpa.

– Você saiu de casa ontem e desapareceu. Custava vir aqui avisar?

– Eu não percebi, mãe. Mas... – ensaiei começar uma explicação.

– Não precisa explicar nada, não. Vai ser assim agora, né? Tudo bem.

Ela não levantou a voz nenhuma vez. Ela não parecia brava. Só parecia muito triste e cansada da tensão que eu a tinha feito passar. Ela deu as costas e foi pro quarto dela. Eu só sentei e chorei. Foi a pior bronca da minha vida. Passei o resto do fim de semana em casa, tentando compensar, e acabei nem me lembrando de que tinha ficado com a menina de que eu mais gostava. Só no fim do domingo, me aprontando pro dia seguinte enquanto era atormentado pela música do *Fantástico*, eu pensei que, talvez, a Bruna realmente fosse meu par perfeito.

Na segunda, ela me perguntou por que eu não liguei. Compartilhei toda a minha história. Ela me contou a dela: quando a Luana entrou em casa, a mãe delas simplesmente achou que as duas estavam juntas e nem percebeu a outra filha chegando em casa no sábado de manhã.

Essa conversa me fez perceber o quanto a gente se conhecia pouco. Sabíamos tudo sobre o que o outro gostava: basquete, rock, bandas da cena local de Brasília. Sabíamos sobre o cotidiano: escola, matérias fáceis e difíceis, essas coisas. Mas não sabíamos nada da história um do outro. Ela não sabia de todos os problemas financeiros pelos quais minha família tinha passado (e dos quais estava começando a se recuperar). Eu não sabia por que o pai dela era tão ausente. Então, comecei a tentar conversar sobre isso. E passou a não ser tão legal. Primeiro porque ela não queria falar muito. Segundo porque comecei a perceber um pouco aquilo que a Samantha tinha me falado quando contei sobre a Bruna.

A cada conversa, cada assunto, eu descobria algo que ela fez que não era muito legal. Ela me contou sobre como sabotava a melhor amiga dela. Às vezes só porque achava engraçado – como dizer que determinada roupa estava bonita, quando na verdade não estava. Às vezes por egoísmo – como quando a amiga dela gostava de um garoto e Bruna fez questão de contar pra ele, do pior jeito possível, para deixá-la com vergonha e desistir.

– Eu não ia deixá-la ter um namorado e eu não! Eu sou muito mais bonita do que ela.

Ao falar da irmã, que passava por vários problemas na escola, também não era muito solidária.

– Eu acho ótimo. Quanto mais a Luana se ferra na escola, mais a minha mãe larga do meu pé.

E todas essas coisas ela contava como vantagem. Como se ela estivesse sendo muito esperta. Eu não falava disso com ninguém. Nem com o Rodrigo, nem com o Celsão. Achava que era segredo dela e eu não tinha direito de sair comentando com os amigos. Também não queria admitir pra eles que, no fim das contas, a Bruna não era uma pessoa legal. Mas comecei a perceber que era questão de tempo até isso virar contra mim.

E virou. Ela faria uma viagem pra Goiânia porque a melhor amiga dela queria ir a uma micareta, o carnaval fora de época da cidade, que a gente chamava cruelmente de MicaGô. Goiânia é bem perto de Brasília, e era normal a turma do axé ir pra lá pra curtir o evento. Não era normal a Bruna querer ir, não era a praia dela. Mas a tal melhor amiga insistiu e pagou o ingresso, e então a Bruna decidiu ir. Elas iriam aos shows no fim de semana e, depois, esticariam mais algumas semanas por lá, emendando as férias do meio do ano, que também vinham fora de época por conta das greves no ensino público.

Nos anos 90, esses shows eram uma olimpíada da pegação. Homens e mulheres competindo para ver quem beijava mais. E, bom, era para esse lugar que minha namorada estava indo. Essa namorada que eu sabia que era insegura, egocêntrica e que achava legal enganar as pessoas.

Eu falei sobre isso com o Celsão. Sabia que nosso namoro ia acabar no minuto em que essa viagem começasse. Conhecendo a Bruna, ele concordou:

– Se você acha que não tem futuro, devia terminar antes de ela viajar. Vai lá e fala isso. Assim pelo menos não tem brigas. E você mesmo me falou que não está legal, né?

Não estava mesmo. Era legal poder dizer que eu tinha uma namorada e que essa namorada era a Bruna. Mas todo o resto era um tormento. Eu queria estar com ela até o momento em que realmente estava. Então, por incrível que pareça, mesmo com todo o sofrimento, o amor, a obsessão, o luto e a aceitação relatados até aqui, tomei a decisão de ir me despedir dela e já deixá-la livre para competir nas categorias da MicaGô.

Fui cheio de coragem. Com todos os argumentos na cabeça. Todo um discurso preparado. Pra mim, ela ia fingir uma tristeza mas ia achar ótimo, então nem ia ser difícil. Fui até lá e toquei a campainha da casa dela.

Ela estava sozinha em casa e me recebeu com um sorriso que eu não via havia semanas:

– Que saudade! Que legal que a gente finalmente está se vendo, só a gente!

Ela estava muito feliz com a viagem e com as férias. Falou de como tudo estava indo bem na vida dela e como eu era parte disso. Ficamos juntinhos vendo TV, trocando carinhos, até a família dela chegar. E eu não tive coragem de fazer o que eu tinha ido fazer. Foi como aquele dia em que ficamos pela primeira vez, só que reverso. Demos aquele longo beijo de despedida dramático de adolescente que sempre acha que o mundo vai acabar amanhã, desejei boa viagem e fui embora.

Dias depois, fui pra casa do Celsão, que parecia bem preocupado.

– Você terminou com a Bruna? Como foi?

Contei pra ele o que havia acontecido, e ele pareceu confuso.

– Eu recebi uma carta muito estranha da Bruna. Acho que vocês precisam conversar.

Acho que ele queria que eu visse a carta, mas não queria me entregar. Então ele a deixou bem à vista, em cima da mesa da sala, e foi tomar um banho rápido pra gente ir ao cinema.

Nem pensei duas vezes. Peguei a carta e li um relato da Bruna sobre a performance dela na MicaGô. Como eu esperava, ela contou pro Celsão cada cara que ela beijou. Contou ainda como tinha enganado a amiga pra que ela ficasse com um cara que tinha acabado de vomitar e todas as táticas que usaram pra parecerem mais velhas.

Pus a carta de volta no envelope. Peguei um caderno que estava solto por ali e escrevi uma história na qual eu relatava ter ficado com uma menina da escola. Fiz questão de escrever no mesmo estilo, de um jeito bem babaca, contando vantagem e me achando muito esperto por estar não só enganando a minha namorada, mas também a menina com quem eu fiquei. Uma paródia do que eu tinha acabado de ler.

Quando o Celsão saiu do banho, nem tentei disfarçar que não tinha lido a carta. Entreguei a minha pra ele e disse: mostra pra ela essa carta aqui que você recebeu de mim. Cancelamos o cinema e voltei pra casa, arrependido de não ter terminado tudo do jeito certo quando tive a chance.

Depois de o plano ser executado, o Celsão me ligou pra contar:

– Bom, se você queria que ela te odiasse, parabéns.

O Celsão até explicou pra ela que achava que eu tinha visto a carta que ela mandou e sabia o que ela tinha feito. Mas, na visão da Bruna, isso não importava, porque segundo o meu relato eu a traí antes de saber da aventura dela. Então eu era culpado. Além disso – e, segundo ele, ela realmente falou isso –, era normal eu ser traído por uma menina como ela. O que não era normal era ela ser traída por um garoto como eu.

A gente tinha combinado de se telefonar durante a estada dela em Goiânia, mas ninguém ligou pra ninguém. Quando ela voltou de viagem, também não. Foi um longo jogo de *chicken game*, aquele desafio em que dois carros avançam em direção um ao outro pra ver quem desvia primeiro. E, como todo *chicken game*, só teve perdedores. Só nos vimos no primeiro dia de retorno às aulas. Ela estava falando com o Celsão na porta da escola. Achei que seria bom recomeçar o processo de aceitação e fui lá falar um oi. Ela me ignorou. De um jeito bem infantil mesmo, fingindo que não me via ali. Achei ótimo, porque agora eu podia fazer a mesma coisa.

E passamos as semanas seguintes agindo assim. Quando ela estava com alguém que eu conhecia – normalmente o Celsão ou a Luana –, eu me aproximava, dava oi para os outros, mas não pra ela, e conversava um pouco, fingindo que ela não estava ali. Ela fazia a mesma coisa. Nos showzinhos, que eram bem frequentes, a gente só se ignorava. As pessoas à nossa volta foram se acostumando, primeiro fazendo piadas do tipo "esses dois se merecem". Depois simplesmente não percebendo mais. Dessa vez, eu fui direto para o estágio da aceitação – bom, talvez tenha passado um tempo no da raiva –, mas era a aceitação de que a nossa relação tinha acabado de vez. Mas aceitar que tudo aquilo que eu sentia por ela era de fato uma obsessão – ou, pior ainda, um capricho, uma necessidade de fazer coisas que eu queria acreditar fazer sentido – ainda ia levar um bom tempo.

Uma coisa que ajudou a esquecer um pouco esse assunto foi o nosso projeto de despedida do Rodrigo. A gente soube que ele se mudaria para os Estados Unidos no final do ano. Os pais dele haviam sido designados para um trabalho em um consulado brasileiro, e ele não tinha escolha senão ir. Pra mim e pra maioria dos nossos amigos, mudar para lá era um sonho. Ele teria acesso a todos os videogames e aparelhos eletrônicos que, no Brasil, a gente nem sonhava em ter. Comprar CDs a preço de banana. Assistir a todos os jogos da NBA possíveis, inclusive ao vivo se ele quisesse (no Brasil, passava um jogo por semana, às vezes nem isso). E poderia dirigir aos 16 anos!

Mas o Rodrigo não era assim. Primeiro porque ele não era sem grana igual a maioria de nós e, na verdade, já tinha boa parte dessas coisas. Segundo porque ele estava vivendo a época mais legal da vida dele, justamente por conta da nossa turma, que ia pra shows toda semana, se reunia pra tocar violão, conhecia e ficava com as meninas... Estava tudo dando certo e ele perderia tudo pra ir para um país frio e do qual ele não falava a língua. Pra aplacar um pouco a tristeza dele, a gente decidiu fazer o máximo de atividades possíveis que ele pudesse guardar de recordação. Ele até comprou uma câmera fotográfica pra poder registrar tudo.

No fim, eram as mesmas coisas que a gente sempre fazia: se reunir na rua ou na casa do Filipe, jogar basquete, ir a shows. A diferença era que agora fazíamos isso com o propósito de ser uma homenagem ao Rodrigo. Adicionamos também várias idas ao Conic, uma espécie de galeria do rock brasiliense, onde lojas de discos e instrumentos musicais compartilhavam espaço com *sex shops,* cinemas pornô, igrejas e lojas de artigos para umbanda. Lá a gente comprava CDs, fitas demo e camisetas de bandas brasileiras. Ele se mudou com uma coleção enorme. Também havia eventuais idas à feira da torre de TV, porque essa saudade antecipada do Brasil criou nele um repentino interesse por artesanato, fitinhas do Senhor do Bonfim, berimbaus e coisas do gênero. E, quando não estávamos andando a pé por esses lugares de Brasília, estávamos preocupados em passar de ano – coisa com que eu não me preocupava desde que tinha saído do Colégio Louvador.

Até que um dia eu fui buscar o Rodrigo pra uma dessas saídas e ele abriu a porta meio abatido.

– O que aconteceu, cara? – perguntei, preocupado.

– Veja com os seus próprios olhos.

Eu entrei pela cozinha e vi o apartamento vazio. VAZIO! Nas últimas semanas tinha várias coisas em caixas, tudo meio bagunçado... Mas dessa vez estava totalmente vazio. Nada além de alguma sujeira. Ele só tinha mais um fim de semana na cidade, e eles ficariam hospedados na casa da avó dele até o dia de ir embora.

O que o Rodrigo via como uma espécie de sinal definitivo do fim do seu tempo no Brasil, eu via como uma oportunidade:

– A gente tem que fazer uma festa aqui!

– Meu pai nunca vai deixar.

– Eu falo com ele!

Seria a minha chance de retribuir toda a força que o Rodrigo tinha me dado naquele período de "luto". E foi esse o argumento que eu usei. O pai dele, vendo que era o último fim de semana do filho no Brasil, e sabendo que a gente não fazia muito além de ouvir música e conversar, cedeu.

Aqui está um guia passo a passo para organizar uma festa num apartamento vazio quando se é adolescente:

Passo 1: Convide todo mundo que puder.

Passo 2: Não tem passo 2. Acabou.

Não tem comida e bebida. Cada um leva o que quer e pronto. Se não levar, tudo bem. Não tem móveis ou decoração. Você fica em pé ou senta no chão. A gente não se preocupou nem em limpar o lugar. E todo mundo que a gente chamava, mesmo sabendo dessas condições precárias, topava, porque pra adolescentes sem grana e sem ter o que fazer, isso era equivalente a um baile de gala.

Tinha mais uma coisa que eu queria fazer em homenagem ao meu amigo: convidar a Luana. Depois daquele dia no campeonato de basquete, eles tinham ficado mais algumas vezes nos showzinhos. Mas, por solidariedade a mim, e também por falta de oportunidade, eles não se viam havia um bom tempo. E eu sabia que parte da saudade que ele teria do Brasil seria por causa dela. Sabia também, através do Celsão, que ela queria encontrar com o Rodrigo. Recorri mais uma vez ao meu amigo ninja-nerd-filósofo para fazer a ligação diplomática.

– Ela disse que só vai se a Bruna for, porque provavelmente só vai ter um monte de homem lá – disse ele, depois da primeira tentativa.

Eu estava disposto ao sacrifício pelo meu amigo:

– A Bruna pode ir, a gente só não vai se falar – argumentei.

– Ok, mas quero ver alguém convencer a Bruna.

– Você consegue, cara. Você leu Protágoras!

Orgulhoso com o meu comentário, ele de fato concordou com a missão. E foi razoavelmente bem-sucedido:

– A Bruna topou ir, mas você não pode dirigir a palavra a ela nem tocar violão.

– Beleza, fechado – falei, sem a menor intenção de cumprir a segunda parte do acordo.

À noite, estava todo mundo lá. Um clássico apartamento de classe média de Brasília, com três quartos (as portas não trancavam) e dois banheiros, sem nenhum móvel ou eletrodoméstico, a não ser um pequeno toca-fitas no chão da sala. Só deixamos lâmpadas no corredor e nos banheiros, que davam uma iluminação bem fraquinha em todos os outros cômodos. Eu, Rodrigo, Celsão, Filipe, todos os amigos agregados que a gente tinha e até pessoas que a gente não conhecia muito bem estávamos espalhados por todos os cômodos, ocupando todos os espaços, conversando, curtindo música, olhando pra paisagem através das janelas, todo mundo tomando vinho e cerveja baratos e fingindo que estava gostando.

Quando a Luana e a Bruna chegaram, dei só um aceno de longe pra Luana. Não demorou pra ela e o Rodrigo sumirem juntos, deixando a Bruna sozinha, emburrada, sentada num canto no chão da sala.

O que não era mais problema meu. A alguns metros dali, em outro canto, o Filipe tocava guitarra acompanhando a música do toca-fitas. Com o objetivo de mostrar que eu não estava nem aí pra minha ex-namorada, peguei o violão dele e sentei do lado pra acompanhar. Foi a deixa pra ela explodir de raiva. Bruna até tentou tirar satisfação com o Celsão, que já sentia os efeitos da bebida:

– Ninguém está realmente tocando. Nada disso está acontecendo. Somos todos prisioneiros da nossa própria caverna! Você devia ler Platão!

Um filósofo ficando embriagado pela primeira vez é realmente um show à parte.

Bruna procurou por Luana pelo apartamento, sem sucesso, e simplesmente foi embora. Esqueceu lá a sua caixa de fitas cassete (era normal as pessoas terem sua coleção em uma época pré-iPod). A festinha seguiu por mais algumas horas, mas foi minguando à medida que a bebida acabava.

Restamos só eu e o Filipe. Estávamos animadões, tocando guitarra e violão, conversando e ouvindo a coleção que a Bruna tinha deixado pra trás, com fitas demo e gravações raras de participações de bandas em programas de rádio. Um verdadeiro tesouro.

E foi por causa desse tesouro que o Rodrigo e a Luana reapareceram. Agarrados e com cara de choro. Perguntei onde eles estavam.

– Lá fora, nos bancos da quadra de basquete o tempo todo. Eu já tinha levado a Luana até em casa e a gente até se despediu, mas a Bruna exigiu que a Luana voltasse pra pegar as fitas – respondeu o Rodrigo, esclarecendo os rostos vermelhos.

Eu organizei as fitas na caixa e entreguei pra eles, que voltariam até a casa da Luana para uma segunda despedida enquanto eu e Filipe fecharíamos o apartamento. Assim que eles saíram, Filipe levantou de onde estava deitado e revelou um segredo.

– Deitei em cima dessas fitas aqui. A gente precisa copiar antes de devolver, porque nunca mais vamos ver a Bruna.

Fiquei imaginando a cara dela quando descobrisse. Limpamos e fechamos tudo. Filipe foi pra casa no andar de baixo e eu fui andando até a minha. No caminho, encontrei o Rodrigo sentado num banco na frente do prédio da Luana e da Bruna. Com cara de choro, mas sorrindo e provavelmente refletindo sobre tudo que tinha acontecido até ali.

– Esse ano foi incrível. E esse foi o fechamento perfeito. Valeu por ter insistido em fazer essa festa.

Sentei com ele e ficamos um tempo conversando sobre os acontecimentos e as nossas aventuras com a Bruna e a Luana. Sobre como seria a vida dele nos Estados Unidos e a minha em Brasília. A gente se despediu ali mesmo. Dali a dois dias ele embarcaria pra outro país, pra nunca mais voltar. Na semana seguinte, eu ainda fui até a casa do Filipe buscar as fitas da Bruna que tínhamos "pegado emprestado" e pedi pro Celsão devolver. Ela, por sua vez, mandou de volta uma fita VHS minha inteiramente destruída, com palavrões escritos na caixa. Um final perfeito para nossa história.

CAPÍTULO 5
EU SOZINHO

Férias em Brasília eram férias solitárias. Como a cidade havia sido fundada apenas três décadas antes, todo adolescente que vivia ali tinha pais nascidos em outras cidades e, por isso, sempre tinha pra onde viajar. Meu refúgio costumeiro, como já contei, era Florianópolis, onde meus pais nasceram e onde vive até hoje a maior parte da minha árvore genealógica. Mas naquele ano eu decidi ficar em casa e juntar alguma grana. Minha família já começava a se recuperar do desastre econômico da década. Mudamos para um apartamento de dois quartos, o que era um grande avanço. Minha mãe tinha voltado a dar aulas. Minhas irmãs também já trabalhavam e contribuíam pra renda da casa, e meu pai tinha um emprego decente, gerenciando um clube da alta sociedade brasiliense. Por conta disso, eu e meu irmão descolamos, durante todo o verão, um emprego de garçom na lanchonete que ficava na piscina do clube, servindo coxinhas, sucos e cervejas para senhoras e senhores de meia-idade enquanto eles se bronzeavam à beira do Lago Paranoá.

Com a grana, consegui comprar na loja do Tião o meu primeiro instrumento elétrico: um baixo Washburn da cor *sunburst*. O instrumento era pra destro, então a primeira coisa que eu fiz quando cheguei em casa foi um buraco com a furadeira no outro lado do corpo do instrumento, para poder deixá-lo na posição correta pra mim. "Igual ao Jimi Hendrix", era o que eu dizia pra mim mesmo.

A Bruna e a Luana haviam sumido. O Rodrigo tinha ido embora para os Estados Unidos e nunca mais dera notícias. Todas as outras pessoas estavam viajando, só eu e o Filipe estávamos na cidade. Os pais dele haviam acabado de comprar uma casa enorme no bairro chique do Lago Sul e, possivelmente, esse era o motivo de eles passarem o verão em Brasília também. O que foi bom, porque o Filipe tomou posse de um quartinho junto da garagem e montou um estúdio de ensaio, com pequenos amplificadores Ciclotron e uma bateria muito detonada da marca Central. A minha ideia ao comprar o baixo era formar uma nova banda com o Filipe, para tocar só punk rock e hardcore, que era só o que eu queria ouvir naquela época, influenciado pelo sucesso dos Raimundos e por todos os perrengues vividos até ali. Eu tocaria baixo, o Filipe guitarra e alguém bateria. Meu irmão, Rafael, chegou a fazer aulas para ocupar o posto, mas não era a praia dele. O Filipe acabou assumindo as baquetas e eu, as seis cordas. Nossa diversão era tocar versões punk das músicas de viola que o pai do Filipe curtia. A gente ficava procurando nos vinis da casa dele músicas que ficassem bizarras sendo tocadas com guitarra e power chords na maior velocidade possível, como "Trem do Pantanal", do Almir Sater, "Cidadão", do Zé Geraldo, e até "Os Argonautas", do Caetano Veloso. Também tocávamos covers de todas as bandas punk que conhecíamos, como os gaúchos dos Cascaveletes e os brasilienses Detrito Federal e Os Cabeloduro. Também compúnhamos nossas próprias músicas, todas rápidas, raivosas, cheias de palavrão, ressentimento e alguma sacanagem. Tocávamos o mais rápido que podíamos. E batizamos a banda de Lactobacilos Vivos. Só porque era engraçado mesmo.

Toda essa atitude e retórica punk não foi suficiente para me preparar para a situação que eu enfrentaria na volta às aulas no Colégio Kubitschek, com o professor Wellington, de matemática. Um desses professores sádicos que têm um prazer doentio em tornar a vida dos seus alunos um inferno. Logo no primeiro dia de aula, ele passou uma lista de cem exercícios para ser entregue no dia seguinte. Quem não entregasse não poderia assistir à aula dele. Decidido a ser um bom aluno, e achando que esse seria só um teste inicial, passei a tarde e a madrugada completando a lista, coisa que só uma dúzia de colegas foi capaz de fazer. Todo o resto foi expulso da sala e tomou falta. Ele passou mais uma lista, com mais cem exercícios.

– Não quero ver vocês fazendo mais nada da vida a não ser estudar matemática. Nem as outras matérias. Só matemática. Esses professores são tudo frouxo – bradava, como se fosse uma espécie de Mumm-Ra dos *Thundercats*, em sua forma decadente.

Se fosse só rigidez, tudo bem. Mas o cara era maluco. A aula dele começava logo depois do intervalo, e assim que o sinal tocava ele fechava a porta e não deixava mais ninguém entrar. Como o intervalo era de apenas quinze minutos, todo mundo que se importava com a matéria acabava ficando na sala.

Eu imagino que você ainda esteja pensando que era só um professor muito rígido, meio doentio, então aqui tem mais alguns fatos que podem trazer você para o meu lado: ele dava cascudos, com força, na cabeça de qualquer aluno que não estivesse prestando atenção – o que era normal numa turma de cinquenta alunos com aulas das 7 às 13 horas; enfiava o dedo de surpresa na boca de qualquer aluno que estivesse mascando chiclete, ou que ele achasse que estava mascando chiclete; e com a mão suja de giz (e sei lá mais o quê) fazia carinho na cabeça das meninas, "elogiando" a beleza e a forma física delas; tirava pontos de alunos que estivessem com os tênis sujos – ou seja, 100% deles, já que Brasília é inteira coberta por uma terra vermelha e alunos da escola pública não costumam ter muitos sapatos; e, se você questionasse, ele tirava mais um ponto, dizendo que você era muito feio.

Ele não era legal. Não era como um jurado de reality show que fala o que pensa e por isso é engraçado. Era um terror. Um psicopata tarado, que hoje já teria sido preso por todo esse abuso. As meninas tinham medo dele. A maioria dos alunos já considerava a ideia de simplesmente reprovar e fazer recuperação depois. Alguns poucos tentavam aguentar e seguir as regras. Eu decidi me salvar e fui até a secretaria pedir pra mudar de turma. Quando me perguntaram por quê, expliquei o verdadeiro motivo. A moça da secretaria foi solidária comigo e aceitou meu pedido, me mandando para uma turma cujo professor era outro. Achei que estava salvo, mas cometi o erro de contar pra todo mundo. E vários outros alunos tentaram fazer a mesma coisa.

Na semana seguinte, esperando pela minha nova e razoável professora de matemática, quem aparece no lugar dela?

– Eu sou o novo professor de matemática de vocês. Troquei de horário com a outra professora. Aqui estão os cem exercícios que vocês têm que fazer pra amanhã... – disse o professor Wellington.

Ele falava enquanto olhava pra mim. Assisti à aula quieto e intimidado. Quando acabou e eu estava saindo para o intervalo, ele me puxou pelo braço e ameaçou, falando como um vilão de filme do SBT:

– Eu sou o coordenador da escala dos professores de matemática. Pra onde você for, eu vou também. E pode esquecer, porque nada vai fazer você passar de ano. Eu vou garantir que sua vida seja um inferno.

Não tem nenhum exagero aqui. As palavras foram essas.

Eu saí de lá e fui correndo falar com o coordenador geral, que me disse que não podia fazer nada. Na escola pública, a hierarquia era determinada por tempo de serviço, não por cargo. Wellington era o professor que estava lá havia mais tempo. O coordenador ainda tentou jogar a culpa em mim:

– Você foi falar pra todo mundo... Devia ter se salvado e ficado quieto.

Falei com a secretária. Falei com o diretor da escola e com os outros professores de matemática. Falei com a professora de português, que era legal com todo mundo e já tinha sido coordenadora no passado. Todo mundo sabia que o cara fazia isso e ninguém estava a fim de enfrentá-lo. Alguns falavam pra eu ficar quieto e deixar passar... Outros que eu é que estava provocando e devia obedecer ao professor. Mas ninguém foi capaz de chamá-lo e pedir para se portar de maneira adequada.

Eu desisti de assistir às aulas. Toda aula dele eu simplesmente me retirava da sala e ia até a diretoria reclamar de novo. Até que o diretor falou que eu estava criando problemas e pediu para que eu voluntariamente me transferisse para outro colégio, para que ele não tivesse que me expulsar e colocar uma observação de "péssima conduta escolar" no meu histórico.

Foi assim que eu fui parar no Colégio Península. Por ironia, o colégio onde boa parte dos estudantes de Brasília que têm "péssima conduta escolar" iam parar. Eu tinha bolsa de estudos, mas o basquete acabou pra mim quando retornei, já que teria que pagar pra jogar, e eu não tinha dinheiro pra isso.

Eu fazia as contas das amizades que estava sendo capaz de manter. O Rodrigo tinha ido para os Estados Unidos e nunca mais dera notícia. Celsão e o resto da turma do basquete do Colégio Kubitschek ainda eram meus amigos, mas agora eu estudava do outro lado da cidade e num turno diferente. Não era muito fácil encontrá-los. O Filipe tinha voltado a priorizar a sua banda principal. A gente ainda se via nos fins de semana, mas com ele morando no Lago Sul não dava pra contar com sua companhia pra tocar durante a semana ou ir aos shows.

Eu me sentia sozinho. Em uma manhã, vi no jornal que haveria um show da banda Marssal – que tinha um bom repertório próprio e fazia bons covers dos Mutantes e do Led Zeppelin – no Teatro Garagem, do lado de casa. Decidi matar a aula daquela tarde e ficar vagando pela cidade. Fui até a casa do Celsão, que era do lado do Colégio Kubitschek, chamá-lo para ir ao show comigo.

– Não vai dar. Tenho uma prova amanhã e preciso ler um livro inteiro ainda hoje – ele falou, me dispensando, porque precisava começar o quanto antes.

Fui à casa da Samantha, que era ali perto. Não nos falávamos havia um tempão, mas pensei que seria um bom motivo pra nos reconectar. Toquei o interfone:

– Oi, Samantha. Aqui é o Gustavo. Quanto tempo.

– Gustavo? Caramba! O que tá fazendo aqui?

– Vim te convidar pra ir a um show comigo. Uns caras que tocam Led Zeppelin, você vai curtir. Vamos?

– Hummm... Seria legal, mas não tem como. Vamos combinar outro dia, ok? – ela falou, sem a menor intenção de combinar outro dia.

– Ok!

Decidi fazer daquilo uma missão: encontrar alguém que me fizesse companhia nesse show. E, não podendo voltar pra casa – afinal, tinha que fingir que estava na aula – e sem acesso a um telefone, só me restou andar. Fiquei vagando pela cidade. Fui à casa de todo mundo que eu conhecia e sabia o endereço. Todos os amigos do basquete do Colégio Kubitschek. Os outros membros da banda do Filipe, a Ares. Até o Outro Gustavo eu convidei. E todos eles ou não podiam ir, ou não queriam ir ou não estavam em casa. Eu me senti MUITO sozinho.

Devo ter andado uns quinze quilômetros nesse dia, no meio das quadras ajardinadas e cobertas de poeira vermelha de Brasília. Já eram quase 20 horas, horário em que começaria o show, e, enquanto caminhava de volta pra casa, decidi simplesmente continuar andando e ir sozinho para o Teatro Garagem. Comi um cachorro-quente sozinho na porta. Comprei meu ingresso sozinho na bilheteria. Engraçado que algo que causava tanta ansiedade pra gente no ano anterior agora era algo natural, como ir à banca de jornal ou à padaria.

O local não estava muito cheio. Quando entrei, já dava pra ouvir o riff de guitarra e a bateria inconfundível de rock 'n' roll do Led Zeppelin, o que me deu certo ânimo. Comprei uma Coca no bar que ficava no *foyer* e entrei na sala escura com suas três arquibancadas viradas para um quadrado no chão, como um teatro de arena. Como estava vazio, a banda ocupava o espaço todo, não só o pequeno palco elevado no fundo, como de costume. Sentei de frente para o guitarrista e fiquei ali, vendo-o tentar reproduzir as acrobacias do Jimmy Page e saboreando a minha própria solidão. Mais melancólico do que triste. Quando, estranhamente – porque o teatro estava muito vazio –, alguém se aproxima e senta do meu lado.

Era a Luana.

– Oi, você vem sempre aqui? – ela falou, brincando.

– Fazia tempo que eu não vinha – respondi, meio desconfortável, preocupado de a Bruna estar junto.

– Eu também. Mas eu amo essa banda, então resolvi vir sozinha.

Ela amava mesmo: vimos a banda juntos pela primeira vez e ela comprou a fita demo.

Não falamos muito durante o show – ficamos prestando atenção na banda –, mas ela ficou o tempo todo do meu lado. Quando a apresentação terminou, saímos do teatro e sentamos numa das mesinhas dos trailers de cachorro-quente.

Ela me contou que tinha mudado de apartamento. A Bruna tinha saído do Colégio Kubitschek e ido para uma escola particular. Contei como tinha sido meu verão, sobre o trabalho como garçom e que eu havia comprado um baixo e formado uma banda (ela achou o nome ridículo). Ela tinha concluído os estudos no supletivo e pensava em voltar a estudar, o que parecia uma coisa boa. Quando o assunto acabou, eu disse que ia embora e fui dar um abraço de despedida nela. E aí ela me beijou.

Assim. Do nada.

Se tinha uma coisa na minha vida para a qual eu não havia treinado, era o que fazer no caso de uma menina me beijar de repente. Então, eu só correspondi, meio que por falta de opção.

Nem deu pra falar nada. A gente só se olhou e se beijou de novo. Ficamos ali mais um tempo até os outros shows acabarem e as pessoas começarem a ir embora. A gente finalmente se despediu e foi cada um pro seu lado.

Eu voltei pra casa tentando entender o que tinha acontecido. A Luana era linda, sexy, legal e divertida. Mas era a irmã da garota por quem eu sofri um ano inteiro. Um novo nível de estranheza em relacionamentos. Foi bom. Parabéns pra mim.

Passei os dias seguintes pensando naquilo e checando comigo mesmo se eu estava apaixonado por aquela menina. Eu ficava na dúvida, mas a resposta era sempre não. Estava curioso, um pouco surpreso, mas ok com a ideia de não estar com ela o tempo todo. Ok com a ideia de nunca mais ficar com ela. Se eu pudesse, me daria um tapinha nas costas pela capacidade de ter ficado com uma garota sem querer ser seu namorado. Parabéns pra mim, de novo!

Mesmo se eu quisesse, não teria como. Agora que ela tinha se mudado, eu nem saberia como entrar em contato. Só se a gente se encontrasse sem querer. Ou se ela tomasse a iniciativa.

E, no domingo daquela mesma semana, o interfone lá de casa tocou.

– Oi, Guga, vim te visitar. Desce aqui – disse Luana. A semana estava cheia de surpresas.

Sentei com ela no vão embaixo do meu prédio. Em Brasília, os prédios são todos vazados no térreo, formando uma espécie de marquise. Então, é normal que crianças e adolescentes ocupem esse espaço.

– Lembra que, na semana passada, a gente ficou? – Ela foi direto ao assunto.

Queria ser assim, pensei.

– Lembro. O que foi aquilo?

– Eu sempre quis saber se você ficaria comigo. Sempre achei que eu não era boa o suficiente pra você.

Eu não sabia o que responder. Nunca imaginei que eu poderia ser visto assim por uma menina, ainda mais uma como a Luana, que frequentava os sonhos de todos os caras que eu conhecia. E foi exatamente o que falei pra ela.

– É, mas esses caras são uns tarados, e você sempre foi exigente – ela disse.

– Ok, isso é o bastante de informação surpreendente esta semana.

– Bom, agora você sabe – respondeu.

E me agarrou de novo.

E mais uma vez eu fui pra casa e decidi que esse era o jeito certo de lidar com essa relação. Sempre gostei da Luana como pessoa e iria continuar gostando. Eu gostava de ficar com ela e continuaria ficando. Mas não precisaria necessariamente ir além disso.

Sei que você pode estar pensando: "Caramba, que cara burro. Era só ter sido assim sempre! Esse é o normal!". Mas entenda que isso não era NADA natural pra mim. Natural seria eu querer casar com ela. Esse era um território totalmente inexplorado.

E a gente continuou explorando. Nos encontramos mais vezes nos shows. Ela ia mais vezes lá em casa. E a rotina era sempre essa. Nos encontrávamos como amigos e aí, se tivesse tempo, se a coisa caminhasse pra isso, a gente ficava. Era assim que tinha que ser.

Nos meses seguintes, ela e a família se mudaram para perto de novo e passou a ficar mais fácil de nos vermos. Ela voltou a estudar no turno da noite no Colégio Kubitschek. Conversávamos mais sobre o futuro e já nos encontrávamos nos beijando.

– Você fica com outras pessoas? – ela me perguntou num desses encontros.

– Como assim? Claro que não! Você faz isso?

– Não, mas é que a gente nunca falou sobre isso. Quer dizer, lá no começo eu fazia. A gente não se via muito. Só que agora eu acho que a gente não devia fazer mais.

– Ok. Eu sou um cara exigente, lembra? – Eu realmente sabia o que dizer pra aquela garota.

Aquele foi o jeito de ela me dizer que a gente estava namorando. Mais uma vez, sendo surpreendido por esse relacionamento.

Com esse namoro, passou a ser normal ela ir à minha casa, o que foi um passo enorme. Depois da Bárbara, eu tinha a convicção de que era melhor não apresentar nenhuma outra namorada pra minhas irmãs e pra minha mãe, que adoravam fazer o papel de juradas cruéis de programas de calouros com as pessoas de quem eu ou o meu irmão gostávamos. A Bruna mesmo, com quem eu namorei por mais de um mês, nunca chegou nem perto de entrar na minha casa, e minha mãe e irmãs não souberam da existência dela. Mas a Luana e eu estávamos tão próximos que foi inevitável. No entanto, ela foi apresentada só como minha amiga.

Na sala da minha casa, a gente mal se encostava, mas era legal fazer coisas triviais com ela, como assistir televisão ou ouvir música sem que a gente precisasse estar sempre na rua. E era um símbolo do bem que a gente estava fazendo um pro outro. Eu aprendendo a me relacionar sem ser um personagem de Shakespeare. Ela aprendendo a ter um relacionamento mais profundo.

Sei que eu já usei demais esse termo, mas era surpreendente como esse relacionamento estava ficando normal. A gente ali, à tarde, sentados juntinhos, comendo pipoca e assistindo TV. Onde estava a estranheza que nos acompanhava desde o começo? Estava chegando.

Sem ninguém bater, do nada, a porta da sala se abriu e, de forma triunfal, com o punho cerrado pra cima, o Rodrigo entrou.

– TÔ DE VOLTA!

Sem avisar. Sem tocar a campainha. Pareceu que a gente foi pego no flagra.

O cara não dava notícias havia meses. Eu já achava que ele seria uma dessas pessoas que a gente só ia rever adulto, no futuro, quando não teria mais nada em comum. Mas não. Ele só queria chegar de surpresa, sem avisar, pra ser engraçado.

Então eu estava ali, tendo um relacionamento com a menina da qual ele se despediu chorando quase um ano antes. O Rodrigo chegou e trouxe um elefante para colocar na sala.

A gente se abraçou e eu fiquei feliz com a volta dele. Feliz de ver que ele estava bem. Ele também ficou feliz de me ver e, como sempre, não deixou a situação ficar pesada, nem nada assim. A Luana também não.

Logo que ela foi embora, ele tocou no assunto:

– Cara, eu achava que ia voltar e ficar com ela. Nunca imaginei que vocês poderiam estar juntos – ele falou, com todo o cuidado.

– Isso é pra você aprender a não ficar sem dar notícias – falei brincando.

– Ok, lição aprendida – disse, levando na brincadeira também. – Vocês têm o meu apoio. Queria que soubesse disso.

Além de continuar sendo o cara mais legal do mundo, o Rodrigo contou que passou uns bons apertos nos primeiros meses nos Estados Unidos. Não falava a língua direito, sofreu *bullying* na escola por conta disso e só pensava em voltar. Mas um belo dia ele simplesmente resolveu que não ia mais viver daquele jeito. E passou a aproveitar cada momento pensando em curtir a jornada em que estava. Em poucos meses, o cara mais legal do mundo fez um monte de amigos, até namorou uma menina por um tempo e foi bem intenso. Saber disso me deixou mais aliviado sobre a Luana. Afinal, eles só ficaram algumas vezes, não eram namorados nem nada. Se ele superou e namorou outra garota, então podia esperar que ela fizesse a mesma coisa.

Com o Rodrigo de volta, a vida passou a ser um pouco em torno dele. Ele queria rever todo mundo, jogar bola, ir aos shows. O que significou menos tempo para a Luana. Ela não pareceu se importar, aproveitou a situação para consertar um problema que a gente tinha havia um tempo: o fato de eu não poder pisar na casa dela. E, como sempre, fez isso do jeito mais estranho possível.

– Já que agora você só quer sair com o Rodrigo, por que não vem com ele aqui pra casa? A gente fica aqui ouvindo música, come alguma coisa. A Bruna vai estar aqui também, mas já tá na hora de vocês se resolverem.

Ok, né? O Rodrigo adorou a ideia. Achou divertidíssimo e estava louco pra ver o que ia acontecer. Um pouco pela curiosidade, pelo bizarro, e um pouco porque ele achava que eu estaria chegando "por cima" da situação, namorando a irmã dela, depois de tudo o que aconteceu.

– Bom, primeiro, a gente não está namorando. Segundo, isso não tem nada de "por cima". É só bizarro – eu disse.

E estava a ponto de ficar mais bizarro.

Chegando lá, a Bruna me abraçou e me beijou no rosto, como se nada tivesse acontecido. A Luana me beijou no rosto também, mas ficou do meu lado, pegando na minha mão. Era assim que a gente fazia na minha casa também. Sem demonstrações públicas de afeto entre a gente.

Entre a Bruna e o Rodrigo, no entanto, era outra coisa. A Bruna praticamente se jogou em cima dele. Passou a noite inteira encostando o máximo que podia no corpo do cara, como se ele fosse um tabuleiro do jogo War e ela precisasse conquistar mais territórios. Ninguém tinha dúvidas do que estava rolando. Eu e o Rodrigo, inclusive, tivemos o seguinte diálogo telepático:

"Guga, ou a gente vai embora AGORA, ou eu vou ter que tomar uma atitude. Não dá mais pra segurar", ele disse com o olhar.

"Quem sou eu pra não achar isso tudo bem. Olha a situação em que eu estou, de mãos dadas com a minha namorada, em uma conversa descontraída com a minha ex-namorada, que é irmã dela. Vai fundo! Normalidade não é mais um requerimento aqui", respondi também com o olhar.

Ele entendeu meu recado e desceu com a Bruna "pra comprar sorvete". Eu e a Luana aproveitamos pra finalmente nos beijar. Isso tudo com a mãe delas na casa, mas recolhida no quarto.

Quando fomos embora, o Rodrigo me contou o que rolou entre ele a Bruna. Depois que se beijaram, ela disse que sempre gostou dele, desde a época em que estava comigo. E por isso ela estava tão brava na festa de despedida dele.

– Bem-vindo a esse relacionamento bizarro. Agora estamos no mesmo barco – falei, tentando deixar a situação um pouco mais leve.

No dia seguinte, encontrei a Luana. Ela me contou a mesma história, com mais detalhes. Bruna já sabia do nosso relacionamento e estava tudo bem pra ela. Mas, quando soube da volta do Rodrigo, ficou radiante. Na visão da Bruna, ela jamais conseguiria ficar com o Rodrigo, tanto por ele já ter ficado com a Luana quanto por ser meu amigo e saber o quanto eu gostava dela. Mas o meu relacionamento com a Luana tinha anulado isso tudo. E foi a Bruna que deu a ideia de a gente ir lá. Por isso que ela me tratou tão bem.

Não só isso. A gente recebia ligações insistentes pra ir à casa delas, ou pra que elas pudessem sair com a gente, toda noite. E isso aconteceu repetidas vezes durante algum tempo. Tinha tudo pra não ser, mas era bem legal. Era pra ser meio constrangedor, meio desconfortável, porque era tudo muito estranho. Mas, por algum motivo – e eu desconfio que esse motivo seja "adolescentes excitados" –, tudo parecia ok e equilibrado.

Então passamos algumas noites jogando jogos de tabuleiro, ouvindo a *Cult22* ou a coleção de CDs e fitas da Bruna e da Luana, comendo salgadinhos e conversando. Em algum momento, Rodrigo e Bruna "desciam para comprar alguma coisa" e davam alguma privacidade pra gente ao mesmo tempo que tinham alguma pra eles. E a gente aproveitava como podia essas ocasiões. Era arriscado e excitante. Eram noites bem legais.

Pelo menos pra mim. O Rodrigo estava tendo uma visão diferente sobre essa dinâmica, porque a Bruna estava realmente apaixonada por ele. REALMENTE. Em um nível até meio bobo, meio infantil. Ou seja, no mesmo nível que eu estava por ela nos capítulos anteriores. Ele até tomou o cuidado de não dar muita esperança, porque em algumas semanas voltaria para os Estados Unidos e não tinha nenhuma intenção de continuar a relação. Mas ela não se segurou. Todo dia tinha um presentinho, umas cartinhas e uns "eu te amo" não correspondidos, mas ainda assim declamados. O que deixou o Rodrigo – que era, e ainda é, o cara mais legal do mundo – desconfortável. Ele não queria fazê-la sofrer, mas não estava curtindo o grude. Na quarta ou quinta noite seguida de encontros, ele pediu pra não ir. E, dias depois, embarcou para uma viagem que durou quase um mês, para encontrar os primos em Santa Catarina. Com a porta aberta pra mim, eu passei a ir à casa da Luana de vez em quando pra vê-la.

Só fui me tocar muito tempo depois, mas, por conta da restrição que eu tinha de ir à casa dela, eu só a via quando ela tomava a iniciativa. Mesmo quando ela ia à minha casa ou se encontrava comigo em algum lugar. Desde a história entre o Rodrigo e a Bruna, eu passei a tomar essa iniciativa também, mas era sempre como uma festinha, elas se preparavam pra receber a gente. Sem ele, era eu entrando na casa delas num dia normal. E as coisas não estavam muito normais.

Tinha dias em que Luana estava extremamente feliz de me ver. Falava as coisas mais doces e tinha atitudes românticas, como pedir pra ficar com um casaco meu e pra eu dizer que ela era minha namorada. Era bonitinho até. E me fazia gostar dela de um jeito que eu nunca tinha gostado de ninguém antes. Não do jeito apaixonado-obsessivo como eu gostava da Bruna, nem do jeito objetivo como eu gostava da Bárbara. Era tranquilo. Era voltado só pro presente, não pro futuro. Era feliz e não sofrido. Foram os pontos altos da minha relação com ela.

Mas em outros dias ela era superdistante. Não me tratava mal, nem nada assim. Só parecia indiferente, cansada, com sono e sem vontade de nada. Esses dias acabavam sendo meio ruins, porque se resumiam a eu ficar perguntando o que ela tinha, e ela dizendo que não tinha nada. Eu tinha um princípio de não brigar com ela, porque não havia motivo pra isso. Então, em certo ponto eu só ia embora e ela ia dormir. Esses dias alternavam. Às vezes era um, às vezes era outro, não havia uma ordem lógica e não era possível prever.

Até que teve um dia em que eu toquei o interfone, subi e a Bruna atendeu a porta:

– A Luana não vai poder te ver, Gustavo. Ela está se sentindo muito mal. Pediu pra eu te falar.

Ela falou numa boa. Não parecia que eu estava incomodando ou algo assim. Fiquei preocupado e perguntei o que ela tinha.

– Acho que você precisa falar com ela, mas pede para ela te explicar num dia bom, não num dia ruim.

Então os dias bons e ruins não eram só pra mim.

Eu concordei e fui embora. Não tinha o que fazer. Desci a escada, saí pela portaria do prédio e já estava longe quando ouvi alguém gritando meu nome:

– Gustavo!

Achei que fosse a Luana, mas, quando me virei, vi a Bruna. Voltei andando vagarosamente até ela, que, mais uma vez, me perguntou:

– Você topa entrar e conversar um pouco comigo? Tô precisando.

Eu não queria. Mesmo com todos os acontecimentos recentes, ainda tinha um pé atrás com ela. Mas eu estava preocupado com a Luana e achei que tinha alguma coisa para descobrir, então topei.

Sentamos no sofá e conversamos a madrugada toda. Ela começou me contando tudo que sentia pelo Rodrigo, que ele era o príncipe encantado da vida dela e que estava apaixonada como nunca. Que sabia que ele não gostava dela do mesmo jeito e que ia embora, mas que ela havia decidido ser sincera e viver isso até o fim. Eu queria muito poder dizer "bem-feito! Agora você sabe como era pra mim", mas não tive coragem. Fiquei com pena, porque me identifiquei com aquele sofrimento todo. Lembrei da Michele me contando que a Shana me odiava. E, para coroar toda a bizarrice desses dias, dei alguns conselhos a ela baseados no sofrimento que ela mesma me fizera passar. Ela chorou bastante e me entregou um monte de cartinhas, presentinhos, mixtapes para eu entregar pro Rodrigo.

Depois de ela pôr pra fora todo o sofrimento, acabou pondo pra fora também o que acontecia com a Luana. Ela já estava havia um bom tempo depressiva e naquele dia tinha tido uma recaída mais séria. Não quis levantar da cama, não quis comer e não tomou os remédios de que precisava. Eu não percebi na hora, porque não conhecia muito sobre o assunto, mas era bem sério. A gente sabe muito mais sobre depressão hoje em dia do que sabia nos anos 90. Pensando bem, é até impressionante que ela estivesse se tratando, porque, se ainda hoje a depressão é confundida com preguiça, corpo mole ou tristeza, naquela época era muito mais.

Voltei pra casa tentando medir o quanto eu tinha ou não de culpa por ela se sentir daquele jeito. Brasília era tão vazia na madrugada que eu gostava de andar pelo meio da rua, onde os carros passavam. Era mais iluminada e eu gostava de ver a distância que eu conseguia andar sem ter que voltar pra calçada porque havia um carro se aproximando. Foi um pouco o que a Luana fez comigo. Ela ficou testando o quão longe conseguia ir sem falar desse assunto comigo. Talvez quisesse me poupar. Talvez só não quisesse se abrir. Talvez eu devesse ter percebido.

Aquela foi a última longa conversa que eu tive com a Bruna. Quando o Rodrigo voltou pra Brasília, contou que tinha ficado com uma menina durante a viagem e decidiu que não queria mais ver a Bruna. Cheguei a mostrar pra ele as cartinhas e presentinhos que ela mandou, mas isso só reforçou a decisão dele. Era melhor não deixar isso avançar. Ele foi embora para os Estados Unidos sem se despedir dela. Só me deu um cartão pra entregar pra ela.

Engraçado que desde que pensei em escrever este livro, há vários anos, sempre achei que o relato dessa parte seria uma pequena compensação por tudo que eu sofri por causa da Bruna. Uma espécie de carma. Eu sofri, mas ela também sofreu. Mas a sensação não é essa. A verdade é que toda a história dela com o Rodrigo só me fez me conectar ainda mais a ela. Na solidariedade, quando eu a vi chorando por gostar de um cara que não gostava dela; na solidariedade ao Rodrigo, quando eu o vi decidido a cortar relações com ela por compaixão, que acho que, em parte, foi o que ela fez comigo. *Love stinks*.

Aqueles também foram os últimos dias felizes com a Luana, coincidindo com a piora dela. Fiquei sabendo pelo Celsão, que andava afastado, mas que acabou sendo chamado para tentar ajudar ela e a família a lidar com a situação. Ele me contou que ela havia pulado pela janela do apartamento; porém, como era no primeiro andar, apesar de ter se machucado bastante, não sofreu nada grave. Não ficou claro se foi uma tentativa de suicídio ou apenas de se ferir. Eu tentei vê-la, mas a mãe dela não me deixou subir, falando que a Luana estava dormindo e muito cansada. Mas me assegurou que ela tinha melhorado.

Dias depois, Celsão me ligou com mais notícias. Luana havia tomado todos os comprimidos de seu remédio e dormido por 48 horas seguidas. A mãe a internou numa clínica, que, segundo o Celsão, era um lugar mais espiritual do que médico. Pedi para visitá-la, mas ele não tinha o endereço. Liguei pra Bruna e pedi o endereço, mas ela disse que também não tinha e que me ligaria pra dar mais notícias, algo que nunca fez. Fui várias vezes até a casa da Luana, mas o interfone sempre era atendido pela empregada ou pela Bruna, que me diziam que ela não estava em casa e não tinham mais nada pra me dizer. Foram dias bem ruins, um atrás do outro, em que tudo parecia que ia ficar pior.

E ficou mesmo. Minha mãe andava preocupada comigo, sempre criticando minha relação com a Luana, que me fazia faltar às aulas e voltar tarde da noite. Ela já não gostava muito da menina, e toda essa situação só estava piorando esse sentimento. Primeiro porque a Luana era muito tímida, e eu sempre fiz o possível pra evitar qualquer interação com a minha mãe e as minhas irmãs, o que a fazia passar por mal-educada, coisa que ela não era. Segundo porque a Luana era uma menina fã-de-rock-dos-anos-90 e se vestia como tal, para alegria dos meninos fãs-de-rock-dos-anos-90, mas para horror de todas as mães da época.

Depois de mais uma tentativa frustrada de ver a Luana, minha mãe, de novo, estava me esperando acordada para me dar bronca e falar o quanto ela não gostava da Luana, do jeito mais grosseiro possível. Minha mãe não estava bem fisicamente havia alguns dias, com febre, dor, vomitando – "e ainda tenho que me incomodar com isso!", dizia. Durante essa bronca, ela começou a chorar de dor e deu pra ver que o que ela tinha não ia passar sozinho, e eu e meus irmãos a levamos para um hospital.

Precisamos chamar um táxi e pagar com um cheque, que minha mãe mal tinha forças pra assinar ou fundos para cobrir. Vivendo toda essa situação horrível, o pior lugar em que você pode estar é na emergência de um hospital: com aquelas luzes brancas piscando, aquelas cadeiras cuidadosamente desconfortáveis, todas as pessoas doentes juntas tossindo, gemendo, esperando muito mais tempo do que deveriam pra serem atendidas. De um orelhão, ligamos para o trabalho do meu pai, mas tivemos que conseguir fazer com que ele fosse achado, para que pudéssemos comunicar o que tinha acontecido e pedir para nos encontrar no hospital.

Ele chegou e acompanhou minha mãe em todos os procedimentos, todos os exames, toda a papelada, que sempre levam horas. Depois que ela finalmente foi internada – porque ninguém sabia o que ela tinha –, ficamos esperando, que é o que se faz em salas de espera. Meu pai me chamou para comer um cachorro-quente em um trailer na frente do hospital. Sentamos ali, na noite fria, tomando Coca-Cola e comendo aquele pão com salsicha repleto de milho e ervilha típico das ruas de Brasília. Meu pai achou que seria uma boa hora para me passar um corretivo:

– Sua mãe me falou que você está andando com essa menina que usa drogas. Você precisa parar com isso imediatamente!

Eu nem lembro muito bem das palavras que ele usou. Lembro mais do tom. Era o mesmo com que donos impacientes falam com cachorros que fizeram xixi no tapete pela décima vez. Demorei bastante ouvindo esse sermão, que ouviria também das minhas irmãs. Ninguém sabia o que a minha mãe tinha, e todo mundo achava que era alguma crise causada pelo estresse que eu a estava fazendo passar, por gostar de uma menina que ela não aprovava. A questão é que eu até esperava essa atitude das minhas irmãs, mas meu pai raramente me dava broncas. Pelo contrário, ele era bastante paciente, de bem com a vida mesmo em momentos difíceis e tinha o hábito de nunca achar que as coisas eram graves, para horror da minha mãe. Então, essa bronca doeu mais, porque eu, que já estava preocupado e me sentindo culpado pelo estado da minha mãe, me senti abandonado também. Voltei pra casa a pé, sozinho, andando pelo meio da rua e segurando o choro, sem saber o que fazer, sem ter onde me agarrar ou pra onde ir.

Depois de longos exames e algumas tentativas e erros, minha mãe foi diagnosticada com meningite. Todos nós tivemos que fazer testes e tomar remédios profiláticos também, mas no fim descobriram que não era contagioso e o pior já tinha passado. Minha mãe ficaria internada ainda um tempo, mas já estava com dor e mal-estar controlados. A gente ficou com muito medo de perdê-la, e acho que isso elevou consideravelmente os níveis de nervosismo da família inteira, o que fez a gente dizer coisas doloridas uns pros outros. Mas agora que o nível de estresse estava voltando ao normal, era uma boa hora para que os níveis de surrealidade voltassem a crescer.

Eu estava no quarto do hospital fazendo companhia para minha mãe, sentado sem ter o que fazer naqueles típicos sofás de couro bege sem braços para o acompanhante "dormir". Minha mãe, de camisola de hospital, acesso na veia, tentando se recuperar e manter o bom humor enquanto a gente assistia a algum *Vale a pena ver de novo* qualquer. As coisas já estavam melhores entre a gente. Ela continuava não aprovando a Luana nem a maior parte das outras coisas de que eu gostava ou fazia, mas pelo menos a gente não estava falando disso. Eu estava feliz por ela estar se recuperando, e ela estava feliz por eu estar ali.

Não foi isso o surreal. Surreal foi quando alguém bateu à porta e eu abri. Tomei um susto. Era a mãe da Luana e da Bruna. Por alguns segundos me preparei para o pior: achei que ela tinha ido lá me dar a notícia de que algo tinha acontecido com a Luana. Mas ela só sorriu e perguntou se podia entrar. Carregava um buquê de flores e disse que estava lá para fazer uma visita social para a minha mãe, que ela nem conhecia. Eu não saberia como impedi-la de entrar, e minha mãe não pareceu se incomodar com a visita. Elas trocaram gentilezas enquanto eu fiquei sem saber o que fazer. Em algum momento, ela perguntou se podia conversar a sós com a minha mãe, que prontamente pediu para que eu fosse à lojinha do hospital buscar alguma coisa. Eu só obedeci.

Quando voltei, a mãe de Luana se despediu educadamente de mim e foi embora. Minha mãe parecia bem contrariada. Voltou a falar mal da Luana, dizer que ela não prestava e que eu devia me afastar dela. Mas isso era comum, e não dei muita bola. Só anos depois fui saber que a mãe das meninas tinha ido pedir pra minha mãe me manter longe da Luana. Acho que minha mãe deve ter ficado sem saber o que fazer. Por um lado, se fizesse isso, estaria atendendo ao pedido de uma pessoa que teve a pachorra, a ousadia, a cara de pau, a falta de noção de falar uma coisa dessas pra alguém no hospital. Por outro, ela concordava com a ideia. Então, ela só fez o que sempre fazia, falou mal da Luana e ficou por isso mesmo. Acho que ela quis me proteger um pouco também, pois sabia que todo o evento tinha me deixado fragilizado e me sentindo um pouco culpado, e contar que a mãe da minha "amiga" me odiava não ia ajudar.

De todo modo, eu já sentia certa hostilidade por causa das minhas fracassadas tentativas de fazer contato com a Luana. Nunca vou entender o que aconteceu. Não sei se a Luana falou algo ruim a meu respeito. Ou talvez a Bruna. Até onde sei, as duas não compartilhavam muito da vida pessoal com a mãe, então não acho que ela soubesse como eu e a Bruna terminamos, por exemplo. Talvez não aprovasse o fato de eu ter ficado com a Bruna e depois com a Luana. O que eu concordo que é um pouco estranho. Mas nisso estávamos todos no mesmo barco. Além disso, se passou tanto tempo entre um evento e outro que parecia natural, normal. Um ano é muita coisa quando você é um adolescente. É o suficiente para se transformar completamente em outra pessoa.

Pra mim, eu era um dos bons, assim como o Celsão, que era tão bem-visto pela família delas. Eu até já tinha conversado uma vez com a mãe delas e achava que tinha deixado clara minha intenção de ajudar a Luana a melhorar.

Alguns dias depois, minha mãe retornou pra casa. Eu já tinha voltado a tentar frequentar as aulas no Colégio Península e estava me esforçando pra vida voltar ao normal quando recebo uma ligação da Luana, falando de forma carinhosa, pedindo pra eu ir vê-la depois da aula. Foi um alívio gigante ouvir a voz dela e perceber que ela estava bem. As aulas naquela tarde passaram lentamente. No fim do dia, saí do colégio com o passo apertado, andando a pé pela cidade e tentando chegar o mais rápido possível para vê-la.

Toquei o interfone e ela atendeu. Em vez de pedir para eu subir, ela desceu. Estava de tênis, calça jeans, cabelo limpo e uma cara boa. Parecia estar num dos dias bons. Quando ela me encontrou, pulou no meu pescoço, me abraçou e me beijou, sem esconder a alegria de me ver.

Ficamos em pé, encostados num muro ao lado do prédio dela, um de frente pro outro. Tentei falar sobre os problemas que eu soube que ela estava passando, mas ela foi evasiva. Falou de forma genérica sobre a clínica que frequentava. Falou que estava se tratando e se sentindo melhor. E perguntou a respeito da minha vida. Perguntou da minha mãe, que ela ficara sabendo que esteve doente, e se mostrou realmente feliz quando eu disse que ela estava bem. Perguntou das minhas aulas. Ficou me pedindo pra estudar direito e não repetir de ano de novo, pois ela mesma também iria voltar a estudar e se formar. Perguntou da minha banda. E durante toda essa conversa ela várias vezes me abraçava apertado e me beijava. E falava o quanto tinha saudade de mim. Foi incrível. Parecia que toda a onda de coisas ruins tinha ido embora de uma vez só.

Mas não. Depois de algumas horas a mãe dela apareceu. Falou na minha cara que queria que eu fosse embora e não aparecesse mais. Falou que esse nosso namoro era ruim pra nós dois e que minha mãe concordava. Tentei argumentar, falar numa boa que eu era um cara legal, que estava lá pra ajudar, mas ela não deu nenhuma chance. Virou as costas e foi embora. Luana então falou que era melhor obedecer a mãe dela, que ela estava se recuperando e era importante pra ela se focar nisso agora.

E entendi que esse encontro tinha sido na verdade uma despedida.

Voltei mais uma vez pra casa sozinho, andando pelo meio das ruas vazias da cidade. Segurando o choro. Revoltado por não ter tido nem uma chance de tentar provar que eu era um cara legal. Revoltado porque a Luana concordava com aquela situação. Mas ao mesmo tempo aliviado por ela estar bem. E conformado com o fato de que essa história tinha mesmo chegado ao fim.

CAPÍTULO 6
POR FAVOR, TOQUE ESSA MÚSICA NO RÁDIO

Eu era uma pessoa completamente diferente antes e depois da formação dos Schuzz na Semana Cultural no Colégio Península. Antes de ela acontecer, meus dias eram como um grande limbo no qual eu vivia tomando cuidado para que nada de errado acontecesse. Estava convicto de que não adiantava ser um cara legal. Não adiantava nada ser sincero em relação aos meus sentimentos, gostar das pessoas e ser gostado de volta. Sempre ia acabar mal. Não foi isso que aconteceu todas as vezes? Independente do quanto fui legal ou não, cuidadoso ou não? Então era melhor não deixar acontecer mais. Eu não queria mais ser bacana com ninguém ou fazer novos amigos. Não queria mais gostar de menina nenhuma, ouvir ou muito menos fazer músicas sobre amor. Eu só queria tocar com a minha banda músicas agressivas, raivosas e sarcásticas. Só queria frequentar a escola o mínimo possível pra passar de ano e ir pra casa ouvir música. Só queria ser o lobo solitário.

Eu já não tinha mais muito contato com o Celsão e a turma do basquete do Colégio Kubitschek, então resolvi me afastar de vez. Queria cortar todos os laços com essa história do passado. Todos os amigos, com exceção do Filipe e do Nando, que participavam da única coisa da minha vida de que eu realmente gostava naquele momento: a minha banda de punk rock hardcore, enérgica, rápida e gritada. Que tinha feito um show tão brutal que impressionou as bandas que estavam assistindo.

Nada disso duraria muito. A pose de lobo solitário acabou quando a primeira menina bonita com camiseta de banda de rock falou comigo. Música romântica, nunca mais? Foi a primeira coisa que eu fiz assim que tive a oportunidade de subir num palco de novo (felizmente eu não tinha mostrado pra ninguém, pelo menos isso). E banda de hardcore agressiva, raivosa, sarcástica, enérgica, rápida, gritada e brutal? Não chegou ao segundo show.

Com os Schuzz, tudo mudou. Não só o Vinicius e o Cláudio tinham uma história totalmente diferente da minha, como a vida pra eles era mais leve. Menos dramática. Amigos? Eles conheciam um monte de pessoas, mas nem todo mundo precisava compartilhar os problemas da sua vida. Garotas? Sim, tiveram várias de que eles e esses outros amigos que eu conheci através deles gostavam, mas ninguém era apaixonado ou tinha a vida direcionada pra isso. Pelo contrário, quando algo dava errado, eles até sofriam um pouco, mas todo mundo zoava a situação e ficava tudo bem. Sei que isso pode parecer supernormal, mas – como eu já contei – você sabe que pra mim as coisas eram diferentes. Eu tinha que estar apaixonado, era quase uma condição de existência. Eu tinha que ser dramático, só assim as coisas tinham valor. E só a partir desse momento comecei a aprender que não precisava ser assim e fui me adaptando a essa nova e agradável realidade.

Com isso, minha música se encaminhava pra uma nova fase. No passado eu até tinha a ideia de fazer músicas sobre amor e sentimentos, mas nunca cheguei a pôr isso em prática (exceto "Aprender a Voar", que nunca havia sido ouvida por ninguém). Então, a primeira fase era só raiva, alternando entre piadas sarcásticas e reclamação agressiva. Tanto nas bandas que a gente escolhia pra fazer covers (Ratos de Porão e Detrito Federal) quanto nas minhas poucas composições. Como esta aqui, que se chama "Hardcore #1".

> **HARDCORE #1**
>
> Você fica aí parado sem ter nada pra fazer
> Não estuda não trabalha não faz nada pra crescer
> Senta a bunda no sofá e fica assistindo TV
> Enquanto sua mãe trabalha pra alimentar você
>
> Seus amigos suas coisas tudo é só pra se exibir
> Mas não tem o que mostrar também não tem pra onde ir
> Sua vida é uma merda, é melhor você se matar
> Pois um dia sua mãe morre e ninguém vai te sustentar

Bonito, né? Eu sei. Era tudo nessa linha. "English Song" era a música mais leve e foi a única que conseguiu entrar no repertório dos Schuzz.

Mas agora, nessa nova fase, a gente tinha... Bom, tinha inspiração de verdade. Cada ensaio, cada longa conversa virava uma música no nosso repertório.

Um bom exemplo é a primeira música que fiz com o Vinicius, que surgiu quando contei a história da Samantha, a menina que eu queria usar pra fazer ciúmes na Bruna e nem percebi que ela queria ficar comigo.

– Como é possível, Gustavo? Como assim você não percebia a garota te dando mole? – ele falou, rindo da minha cara.

– Não só eu não percebia como levei anos pra me tocar disso! Eu estava tão apaixonado pela Bruna que era impossível notar a Samantha ou qualquer outra.

E compartilhei com ele o sentimento que tinha, a vontade de poder voltar atrás, consertar a situação e ficar com ela. Porque ela era realmente legal e bonita, e teria sido muito melhor.

– Já pensou se você simplesmente chegasse pra uma garota e falasse isso? "Aí, foi mal não ter me tocado de que você gostava de mim naquela época, mas vamos retomar isso aí?" – ele falou, meio de sacanagem, apesar de não ser má ideia.

E assim nasceu "Tão Down":

TÃO DOWN

Foi mal se eu não olhei pra você.

Foi mal se eu não fiquei com você.

Naquele tempo eu estava apaixonado.

Nem percebi você do meu lado.

Como eu queria voltar atrás

Tanta falta que você me faz

Mas agora eu estou arrependido

A minha vida já não tem mais sentido

Eu já não sei mais o que fazer

Toda noite eu sonho com você

Aquela mina não era tão legal

Por causa dela eu me sentia tão down

Tão down

Tão down

Mas agora vamos ser namorados

Quero envolver você nos meus braços

Como criança namorar escondido

Recuperar o tempo perdido

As primeiras semanas de ensaio e conversas foram muito produtivas, mas a gente acelerou mesmo quando praticamente fizemos um retiro na casa do Cláudio. A família dele tinha ido viajar, deixando o apartamento só pra ele. Eu e o Vinicius íamos pra lá depois da aula e ficávamos até de manhã, compondo, conversando e fazendo bagunça. Na primeira noite, depois de esvaziar a geladeira e tocar todas as músicas que sabíamos no violão, ficamos ouvindo as rádios bregas da madrugada e tentando ligar para pedir música. A ideia era divulgar a nossa banda na conversa com o locutor (o que não fazia sentido nenhum, mas era engraçado):

Locutor: Oiiii, Cláudiom, de onde é que você fala?

Cláudio: Oi... eu falo aqui de Brasília.

Locutor: E o que é que você faz em Brasília, Cláudiom?

Cláudio: Sou baterista da banda Schumainous, a melhor banda de hardcore da história do universo!

Locutor (sem entender nada): Ai, que legal, Cláudiom! Que música você quer ouvir?

Cláudio: Eu quero ouvir "Faroeste Caboclo", da Legião Urbana.

A gente pedia só pra ver se eles tocariam os nove minutos da música. Geralmente tocavam.

Passamos uma madrugada inteira fazendo isso e, em uma das ligações, ganhamos como prêmio um carregamento de salgadinhos da marca Micos e uma caixa de cerveja, que seriam suficientes para nos alimentar pelo resto da semana – emissoras de rádio davam cerveja como prêmio para adolescentes nos anos 90. E decidimos que precisávamos acelerar a nossa estreia no rádio. O raciocínio era que, se com semanas de existência conseguíssemos ser tocados numa rádio, em menos de um ano estaríamos em grandes festivais de rock. Era só piada, ninguém acreditava realmente nisso, mas, como não tínhamos nada gravado, resolvemos fazer ali uma versão acústica de alguma música para levar à rádio no dia seguinte, quando fôssemos pegar nosso prêmio.

Gravamos num daqueles gravadores de fita cassete que têm o tamanho de uma caixa de sapatos. Ficou tudo horrível, obviamente. A música mais engraçada era "Surfin' Bird", dos Ramones (na verdade um cover que os Ramones tocavam de uma banda chamada The Trashmen), que praticamente só repete uma frase:

> A-well-a everybody's heard about the bird
> B-b-b-bird, b-bird's the word

No final da gravação, dava pra ouvir claramente um vizinho gritando: "Para com isso aí, porra!"

O que tornou essa a melhor música da noite. No dia seguinte, o Cláudio levou a fita para a rádio e contou a história para o locutor, que se comprometeu a tocar se a gente ligasse de novo.

O Cláudio avisou todo mundo na escola e pediu para sintonizarem na rádio. Deve ter sido a maior audiência daquele horário na história.

Quando ligamos pra pedir a música, nosso plano épico foi sabotado:

– Não vai dar pra tocar isso, não, Cláudio – falou o assistente da rádio, que também parecia frustrado.

Pedimos então pra tocar "Faroeste Caboclo" de novo. Eles tocaram.

Saímos dessa semana de acampamento na casa do Cláudio com um repertório de vinte músicas. Dez nossas e dez covers, que tocávamos com boa sincronia, o que era surpreendente. Todas as bandas que eu conhecia tinham levado vários meses pra chegar a esse estágio; nós chegamos em dias. Montamos um estúdio na casa do Vinicius que tinha até um nome: Gabba Gabba Hey. Colocamos uma plaquinha na porta. Eu levei um velho amplificador Giannini Supercubo100 que o então namorado da minha irmã – que também era baixista, e dos bons – me emprestou e nunca me deixou devolver. Ligava baixo e voz nele, não dava pra ouvir nada, mas compensávamos com gritos. O Vinicius tinha um pequeno amplificador Oliver de 15 watts que soava como um rádio de pilha, e o Cláudio, uma velha bateria da qual ele conseguia tirar um som surpreendente. Era suficiente pra ensaiarmos em todo o nosso tempo livre e correr atrás de shows.

O locutor da madrugada da rádio brega ficou com o telefone do Cláudio e um dia ligou do nada.

– Oiiiii, Cláudiom, tudo bem? – ele falava permanentemente como um locutor.

– Tudo bem, quem fala?

– Aqui é o Pablo Prado.

– Pablo Prado da onde?

O Cláudio nem lembrava mais da história, mas o Pablo não tinha esquecido.

– Da madrugada na JC FM, Cláudiom! Você deixou sua fita demo comigo, lembra?

– Ah, caramba! É que normalmente sou eu que ligo pra você, desculpa! O que eu posso fazer por você? Quer pedir uma música?

– O quê? – Ele não sacou a piada a princípio. – Ah! Hehehe. Não. É o seguinte: um amigo aqui da rádio que tem um bar está procurando bandas de rock para tocar nos domingos à tarde, quando o movimento é ruim. Você me falou que precisam de lugar pra tocar... Não toparia se apresentar com a sua banda lá?

– Claro! Pode contar com a gente.

Esse era o espírito dos Schuzz! Se tivesse um lugar pra tocar, a gente estaria lá. E essa seria finalmente a nossa estreia!

O bar era um lugar decadente, sujo e apertado chamado La Revolución. Eles não tinham equipamento, nem muita ideia do que fazer com uma banda, mas tinham boa vontade. Levamos o equipamento do nosso estúdio, que mal dava conta de cobrir a bateria em um quartinho, imagine num bar. Também não tinha muita gente. Estavam lá meu pai, o pai do Vinicius e meia dúzia de mendigos. O som era embolado e abafado, e, como não nos ouvíamos – e não estávamos de frente uns pros outros, como nos ensaios –, acabávamos errando bastante.

Mesmo assim foi incrível. Tocamos todas as nossas músicas e os covers que sabíamos: Ramones, Sex Pistols e Nirvana. Tocamos "Surfin' Bird", que dedicamos ao Pablo Prado, mesmo ele não estando lá. Finalmente tínhamos conseguido estrear. Finalmente tínhamos visto as pessoas – algumas pessoas – reagindo às nossas músicas, mesmo que não estivesse dando pra ouvir muito bem. Com o barulho, alguns adolescentes da área vieram ver a gente e ficaram andando de skate na frente do bar, o que criou um visual bem legal. O dono do bar liberou a gente de pagar as cervejas que tínhamos tomado. E, quando estávamos desmontando os equipamentos, uma menina cutucou o Vinicius e, quando ele se virou, ela simplesmente o agarrou e o beijou!

Ou seja, mesmo com todas as tosqueiras, foi um sucesso absoluto. Saímos de lá realizados e empolgados para continuar ensaiando e tocando.

Eu conversei um pouco com o Vinicius sobre a menina que ele agarrou – ou melhor, que o agarrou depois do show e da qual ele nem sabia o nome.

– Não sei se eu saberia o que fazer nessa situação. Você ficou com a menina e ela simplesmente sumiu? – questionei.

Ele já sabia da minha história pregressa de amores dramáticos.

– É, cara. Foi só uma coisa do momento. Esse negócio de ter sentimentos só vai te fazer mal. Você precisa ser uma pedra! – ele disse.

– Como assim?

– Sentimentos são só reações fisiológicas. Você precisa controlar. Escolher não sentir. Senão fica nessa situação pra sempre.

O Vinicius jovem adulto que eu conhecia havia pouco tempo era um cara muito calmo e seguro de si. Confortável na própria pele. E isso transparecia, tanto que a menina do La Revolución, cujo nome nunca saberemos, foi direto nele. Mas ele já tinha me falado sobre como ele tinha sido uma criança meio nerd, meio deslocada, que precisava se cuidar pra não ser agredida na escola. E acho que essa foi a maneira que ele encontrou para lidar com isso. Esse lado, digamos, mais sombrio do Vinicius aparecia também nas primeiras músicas que ele trouxe para os Schuzz, como "Heal Me", que era em inglês e tinha uma pegada bem grunge:

HEAL ME	CURE-ME
Look into my eyes and tell me what you want	Olhe nos meus olhos e me diga o que você quer
Tell me all the truth and tell me there's no rules	Me diga toda a verdade e me diga que não há regras
I don't want to scream	Eu não quero berrar
I don't want to shout	Eu não quero gritar
I don't want to be a ghost in the crowd	Eu não quero ser um fantasma na multidão
And now I need strength and I know where to find	E agora eu preciso de força e sei onde encontrar
Deep into my heart and deep into my mind	No fundo do meu coração e no fundo da minha mente
I thank you all the tears that rolled down by your face	Eu agradeço todas as lágrimas que escorreram pela sua face

> But the only thing that can save me now
> is my own faith
> Tell me or sell me or kill or laugh of
> me now
> Your lullaby can't heal me now

> Mas a única coisa que pode me salvar
> agora é minha própria fé
> Me diga, me venda, me mate ou ria de
> mim agora
> Sua canção de ninar não pode me curar
> agora

Fiquei pensando na questão de ser uma pedra. Me pareceu um pouco exagerado, mas fiquei admirado mesmo assim. Queria ter esse autocontrole. Isso passaria a estar na minha cabeça todas as vezes que eu me visse numa situação, digamos, sentimental. "Ser uma pedra, ser uma pedra, ser uma pedra."

Além de ensaiar e conversar bastante, nós três começamos a frequentar os bares da cena de rock de Brasília. Casas como o Balacobaco, o São Rock e o Sindicato, todas elas tinham estruturas muito parecidas: ocupavam um típico imóvel de três andares das quadras comerciais da capital federal e dividiam os ambientes em porão, pista de dança ou espaço para shows. No andar térreo, um bar. Na sobreloja, mesas de sinuca. Eram lugares incríveis pra passar a noite inteira. Conhecemos várias pessoas e várias outras bandas. Conheci nesses bares os Deceivers, que faziam um metalcore tipo Biohazard e Deftones, o pessoal do Slug, que tocava um thrash metal oitentista influenciado pelo Metallica e tinha acabado de gravar um CD! E também os caras do Reality, que faziam um cover perfeito do Pantera. Era normal a gente chegar lá de noite e só sair de manhã.

Mas era mais comum simplesmente ficar pelas calçadas da 109 Sul, que abrigava vários bares, bebendo cerveja Ohlsson's e Tecate comprada de ambulantes, encostados nos carros estacionados. Encontrávamos muita gente, porque as pessoas estavam sempre indo de um bar pra outro andando por essas calçadas. E sempre acabavam rolando alguns convites para festas que estavam acontecendo, normalmente na casa de alguém que não conhecíamos. Era normal essas festas terem shows de bandas, e focamos em tocar nelas também. De tanto insistir com todo mundo, fomos convidados para tocar em um pequeno festival em uma festa à fantasia, no quintal de uma mansão no Lago Norte.

Era obrigatório ir fantasiado, mas, como não queríamos gastar dinheiro, fomos todos fantasiados de Vinicius: usando camisetas brancas da Hering, tênis All Star e bermudas da marca Nicoboco – traje que era a marca registrada dele. O dono da festa achou engraçado e não ligou pra nossa trapaça. Fomos uma das primeiras bandas a subir no palco. Pela primeira vez fizemos um show decente. O equipamento não era incrível, mas permitia que a gente se ouvisse e fosse ouvido. Conseguimos tocar todas as nossas músicas, incluindo algumas novas. Conseguimos nos comunicar com a audiência, que ainda não era muito grande, porque o pessoal estava chegando. E deixamos uma boa impressão. Várias pessoas vieram pedir pra comprar nossa fita demo. Era algo comum nessa cena, um reconhecimento de que você se saiu bem. Mas não tínhamos uma ainda.

O lugar era um gramado enorme, parecia um grande parque particular, que não fazíamos ideia de quem era. Ficamos circulando por ali, tomando cerveja grátis, conversando e ouvindo de longe as outras bandas. Um grupo de meninas que formavam uma roda de violão nos convidou pra sentar com elas.

Essas situações eram um prato cheio para o Cláudio. Ele abordava as meninas sem nenhuma vergonha, sem nenhum tipo de freio. Na hora em que sentamos, ele olhou pra uma garota que usava um vestido típico dos anos 50 – era uma festa a fantasia, lembra? –, pediu emprestado o violão que uma outra segurava e tocou "Love Me Tender", imitando o Elvis do começo ao fim, olhando no olho dela sem nunca perder a seriedade, por mais que ela risse. No final, perguntou se ela queria ir ver a lua (ainda sem rir). Ela topou na hora. O que mais me impressionava era o quanto ele fazia isso sem nunca fingir que tinha sentimentos mais profundos. Era perfeitamente sincero e perfeitamente correspondido. Eu precisava aprender aquilo.

Mas eu vi outra coisa mais surpreendente acontecer naquela noite. A menina dona do violão estava tocando músicas da Marisa Monte e do Pantera, o que por si só já era supersexy. Eu fiquei na minha pensando "ser uma pedra, ser uma pedra, ser uma pedra", e acho que consegui me segurar. Mas o Vinicius começou a se apaixonar. Ela estava fantasiada de Gwen Stefani, usava uma regata bem justa, calça cargo larga e tênis de skate. Tinha o cabelo descolorido igual ao da cantora do No Doubt. Ela se chamava Jéssica. Conversou um pouco com a gente, levantou e falou:

– Acho que a minha banda vai subir no palco.

– Eu preciso casar com essa menina – disse o Vinicius, deixando de ser uma pedra.

Fomos ver o show da Jéssica e compramos a fita demo da banda, que tinha o telefone dela na capinha.

Depois dessa festa, chegamos à conclusão de que só conseguiríamos tocar em lugares maiores quando tivéssemos a nossa demo, o que nos custaria um bom dinheiro. Eu já não era mais tão duro, mas não tinha grana sobrando. O Cláudio não tinha apoio da família, e o Vinicius se recusava a obter qualquer dinheiro dos pais dele pra isso.

Enquanto não conseguíamos resolver a situação, recebemos outra ligação do nosso amigo e fã Pablo Prado:

– Oiii, Cláudiom? Tudo bem? – Sempre saudando como um locutor.

– Fala, Pablo Prado, beleza?

– Beleza pura, meu amigo Cláudiom! Seguinte, tenho uma oferta pra vocês! Agora é coisa fina! A UnB está promovendo um show enorme e gratuito para todos os alunos, e a rádio é patrocinadora. É um palco de primeiro mundo! Indiquei a banda de vocês. É só chegar e tocar. Vai ser um grande festival! Tipo Woodstock, meu querido!

Ficamos meio desconfiados – se tem palco de primeiro mundo, não devia ser fácil assim –, mas topamos e percebemos que seria uma excelente oportunidade de gravar nossa demo. Compraríamos uma fita de alta qualidade – Sony UX Pro de noventa minutos – e pediríamos para o técnico gravar o som da mesa pra gente. Teríamos nossa demo gravada ao vivo com equipamento de primeira e plateia.

Mas parecia bom demais pra ser verdade. Estávamos céticos até o dia do show.

Chegamos à UnB, no sábado à tarde e... Surpresa! De fato havia um palco enorme montado no estacionamento da universidade, com o som já bombando pelos alto-falantes e esquema profissional de luz tanto para as bandas quanto para a plateia.

Só faltou a plateia. Fora os técnicos da organização e as outras bandas que iam tocar, não tinha NINGUÉM na enorme área do estacionamento.

Pegamos nossos instrumentos, fomos falar com a organização e entendemos o que aconteceu. Outra faculdade da cidade marcou um festival para o mesmo dia. Com o Natiruts, que já fazia considerável sucesso, e várias outras bandas da cidade, o que esvaziou por completo o festival da UnB.

Mas pra gente estava tudo certo, porque o que a gente queria era gravar nossa demo. Falamos com o técnico, que se dispôs a gravar. O único problema foi ficar esperando ao ar livre na noite mais fria de Brasília em décadas. Assistimos aos outros shows e esperamos. Lembro de ter visto as bandas Cactus-Cola e Bootnafat.

Quando finalmente chegou a nossa vez, tivemos alguns problemas. O palco era enorme e a gente mal conseguia se falar. Estávamos a uns 20 metros uns dos outros. Nada estava saindo direito. Sem conseguirmos nos comunicar ou nos ouvir, não estávamos tocando em sincronia. Eu só ouvia a bateria e não ouvia a guitarra. Não sabia em que parte a música estava. Tentando nos comunicar com o olhar e lendo os lábios, depois de vários tropeços, pareceu que a gente tinha se encontrado. Cheguei no microfone pra cantar e...

Nada. Minha voz não saiu. No máximo emiti algo que era um misto de sopro e tosse. Tomando cerveja gelada no frio, acabei prejudicando bastante a garganta e fiquei completamente afônico. Foi triste e vergonhoso, ainda bem que só tinha umas dez pessoas, incluindo o pessoal da mesa de som, ouvindo. A gente tentou mais uma música com o Vinicius cantando, mas não dava. Simplesmente desistimos e descemos do palco, sem nos despedir. Ninguém ligou.

Mesmo sem ter plateia, fiquei me sentindo mal por ter frustrado os planos da banda. Quando a gente desceu do palco, eu estava bastante preocupado com a bronca que levaria do Cláudio e do Vinicius. Tanto preparo, uma oportunidade de ouro pra gente gravar nossa fita demo de graça, e eu pus tudo a perder. Quando a gente finalmente se afastou do palco, o Cláudio falou:

– Pelo menos nossa primeira demo não vai ter que se chamar *Ao vivo pra ninguém*.

– O lugar tá tão vazio que esse eco todo ia ficar horrível na gravação – completou o Vinicius.

Em vez de me darem esporro e me culparem pelo fracasso, eles fizeram piada e se resignaram com a situação. Não era o fim do mundo. Não pude deixar de lembrar de toda a situação do basquete alguns anos antes. A vida estava mesmo diferente. E pra melhor.

Sei que é um clichê, mas éramos mesmo uma família, um grupo coeso, que apoiava um ao outro. Não tinha tempo ruim, não tinha obstáculo. E, se estivéssemos fazendo algo legal, tinha que incluir os outros. Mesmo nos shows da outra banda do Cláudio (o Mr. Moustache, que fazia covers do Nirvana), éramos convidados para subir no palco.

Um dia, fomos assistir a um show deles em um bar lotado (bandas cover conseguiam isso com facilidade). O Cláudio pediu para eu e o Vinicius subirmos no palco com eles pra tocar "Aneurysm". O Vinicius tocou baixo e eu cantei. No final, como era um costume de todas as bandas, pulei do palco em cima da plateia. O pessoal me segurou e, em vez de me colocar no chão, foi me passando de mão em mão até o fundo do bar. Foi meu primeiro *crowd surf*. É uma experiência incrível e uma espécie de reconhecimento de que o que você fez no palco foi bom. Foi ali, surfando em cima da galera, que eu tive a ideia de como gravaríamos nossa demo.

Um dos donos do Sindicato – que também era o vocalista da banda Peter Perfeito – disse em uma noite que a casa estava aberta a quem quisesse produzir shows. E eu pensei que eu e o Cláudio já tínhamos produzido um show em conjunto e deu (mais ou menos) certo. Fizemos a conta e chegamos à conclusão de que, se conseguíssemos lotar a casa, com o valor do *couvert* artístico, daria pra bancar dez horas de gravação. Dei a ideia pro Cláudio ali mesmo, depois do show do Mr. Moustache. Ele topou na hora.

No dia seguinte, pedi pro Tião o equipamento emprestado outra vez. Ele disse que não dava mais pra fazer de graça, mas me ofereceu um bom preço pelo aluguel se a gente colocasse o nome da loja dele nos panfletos.

E se comprometeu a ir junto e cuidar da técnica. O valor ficaria apertado e a conta só fecharia se a casa realmente lotasse. Então, achamos que era melhor convidar mais bandas, para elas levarem seus próprios convidados. Convidamos a Farrapo Joe – banda do Filipe e do Nando que tinha mudado de nome – e a SRM – uma banda de ska-hardcore –, pra dividir a noite com a gente. Teríamos que dividir a grana também. Mas, se a casa lotasse, dava pra chegar no objetivo.

Passamos a promover o show loucamente. Conseguimos destaque nos jornais *Correio Braziliense* e *Jornal de Brasília* por intermédio do nosso amigo Pablo Prado. O Cláudio passou uma tarde ligando para a Cultura FM para garantir que o show seria divulgado no *Cult22*. Passamos duas semanas distribuindo panfletos onde desse: nos bares, nos outros shows, nas lojas de disco do Conic, nas escolas de música e nos estúdios de ensaio. O pessoal do Mr. Moustache, que tinha carro, se dispôs a sair com a gente de madrugada para colar cartazes nas paradas de ônibus. O carro ia devagar, a gente descia com cola e os panfletos na mão, colava o máximo que podia cobrindo outros pôsteres e depois voltava pro carro, que nunca parava de andar. Como um caminhão de lixo. Fizemos isso em quase todas as 64 paradas de ônibus da avenida W3, Sul e Norte. Terminamos com o dia amanhecendo, exaustos.

No dia do show, estávamos uma pilha de nervos. Nossa taxa de sucesso de shows era só de 50%. Então, havia uma boa chance de esse ser um fracasso. Tensos e preocupados, montamos os equipamentos, já fazendo piada e nos preparando para a possível derrota.

– Tião, se o show for um fracasso, a gente pode pagar nossa dívida tocando pagode na sua banda?

Ele tinha tudo pra ficar nervoso com uma piada dessas – afinal, corria risco de levar calote, porém estava mais preocupado em nos acalmar:

– Vai dar tudo certo. Só não inventa de pular na bateria, essas coisas que vocês fazem! – A gente precisou de fato orientar as bandas pra ninguém fazer isso.

Quando finalmente saímos pra tomar ar – o show era num porão sem ar-condicionado –, tinha uma fila ENORME na porta!

– Bom, pode ser que a gente não consiga a grana pra gravar a demo, mas pelo menos pagar o equipamento a gente consegue – analisamos, aliviados.

Na passagem de som deu pra ver que o equipamento dava conta da casa, com todos os instrumentos e vozes sendo ouvidos com clareza. O lugar era pequeno, mas tinha uma vibração muito legal, com a luz colorida, as paredes pichadas no fundo e a longa pista de dança de frente pro palco. A galera foi entrando e lotando o lugar. O clima era incrível.

A Farrapo Joe abriu a noite tocando uma versão pesadona de "She's So Heavy", dos Beatles. Eles estavam coesos e tocando muito bem. Foi muito legal poder finalmente ver um show do Nando e do Filipe sem ser num colégio ou numa festinha de família. Os dois tinham virado grandes instrumentistas, e a banda deles tinha um nível muito alto e saiu aplaudida.

O pessoal da SRM fez um dos primeiros shows da vida deles. Eles estavam nervosos, mas as músicas eram muito rápidas, enérgicas e bem tocadas. Foi um show bem-feito, divertido e, mesmo sabendo que o palco seria nosso depois, eu, Cláudio e Vinicius participamos do mosh e cantamos todas as músicas.

Quando foi a nossa vez, todo mundo se espremeu pra ver. Mesmo depois do show do La Revolución e da festa à fantasia, a gente se emocionou. Começamos tocando "Sheena Is a Punk Rocker", dos Ramones, como teríamos feito no nosso primeiro show, no Colégio Península. Tocamos as nossas músicas – "English Song", "Tão Down", "Heal Me" –, "Sal com Limão", do Reinhardt, e ainda covers do Nirvana, do Faith no More e dos Pixies. Foi um SUCESSO! Para aquelas pessoas que estavam ali, éramos uma banda querida e que valia a pena ser vista.

Quando as pessoas vinham pedir pra comprar a fita demo – o sinal máximo do sucesso de um show –, a gente explicava que o objetivo do show era justamente arrecadar grana pra gravar uma, e que eles teriam que ir ao próximo show pra comprar. Assim, já começamos a divulgar nossa próxima apresentação. Várias meninas vieram falar comigo, o que era uma situação INÉDITA (e a prova de que a tática de conhecer meninas de cima do palco dava certo).

Não quero que pareça, nessa altura do campeonato, que estou tentando convencer você de que me tornei um cara sensato, controlado, confortável na minha própria pele. Claro que não. Continuava um iludido, apaixonado, buscando ser profundo mas sendo superficial. Mas consegui adquirir algum controle. Uma das meninas que estava praticamente fazendo um *cosplay* da Shirley Manson, vocalista do Garbage – cabelos vermelhos, casaco de pelúcia, minissaia –, falou que adorou nosso show e me entregou uma fita da banda dela, na qual ela tocava baixo e cantava. E não é que eu NÃO me apaixonei por essa menina? Veja só que evolução!

Em vez disso, fiquei recitando meu mantra "ser uma pedra, ser uma pedra, ser uma pedra". E, por isso, acho que acabei afastando-a, coisa de que me arrependi depois. Mas, como eu disse, era uma evolução.

O mesmo não dava pra dizer do meu amigo Vinicius. Ao final do show, foi abordado pela Jéssica, que fez o coração dele – que definitivamente não era de pedra – bater mais forte. Eu consegui me enxergar ali: ficando completamente apaixonado pela menina e, por consequência, perdendo a habilidade de fazer alguma coisa.

No fim da noite, me reuni com o dono do bar pra contar a grana. Ele pegou uma enorme caixa onde o dinheiro estava guardado e começou a contar em cima do balcão. Criou dois montinhos de dinheiro, um era dele, outro era meu. Contou nota por nota em voz alta na minha frente. Colocou um copo em cima de cada um e serviu uma dose de uísque.

– Bebe, meu velho! Parabéns pelo seu primeiro show de sucesso! – brindou e virou a dose dele.

Eu ainda não tinha 18 anos. Foi meu primeiro shot de uísque da vida, e certamente fiz careta ao engolir. O dono do bar não fez nenhuma piada, respeitou o momento, como um ritual de passagem. Me senti num filme de Velho Oeste.

Com a grana arrecadada, conseguimos pagar o equipamento. O que sobrou não dava pra pagar as dez horas de gravação que a gente queria. Na época, não existia ainda gravação em HD como é feito hoje, gravando todos os canais em um computador. Pra gravar cada instrumento separadamente, era preciso ter um equipamento específico: ou fitas digitais do tipo ADAT ou aquele rolo de fita grandão. E isso poucos estúdios tinham, o processo era muito caro e levava muito tempo.

Mas a gente deu um jeito. Gravaríamos a parte instrumental ao vivo, em apenas dois canais, com tudo pré-mixado no Jams Studio, que era um estúdio de ensaio e, por isso, mais barato. Depois gravaríamos a voz no Zen, que era caro e disputadíssimo, onde todas as grandes bandas de Brasília tinham gravado. Com isso – e com uma ajudinha do pai do Vinicius, que ele resistiu muito em aceitar –, conseguimos fazer a gravação caber no orçamento.

Passamos uma semana ensaiando, porque teríamos que tocar o instrumental sem guia, só imaginando a letra na cabeça. Ninguém podia errar, porque não dava pra emendar. Teríamos apenas quatro horas em uma madrugada para montar tudo, microfonar bateria e amplificadores, testar timbres, mixar tudo e, finalmente, gravar. Do começo ao fim. Sem errar. Se alguém errasse, teríamos que começar tudo de novo.

Mas estávamos tão bem ensaiados que a gravação da parte instrumental deu certo. As músicas saíram no tempo, com timbres muito bons e sem erros. Saímos do estúdio tão empolgados que, no dia seguinte, marcamos a gravação das vozes. Só que cometemos um erro de principiante bem grave.

Como o estúdio era muito disputado, marcamos a gravação para um domingo às 7 horas da manhã, o horário mais barato. A ideia era passar a noite na rua e ir direto pra lá. Mas eu, que já estava um pouco resfriado, não queria correr o risco de ficar sem voz de novo. Passei a noite mastigando pastilhas pra garganta e fui dormir cedo pra conseguir estar no estúdio às 7 em ponto. Mas teria sido melhor ter passado a noite no bar.

Durante a noite, as cordas vocais incham e são atacadas pelos sucos gástricos, especialmente se você não tem uma alimentação muito balanceada, o que era o meu caso nessa idade. Aprendi isso justamente por causa dessa gravação. Minha voz estava muito mais grave, e eu não conseguia cantar no tom das músicas gravadas. O técnico de som ainda tentou desacelerar um pouco a fita para deixar a música um pouco mais grave, mas a minha voz ficava muito bizarra quando voltava pra velocidade normal.

Tínhamos duas opções: perder toda a grana que havíamos gastado, porque não dava mais pra cancelar o estúdio, ou gravar assim mesmo, do jeito que dava. Optamos pela segunda. E eu gravei as nossas três músicas uma oitava abaixo, com uma voz supergrave, parecendo alguém tentando imitar o Johnny Cash. Ficou ridículo.

Mas, honestamente, não nos importamos. Abraçamos o formato e decidimos que era uma influência do Joy Division e da Legião Urbana.

Fizemos várias cópias caseiras, algo que toda banda fazia. Mandamos para revistas, gravadoras, rádios. Ainda bem que ninguém ouviu. Mas essa fita ainda ia parar nas mãos mais inusitadas que alguém poderia imaginar.

Em quase todas as aventuras dos Schuzz, nosso amigo Maurício estava com a gente. Ele era um colega de classe do Cláudio e morava em Brasília havia pouco tempo, porque seu pai tinha sido transferido de Santa Maria, no Rio Grande do Sul, para a capital por conta do trabalho. Então o Maurício não conhecia muita gente além das pessoas da escola.

Ele era considerado o quarto membro da banda. Em todas as cenas que eu descrevi até aqui: primeiros ensaios, acampamento na casa do Cláudio, shows, gravações... Ele estava sempre com a gente. Tentamos, inclusive, que ele fosse o vocalista da banda, ou que tocasse algum instrumento, mas nunca deu certo. O importante é que ele estava sempre por perto. Nas nossas duas primeiras demos, até colocamos o nome dele na formação da banda, só pela presença.

O Maurício também era o companheiro de aventuras do Cláudio na escola. Uma vez, na porta do colégio, eles receberam um panfleto do canal SBT, dizendo que a emissora estava recrutando jovens de Brasília para participar do programa *Quer namorar comigo?*, do icônico apresentador Silvio Santos.

O programa funcionava assim: doze garotas e doze garotos eram levados ao palco, um de cada vez; entrevistados pelo Silvio Santos; e em seguida sentavam em lados opostos do palco em formato de coração. Eles recebiam binóculos que permitiam observar mais de perto uns aos outros (sério!). Após certo período, cada um dos rapazes escolhia uma das moças para dançar no meio do palco. A dança era o tempo que eles tinham para se entender e responder a pergunta que o apresentador faria depois para o casal: "É namoro ou amizade?". Se o casal falasse namoro, ganhava da produção do programa um jantar e ingressos para um show. Tudo seria filmado, para que fosse mostrado futuramente como mais um casal que se formou por conta do programa.

Maurício e Cláudio resolveram se inscrever, não porque achavam que seriam selecionados, mas por acharem que essa seria uma boa oportunidade para conhecer garotas solteiras à procura de namorado. Afinal, haveria uma fila delas se inscrevendo também. No entanto, o plano deu errado por dois motivos: eles não conheceram nenhuma garota (não havia fila) e de fato foram chamados para participar do programa.

Quando o Maurício foi selecionado, ele não pensou duas vezes. Curtiu viajar sozinho com tudo pago pra São Paulo e fez amizade com os outros participantes. Mas, no programa, a menina que ele tirou pra dançar respondeu "amizade". Na segunda-feira seguinte à gravação ter ido ao ar, ele foi intensamente sacaneado na escola. Não só por ter participado do programa, mas por ter levado um fora em rede nacional.

Quando foi a vez do Cláudio, ele ficou com um pé atrás, com medo de ter a mesma recepção na escola, e perguntou pro Maurício se valia mesmo a pena ir.

– Foi a coisa mais legal que aconteceu na minha vida – respondeu o amigo. – Você tem que ir. É muito legal! É uma viagem inteira de graça, você conhece o Silvio Santos e ainda ganha uma grana. Vai lá!

O Cláudio se encheu de coragem e foi. Já na viagem de ida, conheceu os outros caras que também participariam do programa, e eles tentaram de todas as formas sabotar a produção e conhecer as garotas antes. Sem sucesso. A produção ficava de olho neles o tempo todo. Isso fazia parte do trato. No dia da gravação, colocaram nele uma camisa social – coisa que nunca usava –, e ele ficou esperando a hora de subir ao palco. Um pouco antes do momento de entrar, um dos contrarregras avisou que eles não podiam levar nada nos bolsos. O Cláudio fez que não ouviu e colocou a fita demo dos Schuzz no bolso da camisa. Se desse uma brecha, ele a mostraria na TV. Seria melhor que a divulgação no programa do Pablo Prado de madrugada, nas primeiras semanas de existência da banda.

Ao ser entrevistado por Silvio Santos, Cláudio respondeu às perguntas normais – nome, idade, onde morava. E, em algum momento, o apresentador perguntou:

– Mas, Cláudio, é verdade que você tem um conjunto musical?

Era o momento certo. O Cláudio tirou a fita do bolso e apontou a capinha pra câmera. Numa posição muito estranha, parecendo uma *mugshot* de perfil (aquelas fotos que criminosos nos filmes tiram segurando uma plaquinha quando são pegos pela polícia).

Como ele estava infringindo uma regra do programa, o Silvio Santos não gostou e tentou contornar a situação:

– Mas você veio aqui pra arranjar uma namorada ou pra fazer propaganda do seu conjunto? – perguntou, tentando voltar ao roteiro.

– Eu vim arranjar uma namorada, Silvio – respondeu Cláudio, sem, no entanto, guardar a fita, olhando pros monitores e garantindo que ela estava no quadro. A câmera levantava um pouquinho, dava um *close* tentando tirar a fita do quadro, mas o Cláudio a ajustava.

O programa continuou. Cláudio escolheu uma das participantes pra dançar e, empenhado em também não levar um fora em rede nacional, começou um trabalho de convencer a garota a responder "namoro" (o Silvio Santos sempre perguntava para as moças, nunca para os rapazes).

– Me desculpa, mas eu tenho um namorado. Eu não tinha quando me inscrevi pro programa, mas agora eu tenho – ela disse durante a dança.

– Ok. Fala pra ele que é tudo armado e que você não tinha saída. Se você disser que é namoro, a gente ganha um monte de coisa.

Ah, a sedução pelos motivos certos!

A menina gostou da ideia. Além disso, o Cláudio tinha jeito com as garotas, e essa assertividade toda deve ter sido atraente de algum modo. Eu devia aprender mais com meu amigo televisivo.

Silvio Santos também deve ter admirado a cara de pau do Cláudio, porque, quando o casal foi entrevistado, o dono do baú deu uma nova chance:

– Tá bom, Cláudio! Vamos falar do seu conjunto musical então!

Silvio pegou nossa fita na mão, tentou ler o nosso nome horroroso num logo horroroso em um fundo verde horroroso que tínhamos criado.

– O que está escrito aqui? Qual é o nome do conjunto?

– É... Schumainous, Silvio – respondeu Cláudio, surpreso com o interesse.

– E o que significa Schumainous?

Cláudio respirou fundo e, com muita vergonha, deu a resposta que ele tinha preparado e que a gente duvidava que ele teria coragem de falar:

– É... Um grito aborígene... que define... a grande orgia!

Silvio olhou pra ele atônito:

– Um grito o quê? Aborígene?

Depois de mais alguns segundos, o apresentador percebeu que aquilo só podia ser uma piada.

– Isso é um papo-furado do tamanho de um "bôndibus"! – Ele realmente falou "bôndibus".

– É namoro ou amizade? – perguntou para a menina, que parecia bem nervosa com a situação.

– Namoro – respondeu ela, falando baixinho.

– Tem certezammmm? – Nem o Silvio acreditou.

– É... Tenho... – respondeu a garota, sem muita certeza.

– Então vai pra lá, vai pra lá! Tchau, Cláudio – disse o Silvio, com a fita na mão, se livrando do nosso baterista.

O Cláudio e a garota de fato ganharam prêmios. Ficaram mais uma noite em São Paulo, com tudo pago pelo SBT, e foram ao show da cantora Laura Pausini, que estava acontecendo naquele dia. Depois jantaram num restaurante chique. Tudo produzido e captado pelas câmeras da emissora, que exigia um beijo na boca no final para o clipe de "sucesso" do programa.

Quando o Cláudio voltou para Brasília, não contou pra ninguém nada do que tinha acontecido. Mas reuniu todos os amigos e a família dele pra ver pela TV quando o episódio foi ao ar. Foi uma das noites mais épicas e engraçadas das nossas vidas.

No dia seguinte, o telefone não parava de tocar. Recebemos um monte de convites para shows, o Cláudio deu entrevistas para os jornais locais. Mesmo tendo sido um pouco ridículo, todo mundo entendeu a atitude do Cláudio como uma brincadeira e uma forma de divulgar a banda. E deu certo. Até o locutor Pablo Prado ligou para parabenizar:

– Oiiiii, meu querido amigo Cláudiom! Mas que bela aparição no programa do Silvio Santos, hein? Parece que eu não fui a única vítima dessa banda!

A história ficou bastante conhecida na cena do rock de Brasília. Quando a gente chegava nos bares, um monte de pessoas que nem conhecíamos vinha falar com o Cláudio:

– Você é o cara que foi no Silvio Santos?

Ou até mesmo comigo e com o Vinicius:

– Você não toca com o cara que foi no Silvio Santos?

Inclusive as meninas. Era muito comum, a certa altura da noite, o Cláudio sumir e depois reaparecer com um trio de garotas. Ele abraçava uma e apresentava as outras duas pra mim e pro Vinicius.

Eu ainda não sabia muito bem o que fazer nessas situações. Algumas vezes, até ficava com elas: ou porque elas tomavam a iniciativa ou porque o lugar era tão barulhento que era impossível dizer qualquer coisa, e a gente acabava se beijando. Mas, geralmente, nada acontecia, porque a garota esperava uma iniciativa minha e eu estava realmente tentando ser uma pedra – ou pelo menos uma pessoa normal – e não fazer nada romântico.

Com o Vinicius era parecido, mas por motivos totalmente diferentes. Ele também ficou com algumas, mas na maioria das vezes estava pensando na Jéssica e acabava não rolando nada. Engraçado que, por conta disso, ganhamos fama de sermos "difíceis" e "sérios". Eu gostava da fama, não só porque era uma explicação mais fácil – melhor ser "difícil" e "sério" do que "incapaz de tomar iniciativa" –, mas também porque eu realmente não queria ser um "conquistador barato". Não gostava da estratégia de passar uma cantada numa menina, ser rejeitado e simplesmente ir pra próxima, que era o normal. Cheguei a fazer isso e até dava certo, ou quase. Era sempre surpreendente ver que muitas vezes uma garota só queria ficar, sem compromisso. Eu ficava pensando no quanto superestimava grandes gestos românticos, mas depois também ficava com um pouco de vergonha, principalmente se encontrava alguma menina que tinha me rejeitado. Eu ainda queria pelo menos um pouco de significado quando ficava com alguém.

De todos os resultados dessa aventura do Cláudio na televisão, o mais legal foi termos sido convidados para o projeto Terças no Garagem. Era o ÁPICE. O lugar que tinha os melhores shows e onde sempre quisemos tocar. Era um festival com mais de dez bandas e teríamos vinte minutos no palco. Estávamos tão animados que não conseguíamos nem decidir o repertório.

– Vamos tocar "Faroeste Caboclo" inteira... e, quando acabar, a gente começa de novo e vai embora – falei, de piada.

– O Pablo Prado ia curtir – lembrou o Cláudio.

Teria sido engraçado mesmo, mas a gente resolveu ser bom, e não engraçado. Tocaríamos cinco músicas nossas, as mais pesadas, porque tinha várias bandas de hardcore e metal na noite. A banda que tocaria antes da gente era a Reality, que fazia covers do Pantera.

O Teatro Garagem tinha o formato de uma arena quadrada. O palco era um grande quadrado, cercado por três arquibancadas e com o pano de fundo atrás. Na formação com pista, havia um pequeno palco encostado no pano de fundo, e o resto da arena era usado como um espaço para as pessoas verem o show em pé. Ele estava formatado assim para esse show, e estava lotado! Devia ter umas quinhentas pessoas. O show do Reality LOTOU a pista, e a plateia não parou o mosh pit um minuto. Foi insano e deixou a gente bem nervoso, porque teríamos que tocar logo depois. Quando o show deles acabou, a pista esvaziou. O público, cansado, foi para os banheiros ou beber alguma coisa. Enquanto ajustávamos os instrumentos pra tocar, o Cláudio teve uma ideia:

– Se a gente tocar só as nossas músicas, ninguém vai ver. Temos que tocar algum cover bem conhecido, que traga o público de volta.

– A gente pode tocar "Sheena Is a Punk Rocker" – sugeri.

– Não, tem que ser mais poderoso. Vamos tocar "Smells Like Teen Spirit" – propôs o Cláudio.

A gente nunca tinha ensaiado essa música. O Vinicius me mostrou os acordes ali, na hora. O Cláudio sabia tocar por conta dos shows do Mr. Moustache, mas eu não sabia a letra toda.

– Só canta os dois primeiros versos, "Load up on guns, bring your friends", que a galera vai cantar o resto.

Era bem arriscado, porque, se o público não voltasse, não ia ter o que fazer. Mas era pra isso que a gente tinha formado essa banda, né? Pra tocar sem ensaio, decidindo as coisas em cima do palco. Era tudo ou nada.

Demos o ok para o técnico, mostrando que estávamos prontos. A luz apagou. Não tinha ninguém na frente do palco. A pista estava vazia. Cláudio deu um toque em cada tambor. Vinicius deu uma palhetada pra ver se a guitarra estava ligada. Eu fiz a mesma coisa no baixo e dei uma batidinha no microfone. Não tinha mais o que fazer. Vinicius começou a tocar os famigerados acordes solitários da guitarra.

E a galera começou a CORRER pra frente do palco. Saía gente de todos os lados, das arquibancadas, do bar, dos banheiros, da porta do teatro, todo mundo vindo se apertar na frente do palco. Depois dos seis compassos iniciais que abrem a música, cantei a primeira frase:

– Load up on guns...

Foi o suficiente. A galera cantou em uníssono e pulou a música toda. FOI O KARAOKÊ MAIS LEGAL DA HISTÓRIA! E o show foi assim até o final. Ninguém saiu da pista, e todo mundo ouviu nossas músicas serem tocadas também. Todo mundo aplaudiu. Foi avassalador.

Assim que eu pus o pé pra fora do palco, alguns garotos vieram me abordar pra comprar a nossa demo. Eu quase chorei. Há poucos anos era eu fazendo aquilo ali pela primeira vez, com um pouco de vergonha. Por mim, eu teria dado as demos de presente. Ainda bem que era o Vinicius que cuidava do caixa.

Quando guardamos os instrumentos e voltamos pra área dos shows pra ver as outras bandas, fiquei pensando em tudo que tínhamos vivido até ali. Desde eu aprender a tocar os primeiros acordes com o Filipe, passando por descobrir a cena brasiliense com a Bruna... até o momento em que a gente estava tocando na principal casa do rock de Brasília. Ainda tinha muito mais pra acontecer, mas aquilo ali já era incrível. Já era muito mais do que eu havia sonhado. Fiquei pensando se tinha alguém daquela época por lá, mas fui interrompido por um grupo de meninas me cutucando e querendo conhecer "o baterista e o guitarrista também". A vida estava realmente boa.

Pedi pra elas esperarem e fui atrás dos dois. O Cláudio já estava ocupado com outra garota atrás de uma arquibancada. Fui procurar o Vinicius, que estava na porta do banheiro feminino com uma cara bastante preocupada:

– A Jéssica encheu a cara. Tá vomitando lá dentro com a ajuda de uma amiga – ele explicou.

– Caramba. Tá tudo bem? Você tá bem? – perguntei. Ele não parecia nada bem.

– Ela tentou me beijar – ele falou, meio decepcionado.

Opa! Isso era uma boa notícia, não era? Eu até levantei a mão para um *high five*, mas ele não correspondeu.

– Desse jeito eu não quero, cara. Tem que ser pra valer.

Ok, estávamos aprendendo a ser uma pedra em novos níveis.

Ele me disse que estava bem e só ia garantir que ela estava em segurança e depois me encontraria. Voltei pro trio de meninas, que estava me esperando no mesmo lugar.

– O Cláudio e o Vinicius vão demorar um pouco, mas já vêm. Vocês querem conhecer o backstage?

CAPÍTULO 7
CARAS BONZINHOS TERMINAM EM ÚLTIMO

Acabei não comentando antes, mas eu tive meu estirão de crescimento um pouco tarde. Começou um pouco antes de a gente formar os Schuzz. E eu, que passei a vida inteira tendo que lidar com o fato de ser o mais novinho, o menor da turma, acabei virando a pessoa mais alta em quase todo lugar em que eu estava. Outra coisa que mudou no meu visual é que, no início dos Schuzz, a gente deixou o cabelo crescer, e o meu já passava da cintura. Me tornei alguém bem diferente. Somando a mudança física com as novas habilidades – quer dizer, com a capacidade que ganhei de me controlar –, pode-se dizer que eu virei um Super Saiyajin.

Em paralelo a toda essa jornada para o sucesso dos Schuzz, eu estava me dedicando ao vestibular. Depois de anos de indecisão, resolvi cursar Jornalismo. Eu, Cláudio e Maurício prestamos o vestibular no mesmo dia, mas o Maurício acabou voltando com a família para Santa Maria. O Cláudio, por incrível que pareça, passou para o curso de Publicidade, e eu, para a surpresa de todos, passei na faculdade que escolhi. O que me deixou um pouco preocupado com possíveis trotes. Na época, ainda existia a tradição ridícula e criminosa de os veteranos rasparem o cabelo dos calouros à força, e eu achava que, com meu cabelo quase igual ao do Axl Rose, podia acabar atraindo a atenção de alguém.

– Ninguém vai mexer com você, Gustavo. Olha o seu tamanho – disse o Vinicius.

É curioso que o Vinicius, o Cláudio e todas as pessoas que me conheceram depois dos Schuzz tinham uma visão completamente diferente sobre mim e, de fato, isso ajudou a me dar alguma confiança para o primeiro dia de aula. Talvez eu realmente houvesse evoluído para uma forma superior. Mas isso estava prestes a ser posto à prova, já que meu passado viria me encontrar no primeiro dia de aula.

– E você aí, o que você espera da faculdade de Jornalismo?

Pela primeira vez eu estava estudando algo que eu realmente queria, na universidade que eu havia escolhido e na qual entrei por mérito. A professora de Língua Portuguesa I fez essa pergunta pra cada um dos cerca de quarenta alunos que estavam ali, e agora era minha vez de responder.

– Bem, eu quero poder trabalhar com música. Acho que jornalismo é um caminho pra isso – respondi, com sinceridade e à vontade.

– Você quer ser um jornalista musical? Um crítico? – continuou perguntando.

– Eu queria ser um rockstar, mas não dá pra contar com isso, então estou garantindo outras possibilidades. Se eu precisar ser segurança de show, também tá valendo.

Minha resposta causou gargalhadas na turma. Acho que é porque estava todo mundo sério, focado em dar boas respostas, como numa entrevista de emprego, e eu estava relaxado e sendo sincero. Não me sentia observado e julgado. Inibido ou pressionado. Eu podia ser eu mesmo: o cara alto e de cabelo comprido. Legal e divertido. O cara aberto a novas amizades e a conversar com todo mundo!

Uma nova pessoa, senhoras e senhores!

Mas, como eu falei, meu passado veio me encontrar pra tirar a prova. Sentada um pouco atrás de mim (eu sentava em qualquer lugar, não fazia questão de ser na última carteira), estava uma menina loira, de olhos verdes, tênis All Star, calça jeans rasgada, camiseta dos Ramones, que apertava os olhos e ficava vermelha quando sorria. A menina mais bonita da escola.

Não sei se você lembra, mas essa descrição apareceu no começo desta história. Era a Andressa. A menina que, sem saber, me incentivou a fazer um festival na escola em que eu estudava. Que me fez superar um monte de desafios e obstáculos para que eu pudesse subir no palco com o único objetivo – bobo, inocente, meio ridículo, eu sei – de tentar impressioná-la. Objetivo no qual eu falhei, aliás, por conta da diretora, Dona Miranda, que mandou desligar a energia do palco na hora em que a gente soltou o primeiro acorde.

Pra mim, a Andressa já era algo do passado. Houve garotas por quem eu fui apaixonado por mais tempo, ou por quem fiz coisas mais estúpidas, que nem aparecem nesta história. Mas ela sempre foi especial, porque, mesmo sem saber, mesmo sem a gente nunca nem ter se conhecido de verdade, ela teve um papel importante nessa mudança. Gostar dela foi o que me fez querer recomeçar – ter uma vida legal, ter amigos, querer coisas e acreditar na possibilidade de consegui-las – quando eu já tinha desistido. E eu achava legal ela ser a "the one that got away", aquela que escapou, que não deu certo, e tudo bem. Ficava bonito na história.

Mas as coisas na vida real não acontecem para ficarem bonitas na história. Elas acontecem para dar um tapa na sua cara, para te trazer de volta à realidade ou, às vezes, só por ironia mesmo. Ironicamente, a menina que me viu sendo o "lobo solitário" na minha pior fase estava lá me vendo ser um cara legal e até extrovertido. Aliás, estava com a mesma camiseta dos Ramones, pra facilitar a vida.

No momento que eu a vi, tudo voltou. O cara legal, relaxado e confortável que eu vinha sendo nos últimos tempos – e até minutos antes – deu lugar àquele menino tímido e inseguro, o que me fez ficar pensando em como ir falar com ela. Achei que era hora de bolar um plano.

Sentei num canto da universidade pra poder planejar tudo. Montei um cronograma em que, ao longo de vários dias, eu criaria várias situações para que aos poucos, sutilmente, nos "conhecêssemos". De maneira completamente casual. Eu pareceria descolado, desinteressado e indiferente. Poderia levar meu violão pra faculdade! Poderia ter um festival de bandas. Ou poderia achar alguém do Colégio Península, criar uma festa de reencontro, da qual ela ficasse sabendo por acaso, e...

Alguém cutucou meu ombro do nada.

– Ei! Você não estudava no Colégio Península?

Ou... talvez eu não precisasse de plano nenhum.

Eu me virei e lá estava ela, de camiseta dos Ramones, bochechas vermelhas e olhos apertados pelo sorriso. A situação fez começar uma discussão na minha cabeça.

Ok, Guga, aqui é o seu cérebro e estou aqui pra te ajudar nesta situação. Pense. Responda algo legal. Pareça descolado, desinteressado e indiferente. Seja divertido, mas não seja bobo.

– Sim.

Ok. Ou isso. Seja monossilábico. Pelo menos você não piora as coisas. É um caminho.

– Eu lembro de você. Você me ajudou a fugir da escola um dia! – ela disse, provavelmente não percebendo que eu estava numa séria discussão com meu cérebro sobre como falar com ela.

Ok, Guga, você ainda está no controle. Aqui está uma lista de coisas legais que você pode responder. Pode ser algo divertido e inofensivo como: a) É mesmo, precisamos fazer isso de novo um dia; b) É mesmo, você precisa de informações pra fugir daqui também?; c) Ei, Ramones, eu sou fã de Ramones!; d) Legal, eu sou o Guga e você?; e) Sim. Qualquer uma dessas coisas serve, vai lá, campeão!

– Não ajudei, não. Só te dei a informação. Você fugiu porque quis – disse, decepcionando meu cérebro.

Claro, porque quando você reencontra uma garota por quem foi secretamente apaixonado, e ela vem falar com você, te poupando de um cronograma e uma possível festa, tudo o que você faz é questionar o que ela disse, como se fosse um depoimento pra polícia e você quisesse se inocentar.

– Hummm... É, foi isso que eu quis dizer. Bom, a gente está na mesma sala, né? Legal! Vamos sentar juntos! – ela disse.

Acho que meu cérebro realmente desligou, porque eu não lembro o que aconteceu depois. Só sei que, após o intervalo, estávamos sentados lado a lado na sala de aula, conversando sobre o Colégio Península, sobre o curso de

Jornalismo, quem a gente conhecia, o que teria de legal ou não. Trocamos telefones e combinamos de sentar por perto nos dias seguintes. Acho que eu finalmente tinha dado a sorte de ter como meu amigo nerd da vez a menina de quem eu gostava. Nem tudo estava perdido.

Quer dizer. Peraí. Eu NÃO GOSTAVA dela. Eu tinha gostado um dia, no segundo grau. Era uma situação completamente diferente. Eu não precisava mais estar apaixonado 100% do tempo, certo? Não precisava ter sempre "a menina de quem eu gosto". Eu podia só me dar bem com ela, fazer coisas juntos, mas não precisava fazer de todos os momentos um "momento-chave da conquista do amor da minha vida". Isso tinha acabado, certo?

Boa, Guga! Finalmente!, comemorou meu cérebro.

Tudo era novo na vida da faculdade. Além de uma convivência razoavelmente normal e saudável com a menina-mais-bonita-da-escola, fiz vários amigos. Circulava em todas as panelinhas. Os geniozinhos que sentavam na frente da sala e com quem eu tinha altos papos sobre teorias da comunicação, filosofia e sociologia. A galera indie alternativa de cabelo colorido, que frequentava a cena clubber e curtia Chemical Brothers e Prodigy, mas também gostava de Pixies, Weezer e Sonic Youth. Os atletas, com quem eu jogava basquete às vezes. O pessoal mais politizado, engajado nas eleições do DCE e que vivia planejando manifestações na faculdade. E também o pessoal mais mauricinho, que tinha carrões, roupas caras e curtia fazer festas. Eu era amigo de todo mundo.

A vida com os Schuzz também estava indo bem. Com a grana dos shows recentes, consegui comprar um baixo novo, um Ibanez SDGR preto, o mais barato de todos, mas o primeiro instrumento realmente de canhoto que eu tive. Começamos a planejar a gravação de uma nova fita demo, no estúdio Artimanha, com o conhecido produtor Geraldo, que tinha feito parte da lendária "turma da colina", pioneira no rock de Brasília junto com Legião Urbana, Capital Inicial e Plebe Rude. Fomos visitar o estúdio e mostrar as músicas pra ele, algumas do começo da banda e duas novas, que eram bem difíceis. "Troia" tinha um andamento em 5:4 sincopado (a gente também não sabia o que era isso, foi ele que identificou), e "Fúria" era muito rápida e tinha a base do solo totalmente diferente do resto da música. Ele gostou, mas mandou a gente ensaiar.

– Venham aqui só quando vocês não aguentarem mais tocar essas músicas. Aí a gente grava. Senão, vai ser só perda de tempo!

A visita ao estúdio foi incrível, nos sentimos uma banda muito profissional, ainda mais ao saber que a gente tinha música em 5:4 sincopado. À noite, fomos celebrar praticando a nossa mais nova obsessão, o *grassboard*, um esporte criado pelo pessoal da banda SRM.

Por conta do clima desértico de Brasília, a temperatura cai muito quando o sol se põe, o que faz com que a grama fique molhada de orvalho e bastante escorregadia. Com o *shape* de um skate, sem as rodinhas, o que o deixava parecido com uma prancha, descíamos uma rampa de grama molhada com ele. Como *snowboard*, só que na grama. *Grassboard*. Era uma ideia absurda. O local ideal para fazer isso era bem em frente ao Congresso Nacional, que é cercado por rampas de grama de mais de vinte metros. Mas como era muito inclinado, e a gente não era bom, ficávamos só na linha de chegada, descendo distâncias pequenas e conversando. Era uma ótima maneira de passar o tempo e dava pra ficar a madrugada toda lá.

Conversávamos sobre as nossas novas músicas, os shows frequentes que a gente estava fazendo e também sobre o relacionamento do Vinicius com a Jéssica, que, na visão dele, estava evoluindo.

– Ela me pediu pra ir com ela comprar um pedal para a guitarra e, depois, jantar na casa dela. Parece que vai ter uma festa lá. Vou conhecer a família dela! – contou, empolgado.

– Me parece que você tá sendo só o motorista dela – disse o Cláudio, sem dó, enquanto tentava subir a rampa pra deslizar de um ponto mais alto. – Esse jantar obriga você a buscá-la e levá-la em casa depois. E ela mora longe pra caramba!

A Jéssica morava num lugar que só poderia existir em Brasília, chamado Setor de Mansões do Park Way. Nem todas as casas são realmente mansões, mas a dela era. E era mesmo longe pra caramba.

– Pode ser, mas pelo menos assim eu tenho bastante tempo com ela no carro, na ida e na volta. É melhor do que a alternativa – argumentou.

Eu tentei pegar mais leve.

– Cara, namorei com uma menina, a Bruna, e eu era apaixonado por ela igual você é pela Jéssica. Queria ficar perto dela o tempo todo, fazer as coisas de que ela gostava... Mas isso só prejudicou minhas chances de aquilo dar certo. Depois que eu me afastei dela é que realmente aconteceu alguma coisa boa. Talvez esteja na hora de você dar um tempo...

– Até parece! – ele me interrompeu. – Até parece que você tem essa frieza toda. Falar é fácil, mas, quando a Andressa liga, você vai correndo fazer o que ela manda! – argumentou, *ad hominem*, meu companheiro de banda e agora de sofrimento romântico.

– Com a Andressa é diferente. A gente é amigo. Eu até quero ficar com ela, mas não tenho o objetivo de ficar com ela. Se acontecer, ótimo, mas eu não vou ficar planejando nem esperando isso, porque sempre dá errado – respondi, enganando só a mim mesmo.

O Vinicius obviamente estava certo, mas eu estava fazendo um esforço enorme pra acreditar na lógica que tinha criado. Se não admitisse, nem pra mim mesmo, que eu gostava dela, não teria problema nenhum em estar junto dela o tempo todo, certo? Sentávamos juntos durante a aula. Saíamos juntos depois da aula para almoçar, estudar, fazer trabalhos da faculdade, ir ao banco, passear com o cachorro, fazer compras, fazer compras pro cachorro e o que mais ela quisesse. E, à noite, quando eu não estava com os Schuzz, eu estava na casa dela, ou no cinema, ou inventando algo para fazer com ela. Mas é o que amigos fazem, não é?

Um argumento a meu favor é que não ficávamos só nós dois. Em todas essas atividades, estavam sempre presentes o Thiago e a Aline, com quem a gente acabou formando uma panelinha. Thiago era um mauricinho que frequentava boates e micaretas e tinha um carro que valia mais que o apartamento em que eu morava. Tinha a minha altura e usava roupas muito justas, de grife, com a camisa sempre pra dentro da calça. Ele era provavelmente o cara mais desejado da turma. Mas, apesar de toda essa descrição, ele não era um babaca. Era legal, muito engraçado e, ao contrário do se podia imaginar, não julgava as pessoas pela aparência ou pelo que elas tinham. A Aline tinha um corpo incrível de quem praticava ioga. Curtia samba e MPB. Tocava violão e percussão e cantava muito bem. A lógica então me servia direitinho.

Eu podia dizer que estava com meus amigos, não apenas grudado na Andressa, porque quase sempre o Thiago e a Aline estavam junto.

E eu também tinha projetos com eles. O Thiago era o cara das festas e estava empenhado em fazer um grande luau unindo todas as turmas da Comunicação. Ele sabia o que fazer e não precisava realmente de mim, mas eu costumava acompanhá-lo para ver lugares e negociar equipamentos e bebidas.

Com a Aline, montei um duo de MPB. Ela cantava muito bem e, como eu, já tinha alguma experiência com música. Ela se empolgou de poder ensaiar e fazer shows também. Fizemos um repertório que tinha a ver com a voz dela, tocando Marisa Monte, Alceu Valença e Legião Urbana. Ela cantava e tocava violão e percussão. Eu tocava violão, baixo e guitarra e fazia algumas harmonias com a voz. Ensaiávamos toda semana e chegamos a fazer um ótimo show de estreia no pátio da faculdade, que sempre tinha eventos na hora do intervalo.

Mas com a Andressa era diferente. Primeiro porque não tínhamos nenhum projeto em comum. Meu tempo com ela, quando não estávamos com os nossos amigos, era ocupado fazendo coisas como ir ao supermercado, levar o carro na oficina e o cachorro dela pra passear. A Andressa era muito engraçada, e passávamos horas inventando histórias ridículas e rindo. Desenvolvemos várias piadas internas que viraram o laço entre a gente. Eu bem que tentava convidá-la pra ver bandas ou ir comprar fitas demo, mas na verdade ela não era tão interessada assim por música como a camiseta dos Ramones fazia parecer. Ela queria mais praticar esportes e olhar coisas caras em vitrines. Mas, no fim, eu preferia fazer tarefas domésticas com ela do que ajudar o Thiago a planejar a festa ou tocar com a Aline, ou mesmo com os Schuzz.

Toda essa dedicação, aliás, estava atrapalhando a agenda da banda. Depois de vários ensaios cancelados – coisa que antes a gente nunca fazia –, nos reunimos pra tentar retomar o ritmo. Não saiu nada. Acabamos só tocando covers dos Pixies, e então desistimos e fomos pra frente do Congresso Nacional conversar e praticar *grassboard*. Enquanto tentava achar um bom ponto pra deslizar, o Cláudio expressou seus sentimentos:

– Vocês dois têm que parar com isso. Tá ridícula a situação. Ficam os dois a semana inteira fazendo tudo por essas garotas e não tomam nenhuma atitude. Têm que tomar uma atitude AGORA. Ou vai ou racha. Tentem alguma coisa. Se elas rejeitarem vocês, pelo menos isso acaba.

Eu não conseguia mais negar que estava apaixonado:

– Eu acho que não tenho a menor chance. Acho que ela gosta de uns caras mais mauricinhos. Sem mencionar que ela é a menina-mais-bonita-da--escola...

– Para com esse papo – me interrompeu Cláudio. – Você é um rockstar. Isso é só coisa da sua cabeça. Vocês dois são rockstars!

Fiquei calado, pensando no que o Cláudio tinha dito. No Vinicius, aquilo causou uma epifania:

– No próximo show eu vou pegar a Jéssica!

CAPÍTULO 8
SEM SURPRESAS

O show seguinte seria o nosso primeiro internacional. Era uma grande festa da Escola Americana de Brasília, que aconteceria na embaixada de Trinidad e Tobago (tecnicamente, um território estrangeiro). Seria um show enorme, só com bandas legais. Um palco grandão e equipamento de primeira. Se a ideia era fazer um grande gesto, chegar como um cavaleiro usando uma armadura, tínhamos o palco ideal.

– Vai ser um evento enorme, bem produzido, lotado. A gente vai ser uma das bandas principais e só isso já vai me colocar numa posição privilegiada. Ela já acha que a gente é grande coisa, vai achar mais ainda nesse dia – continuou Vinicius.

– Esse foi exatamente o meu plano com a Andressa. Nunca funcionou. Grandes gestos não funcionam – rebati.

– A Andressa não gosta de rock de verdade. Comigo vai funcionar – decretou.

Assim como o Vinicius, eu também me engajei em fazer um plano. Mas queria evitar o superplano, o grande gesto, porque sabia que isso não dava certo. Tinha que ser casual. Tinha que ser num momento simples, em que a gente pudesse ficar sozinho, conversar. Se desse pra ser no escuro, se desse pra ter um clima, ou pelo menos um assunto romântico, melhor ainda. E aí seria só falar pra ela, sem drama, sem sofrimento, que eu gostava dela. Ou só tentar dar um beijo. Se ela me rejeitasse, tudo bem.

O lugar perfeito pra fazer tudo isso era o cinema. E os anos 90 eram o auge das comédias românticas! *O Casamento do Meu Melhor Amigo*, *Sintonia de Amor*, *Jerry Maguire*, *Procura-se Amy*, *Empire Records*, *That Thing You Do*, *Romeu + Julieta*... Clima, iluminação, assunto... Tinha tudo que eu queria. Mas SEMPRE íamos ao cinema com a Aline e o Thiago. Acho que era um jeito de me autossabotar, só pra não ter que tomar uma atitude. Fazia o mesmo nos outros momentos simples e perfeitos que surgiam. Passear com o cachorro dela ao pôr do sol? Não, porque o cachorro ficaria incomodando. Quando a gente estivesse na casa dela, estudando? Não, os pais dela podiam aparecer...

Eu dificultava tanto o andamento do plano que o acaso resolveu agir. Num dia, quando ela estava comigo em casa, o Rafael, meu irmão, me deu um convite da formatura dele. Ele estava se formando no segundo grau, no Colégio Kubitschek, e os alunos se organizaram para fazer um baile de formatura em um clube, com jantar e banda. Uma festona.

– Consegui um convite pra você e mais alguém que queira levar – disse ele, tentando deixar uma dica implícita. Funcionou.

– Ei! Eu quero ir! Posso ser esse mais alguém? – ela perguntou, empolgada.

Bom, agora eu não teria mais como fugir. Éramos só eu e ela numa festa onde não conhecíamos mais ninguém. Haveria dança, meia-luz e bebidas alcoólicas de graça. Teria que ser ali, e seria em breve.

A ocasião pedia, e eu aluguei um terno. Não era a primeira vez que vestia um, mas me senti bastante desconfortável numa roupa daquelas. Peguei emprestado o carro da minha mãe, um Gol 1.0 bem simples, mas que não fazia feio. Melhor do que o Corcel bege do meu pai, que tinha nascido antes de mim. Fui buscar a Andressa em casa, e ela pediu para eu subir até o apartamento, porque os pais dela queriam tirar uma foto nossa. Igual nos filmes norte-americanos que têm baile de formatura, aliás. Só faltou aquela flor de colocar no pulso.

Vou tentar o meu melhor para explicar como ela estava vestida quando abriu a porta pra mim, mas nenhuma palavra será suficiente para descrevê-la. Ela estava... estonteante. Usava um vestido preto com detalhes em vermelho-escuro, dignos de uma *première* de Hollywood, com alças fininhas e uma saia longa. Sapatos de saltos altíssimos, que a deixavam do meu tamanho, maquiagem e cabelo que pareciam ter sido feitos por profissionais. Eu não chegava nem perto de estar no mesmo nível que ela com meu terno alugado. Minha confiança, que já não era muita, ficou abalada. Fiquei parado na porta e devo ter feito uma expressão bem estranha de admiração e espanto. Ela sentiu que precisava falar alguma coisa:

– Como eu estou? Gostou da minha roupa? – perguntou, fazendo pose.

– Wow. Eu não... Eu acho que... Você... Wow.

Ela sorriu e me convidou pra entrar. Os pais dela, que gostavam de mim, me elogiaram, fizeram questão de tirar fotos e estavam curtindo tanto o momento que eu até recuperei um pouco a minha confiança. Ajudei ela a entrar no carro, como um cavalheiro, e fomos para a festa. Parecia que estávamos indo para um casamento ou, sei lá, conhecer a família real. Todo aquele plano de evitar grandes gestos e focar em momentos simples já era. Ali estava eu com a menina de quem eu gostava vestida de princesa.

Eu havia preparado um discurso na minha cabeça. Ia tirá-la pra dançar. Era algo normal numa festa como essa, certo? E era só você ficar dando dois passinhos pra cada lado (porque obviamente eu não sabia dançar). Quando a gente estivesse já "naturalmente" abraçados e de frente um pro outro por conta da dança, eu diria: "Olha só, eu tenho um segredo pra te contar". Legal, né? Boa frase. Conseguiria a atenção dela. Óbvio que ela se interessaria. E eu continuaria: "Você não pode contar pra ninguém, ok?". Só pra fazer um suspense. Em vez de falar de cara o segredo, mostraria que era importante, para fazê-la pedir pra ouvir. É claro que ela concordaria com essa condição. Aí, então, eu falaria: "Ok, deixa eu falar no seu ouvido". Porque, mesmo sem ninguém ouvindo, sussurrar ao ouvido é socialmente aceito quando se está contando um segredo. E é, ao mesmo tempo, romântico, íntimo. Seria uma abertura. Quando ela virasse o ouvido pra mim, eu diria: "Eu tô gostando de você. Pra valer". E pronto. Conquista desbloqueada! Próximo!

Genial, né? Eu sei. Não foi ideia minha. Foi do John Lennon e do Paul McCartney. Essa é a letra de "Do You Want To Know a Secret", dos Beatles. (Isso porque era pra ser casual...) Eu ia precisar de um pouco de coragem pra falar esse texto todo, mas pra isso tínhamos uma vasta seleção de espumantes e coquetéis. Eu estava lá me preparando quando ouvi uma voz grave vinda de longe:

– Ora, ora, ora, mas se não é o meu querido amigo Gustavom!

Eu me viro um pouco assustado ao ouvir aquela voz aveludada e vejo um cara usando terno branco e gravata-borboleta vindo na minha direção. Antes que ele chegasse até a mesa, deu tempo de a Andressa perguntar, com algum espanto:

– Você conhece o Pablo Prado da JC FM?

O Pablo Prado era uma espécie de mestre de cerimônias da formatura. Acho que porque ele era o empresário da banda, ou algo assim. Veio, me abraçou e beijou a mão da Andressa dizendo "Encantado". Antes que eu pudesse pensar em qualquer estratégia pra sair dali, ou pra tirá-lo dali, ele já estava sentado à nossa mesa, tomando um coquetel e contando sua vida, sobre a qual, aliás, a Andressa sabia muito. Ele ficou horas com a gente e só saiu quando precisou ir para o palco parabenizar os formandos do Colégio Kubitschek, anunciar que ia começar a folia e pedir pra todo mundo tirar o pé do chão enquanto a banda começava a tocar sucessos da axé music.

Depois disso, a Andressa começou a me contar tudo que ela sabia sobre a vida do Pablo Prado. Ele era parte de uma família influente na alta sociedade brasiliense. O pai dele era dono de uma conhecida rede de lojas de artigos esportivos. Eles criavam cavalos e em algum momento tiveram ou patrocinaram uma equipe de automobilismo. Ela me falou também a marca do sapato e do relógio que ele estava usando. E falou como era legal ser minha amiga, pois eu era cheio de surpresas e conhecia pessoas legais como o Pablo Prado. Hora de ir pra casa, né?

Contei a história toda para o Cláudio e o Vinicius. Eles se solidarizaram e lamentaram a minha derrota, mas também acharam engraçado. Com o fracasso do meu plano de tentar alguma coisa com a Andressa de forma "casual", voltamos nossas atenções para o plano do Vinicius, que seria executado dentro de algumas semanas, em Trinidad e Tobago.

– Eu estive na casa da Jéssica esta semana. A gente finalmente conversou sobre o que aconteceu no show do Teatro Garagem.

Ele se referia ao episódio em que ela bebeu demais e tentou beijá-lo, antes de vomitar no banheiro e ter que sair carregada. Ele continuou:

– Ela pediu desculpas, falou o quanto eu sou importante pra ela e que, por isso, ela precisava tomar coragem pra querer arriscar tudo.

– E aí você a agarrou, né? – perguntou Cláudio, esperançoso.

– Não deu. A família toda dela tava ali do lado, não tinha como. Mas acho que no show vai rolar.

Cláudio só revirou os olhos.

– Mas o importante é que voltei pra casa dirigindo devagar, ouvindo Pixies no máximo e me inspirei pra escrever uma música nova, "Pixie".

E ele mostrou a música pra gente:

PIXIE
Fazendo companhia pra lua
Aquele gosto me lembra carne crua
A verdade é que isso me enlouquece
Na minha mente pensamentos tórridos
Leves pitadas de sentimentos mórbidos
A verdade é que isso me ensandece
Mas tudo bem
Se as músicas dos Pixies continuam a ressonar em minha cabeça
Eu me sinto bem
Quando eu como atrás do que eu preciso
Quando eu sinto que aos poucos eu consigo
Eu me sinto bem
Quando eu me sinto perdido na cidade
Perdido na divina insanidade
Mas tudo bem
Se as músicas dos Pixies continuam a ressonar em minha cabeça
Dirigindo à noite sem saber onde chegar
Olhando as luzes dos postes que insistem em passar
Andando, comendo, voando
Quando eu percebo estou tão longe e eu não sei como voltar
Mas eu nem sei bem se eu quero essa noite me encontrar
Eu ligo o som nas alturas
E deixo a vida passar

Era outro nível de música que ele levava pra banda. Os acordes eram dissonantes, tinha solo, partes B e C... parecia quase que um rock progressivo, mas ainda com uma pegada grunge. Tipo um Faith No More misturado com Foo Fighters. A gente criou um arranjo bem pesado e sofisticado pra ela, cheio de dissonâncias e harmonias. Ficou demais. Nossa melhor música. Deu um novo ânimo para os ensaios. A ideia era deixá-la pronta para o show, que seria o grande momento do Vinicius.

Então passamos a ensaiar como nunca. Ensaiávamos em sessões de três, quatro horas. Repetíamos as músicas à exaustão. Em certo momento, começamos a tocar sem vocais e de costas uns pros outros pra ter certeza de que estava todo mundo sincronizado. Foi quase um treinamento estilo *Karatê Kid*. E, quando a gente já não aguentava mais, fomos mostrar as músicas para o Geraldo, que finalmente topou nos gravar.

Gravamos em três dias. No primeiro, só as baterias. No segundo, só as guitarras e os baixos. E, no terceiro, os vocais. Não sabíamos muito bem o que estávamos fazendo, mas o Geraldo sabia e tirou o melhor que podia da banda. O som de cada instrumento ficou perfeito, e eu até parecia um cantor melhor do que realmente era. Ainda tive o privilégio de gravar com o baixo Music Man dele, que tinha um som incrível e que toquei ao contrário mesmo. Foi o melhor som que tiramos para uma fita demo.

E com isso estávamos preparados para o nosso primeiro show internacional. Teríamos uma demo para distribuir da qual realmente estávamos orgulhosos. Em vez de tirar foto, fizemos uma capa com as nossas caras escaneadas, que ficou bem original. Dessa vez, tinha mais músicas, vocais melhores e até o endereço do nosso site e nosso e-mail na capinha, coisa que poucas bandas tinham. Fizemos um mutirão para produzir o máximo possível e levamos sessenta cópias para vender no show.

Estávamos animados para o show. O palco ficava no jardim da sede da embaixada. Tinha decoração e iluminação bastante detalhadas. Se as pessoas estivessem usando ternos e vestidos, seria uma festa de gala. Estava lotado, mas não parecia muito com os shows de rock dos quais costumávamos participar. Nunca tínhamos visto nada igual. Aline, Thiago e Andressa também foram e ficaram impressionados. O Thiago ficou cheio de ideias para a festa da Comunicação.

Mas eu não tive muito tempo pra eles, porque subiríamos no palco a qualquer momento e tinha toda a hora da verdade do Vinicius acontecendo. A Jéssica tinha ido com ele e, como era previsto, estava bastante impressionada com toda a estrutura que montaram. Tínhamos um camarim de verdade e um pessoal esperando pra nos ver. Tudo estava no caminho certo.

Uma banda de covers abriu o show e fez um ótimo trabalho tocando músicas do Nirvana, do Pearl Jam, do Soundgarden e do Alice in Chains. Era bem o nosso tipo de música e acabou deixando o público na vibração certa pra gente.

O show era ao ar livre, e tinha uma iluminação incrível. Na hora de subirmos ao palco, a luz da plateia foi apagada. Tudo ficou em silêncio, e um apresentador nos anunciou. Entramos tocando "Troia", nossa música pesada em 5:4 sincopado. Ela saiu justa, bem tocada, a banda estava em perfeita sincronia. Depois foi a vez de "Fúria" e "English Song" (nessa música, eu troquei a frase "fuck the USA" por "Anarchy in UK" em homenagem aos nossos anfitriões). Fizemos um show pesado, justo e direto. Não falamos quase nada, só tocamos as músicas e encerramos com "Pixie". Fomos bastante aplaudidos. Foi legal demais.

Descemos para dar lugar à próxima banda.

O Cláudio foi o primeiro a descer, já que ele só carregava as baquetas. O Vinicius ficou pra trás desmontando toda a pedaleira. Aline, Thiago e Andressa me cercaram assim que eu me aproximei. Thiago e Aline estavam espantados com o sucesso do show (era a primeira vez que eles viam um) e queriam a todo custo que eu me apresentasse com a Aline no evento da Comunicação. E queriam que eu me comprometesse ali, na hora, no calor do momento.

Eu nem prestei atenção no que eles estavam falando enquanto esticava o pescoço pra tentar ver onde estava a Jéssica, preocupado com o que aconteceria logo mais.

E foi quando eu a vi, de fato impressionada com o show e se pendurando no pescoço... do Cláudio. Até agora eu não entendo como isso aconteceu. O Cláudio sempre teve o jeito de Elvis Presley conquistador, e fazia algumas piadas sobre isso com a Jéssica... Mas ela nunca tinha dado a entender que queria alguma coisa com ele. E depois de tudo o que o

Vinicius tinha relatado sobre a conversa deles... Talvez ele tivesse entendido errado.

O Cláudio me viu olhando pra ele e me disse com o olhar: *"Me tira daqui, rápido!"*. Saí da rodinha em que estava com os meus amigos e fui atrás dele. Puxei o Cláudio pelo braço e falei que precisava dele no palco. Só assim ele conseguiu se desvencilhar da Jéssica. Perguntei o que estava rolando.

– Não sei, cara. Ela simplesmente chegou, me agarrou pelo pescoço, falou que o show tinha sido incrível e disse: "Hoje você é meu!".

– Do nada?

– Do nada, cara! Eu não vou fazer nada, é claro! Mas, se você não tivesse me tirado de lá, ela teria me agarrado à força. Tomara que o Vinicius não tenha visto!

Eu olhei pro Vinicius, que ainda estava no palco, terminando de desmontar as coisas dele, e percebi na hora que ele também tinha visto a cena, e não estava feliz. Falei para o Cláudio ir para o camarim e ficar lá. Thiago, Andressa e Aline também viram tudo, e eu tive que explicar a situação pra eles antes de, finalmente, falar com o Vinicius. Eu o ajudei a carregar o equipamento pra fora do palco. Em silêncio. Quando chegamos à porta do camarim, ele finalmente falou:

– Se o Cláudio fizer alguma coisa, a banda acaba aqui.

– Calma, cara, eu falei com o Cláudio. Ele não vai fazer nada, até parece. Mas de onde veio isso? Você sabe?

– Não sei, cara. Parecia tudo certo. Não sei o que deu nela. Achei que eu tinha chances. A gente tinha conversado sobre o outro show.

Nisso a Jéssica chegou, com cara de brava. Eu saí de perto e deixei os dois a sós.

Fui falar com o Cláudio. Ele ficou bem transtornado com a situação e resolveu ir embora. Fiquei de ligar pra ele depois, pra contar o desfecho da história. Ele acabou levando todas as fitas e não vendemos nada. Passei o resto do evento com o Thiago, a Aline e a Andressa, que tinham acabado de conhecer o pessoal e ficaram preocupados com a situação toda. Conversamos a respeito e chegamos à conclusão de que ninguém tinha culpa de nada. O Cláudio tinha sido legal com o amigo, e era isso que se esperava dele... Mas também era direito da Jéssica querer ficar com quem ela quisesse.

Era uma situação bem desconfortável. Até porque a gente observava de longe o Vinicius e a Jéssica conversando, e não parecia que estava indo bem. Mas mudamos de assunto porque o Thiago e a Aline estavam empolgados em me convencer a fazer um show do meu duo com a Aline na festa da Comunicação. Ficamos falando sobre isso até o fim do evento. Não vi o Vinicius nem a Jéssica indo embora.

No dia seguinte, o Vinicius me contou o que havia rolado:

– Ela só brigou comigo. Acha que eu impedi o Cláudio de ficar com ela, disse que eu não tenho o direito de decidir com quem ela fica ou não e que lamentava o fato de me perder como amigo.

– Caramba, mas você falou que não impediu nada? Que foi o Cláudio que não quis?

– Falei, mas não acho que ela entendeu. Foi horrível, porque eu tava quase pedindo desculpas por gostar dela. Deu tudo errado.

– Poxa, cara. Eu sei o que você tá sentindo.

– Tá tudo bem. Eu vou superar. Você sabe. Até porque agora ela não fala mais comigo, então, de um jeito ou de outro, acabou – disse, resignado.

Enquanto isso, comecei a sofrer uma pressão enorme para tocar com a Aline na festa. Eu não queria, porque achava que não estávamos prontos pra isso. Me ofereci pra tocar com os Schuzz, mas o Thiago achava que o duo com a Aline "tinha muito mais a ver". A Andressa veio falar comigo:

– O Thiago pediu pra eu pedir pra você tocar na festa dele. Falou que, se eu pedisse, você toparia – ela disse, sorrindo com os olhos apertados.

Foi o suficiente para me deixar balançado. Afinal, meu plano do baile de formatura não tinha dado exatamente errado, né? Ele só não fora executado. E, com ela pedindo assim, achei que podia ser a chance. Mas comigo era diferente. Eu estava mantendo as coisas simples, certo? *(Não, não estava.)*

– Ok, eu vou fazer, mas só porque você tá pedindo – respondi, me arrependendo da frase imediatamente.

Fui então falar pra Aline que a Andressa tinha me pedido e que a gente ia tocar.

– Só porque ela pediu? – perguntou, com alguma surpresa.

– É... Eu decidi fazer depois que ela me pediu.

Ela fez uma careta de desaprovação, mas logo voltou a se empolgar. Ela estava muito a fim de tocar, ainda mais depois de ter visto o sucesso do show dos Schuzz. A gente ensaiou a semana inteira. Seriam só seis músicas. Dois violões e um pandeiro. Ela cantava quase tudo. Não seria tanto problema. Eu tinha até pensado em fazer uma versão voz e violão de "Aprender a Voar" e dedicar pra Andressa, mas, abalado pelo fiasco do Vinicius e da Jéssica, desisti. O plano então era tocar as seis músicas e usar o discurso dos Beatles. Agora eu tinha chance. Ainda fui perguntar para o Thiago se, por acaso, o Pablo Prado tinha sido convidado.

– Não, por quê? Você conhece o Pablo Prado? – ele perguntou, não entendendo o porquê de eu falar de alguém tão aleatório.

– Não, deixa pra lá – despistei.

Convidei o Cláudio e o Vinicius, mas eles não quiseram ir. Queriam passar longe "da festa de mauricinho da sua faculdade", como eles colocaram. Achei justo, até por conta de toda a ressaca do show da semana anterior. Eu mesmo não estava muito a fim de ir, mas tinha me comprometido e não queria decepcionar meus amigos.

A festa, mais simples que a de Trinidad e Tobago, aconteceu numa dessas casas alugadas para eventos em Brasília, toda no jardim, ao ar livre. Estava lotada porque tinha as duas palavras que o pessoal da faculdade mais gostava: "open" e "bar". O palco era pequeno, já que a maior parte da noite seria animada por um DJ. A gente ia fazer só uma participação especial.

Depois de tudo montado, acabei me enturmando com o pessoal. Como eu cantava muito pouco no duo, não precisava me preservar e estava aproveitando as bebidas. Acabei curtindo as primeiras horas da festa com o pessoal da faculdade e até esquecendo um pouco da performance, que não começava nunca. A Aline estava preocupada e pediu pra nos apresentarmos logo. Concordei, mas queria que a Andressa estivesse lá. A Aline parecia bem chateada com isso, porque era óbvio que eu estava lá por causa da Andressa e não dela e porque eu já estava um pouco bêbado e isso poderia atrapalhar o show. Eu não encontrava a Andressa em lugar nenhum. Tinha sumido completamente. O Thiago também, aliás.

Eu fui então procurar a Andressa e o Thiago para o show começar. Tinha um pessoal indo ver um píer no fundo do jardim da casa, que dava para o Lago Paranoá, e eu fui até lá procurá-los. E, lá no fim desse píer, eu vi os dois.

Thiago e Andressa.

Se beijando.

Ok. Aqui estávamos nós de novo. No ponto em que percebo que não vai rolar. Que as chances que eu achava que tinha eram, na verdade, um erro de interpretação meu. Que tudo que eu achava que estava fazendo certo, na verdade, estava fazendo errado. Que todas as lições que eu achava que tinha aprendido, na verdade, não aprendera. Aqui estava mais uma vez a história se repetindo, e com uma novidade: havia um amigo meu envolvido, e ele tinha ido lá e ficado com a garota sem nem falar comigo antes.

Eu sei que a Andressa não me devia nada, ela podia ficar com quem quisesse. E sei também que o Thiago podia gostar dela também, era direito dele. Mas eu fiquei bem chateado assim mesmo. Tudo que eu vivi com as outras meninas de quem gostava, tudo que vivi no período em que não gostava de ninguém, tudo voltou, ali, naquele instante. Por que eu estava fazendo aquilo? Por que estava de novo apaixonado por uma menina? E por que estava querendo tocar pra ela? Não tinham acabado os grandes gestos? Mais uma vez eu tinha tentado evitar essa ideia de "show da minha vida", e mais uma vez estava aos poucos sendo levado pra isso. Naquela festa de playboy, com a qual eu não tinha nada a ver, tocando MPB.

Sem contar toda a história da Jéssica na embaixada de Trinidad e Tobago, né? Agora eu entendia por que eles estavam preocupados. O Thiago sabia que eu gostava da Andressa (aliás, vamos ser sinceros, né? Quem não sabia?). Por isso que ele ficou daquele jeito.

Foda-se essa merda. Resolvi: não vou tocar mais.

Quando cheguei na área do palco, encontrei a Aline. Ela deve ter visto na minha cara que eu tinha descoberto o que estava rolando. Em vez de me dar uma bronca e mostrar decepção, ela só me falou, quase implorando:

– Vamos tocar, por favor. Eu estou esperando a semana inteira por isso!

Não tive como dizer não. Sentei na minha cadeira (o show era sentado, como um acústico), liguei o equipamento e a deixei começar. Ela deu boa noite, agradeceu a galera e me agradeceu. Tocamos as seis músicas. Fiz o show mais morno e robótico do mundo. Mas saiu tudo certinho, eu acertei até os solos. A galera curtiu, aplaudiu, ficou feliz e o DJ recomeçou. A noite ia ser longa pra eles. Eu só queria pegar minhas coisas e ir embora.

Enquanto eu estava recolhendo o equipamento, a Aline veio falar comigo de novo.

– Obrigada por ter topado fazer o show. Eu sei que você está bem chateado por causa da Andressa e do Thiago. Todo mundo viu a cena de você encontrando eles.

Que beleza. Ainda tinha essa vergonha adicional.

– Tá tudo bem. Eles estão no direito deles.

– Eu sei, mas sei como é. Eu também ia me declarar pro cara de quem eu gosto hoje... mas acabou não dando certo – disse, segurando um pouco o choro.

O QUÊ? Se declarar pra um cara? De onde ela tirou isso?

Mais um flashback me atacou. Em segundos, na minha cabeça, revi toda a minha relação com a Aline. Desde os primeiros dias de aula, papos na casa dela e da Andressa, trabalhos em grupo, ensaios, idas ao cinema. Estava sempre lá, essa menina linda e incrível gostando de mim, e eu não fui capaz de perceber. De novo! DE NOVO!

Eu me senti um fracasso. Achei que tinha aprendido tudo. Não aprendera nada. Eu poderia me sentir culpado, mas não. Era ok eu não corresponder ao sentimento da Aline. Só era triste. Só era injusto. O final ia sempre ser esse. Como na música "Love Stinks".

LOVE STINKS	**AMOR FEDE**
You love her	Você ama "ela"[1]
But she loves him	Mas ela ama "ele"
And he loves somebody else	E ele ama outra pessoa.
You just can't win	Você simplesmente não consegue ganhar.
And so it goes	E assim vai.
Till the day you die	Até o dia que você morre.
This thing they call love	Essa coisa que chamam de amor.
It's gonna make you cry	Vai fazer você chorar.
I've had the blues	Eu já tive o blues.
The reds and the pinks	Os vermelhos e rosas[2]
One thing for sure	Uma coisa é certa.
Love stinks	Amor fede.

É. *Love stinks*.

---

1. Pronome no fim da frase para facilitar o entendimento da letra.
2. Trocadilho com "blues" do verso anterior, que significa tristeza, melancolia, mas também a cor azul. É sem sentido mesmo.

CAPÍTULO 9

O PUNK TRISTE

Tudo que eu queria dali em diante era voltar à vida despreocupada do começo dos Schuzz. Nada mais dessa história de ser popular na faculdade. Nada mais de querer viver um filme de comédia romântica. Eu só queria tocar. E ir a shows. E praticar *grassboard*. E ficar com meninas sem saber o nome delas. Mas principalmente tocar.

Sei que você já me viu falando isso antes. Mas dessa vez seria diferente. No começo, eu era como uma criança no mar pela primeira vez. Sem equilíbrio, sem saber onde pisar, sendo derrubado toda hora e, quando atingido por uma onda, sendo revirado e engolindo areia do fundo e tentando voltar pra respirar. Quando a Luana terminou comigo, foi como se eu tivesse finalmente saído da água pra nunca mais voltar.

Mas nessa história da Andressa eu achei que tinha aprendido a surfar. Fui com calma, levei a minha prancha. Fui remando e furando as ondas... E deu na mesma. Terminei sendo martelado no fundo e comendo areia. Eu realmente achei que seria capaz de fazer isso casualmente. Não parti do princípio de que tudo era mágico ou algo assim... E no fim não deu certo também. Só estragou a relação com a minha turma da faculdade. Não só do meu lado, mas do lado deles também. A Aline gostava de mim, que gostava da Andressa, que gostava do Thiago. Que patético.

Meu lugar de surfar era na grama. E eu nem era muito bom nisso. Uma noite, me reuni com o Cláudio e o Vinicius pra uma nova sessão de *grass-board*, mas, em vez de deslizar pela grama, sentamos no capô do carro e ficamos bebendo cerveja, conversando e revivendo toda a saga da Andressa e da Jéssica. O Cláudio em nenhum momento disse "eu avisei". Ele só parecia não se identificar com nada do que a gente tinha passado. Perguntei se ele nunca tinha sofrido daquele jeito.

– Uma vez. Conheci uma menina chamada Luciana. Eu era maluco por ela. Ficava sofrendo em casa igual vocês dois.

Ao ouvir aquilo, eu engasguei e até cuspi um pouco da cerveja que estava tomando. Como assim? O Cláudio? O cara mais desencanado? Mais seguro de si? O cara que cantava "Love Me Tender" olhando nos olhos da garota sem rir? Ele pôs o *shape* do skate no chão, sentou em cima e começou a contar a história.

– Eu a conheci na escola e a gente vivia se encontrando nas festas, nos shows. Ela era linda: tinha o cabelo castanho-escuro, liso e bem comprido, com uma franja. Estava sempre de coturno e jaqueta jeans, parecendo uma personagem de história em quadrinhos. Ela tinha uma atitude... Adulta. Ela era séria, fazia todo mundo em volta, inclusive as outras meninas, parecerem um bando de crianças. Era uma época que a gente estava sempre na rua, toda noite, inclusive durante a semana. Eu sempre chegava, ficava com alguma garota... E aí ela aparecia e eu me arrependia na hora.

Eu e o Vinicius não falamos nada. Só ficamos ouvindo a história.

– Um dia, dei a sorte de chegar e ela já estar lá. Fui direto nela e deixei bem claras as minhas intenções. Ela me disse que eu era muito moleque, não era sério e que nao queria nada comigo. Fiquei vários dias sem ficar com ninguém. Sem beber nada. Eu chegava lá, encontrava com ela e a gente só conversava. Eu fazia questão de mostrar que eu podia até ser um moleque, mas minha intenção com ela era séria.

Nem eu nem o Vinicius nunca tínhamos imaginado que algo assim fosse possível.

– Até que um dia a gente acabou ficando. Foi incrível. Admito pra vocês que, quando tem um sentimento rolando, uma admiração, é tudo muito melhor. E foi isso que aconteceu. A gente combinou de se encontrar e ficar de novo na noite seguinte, no mesmo bar.

Eu e o Vinicius permanecíamos imóveis ouvindo a história, quase sem respirar, para não estragar esse momento raríssimo que estávamos presenciando.

– Na noite seguinte, eu estava sozinho no bar e o pessoal do Mr. Moustache apareceu. Eles sabiam que eu tinha ficado com ela e vieram me cumprimentar, dando *high fives* e falando coisas babacas, do tipo "Aí, pegou a Luciana finalmente, hein?". Essas coisas... E eu acabei entrando na onda. E é claro que ela viu!

Pra gente era como se estivéssemos vendo um filme.

– E o que aconteceu?! – perguntamos, tentando acelerar a história.

– Ela só virou as costas e foi embora. Foi a última vez que a gente se falou – disse, um pouco cabisbaixo.

– O quê? Como assim? Você não tentou nada? – perguntei. O Vinicius já estava de volta à ideia de ser uma pedra.

– Eu a encontrei num fim de semana depois. Dei uma flor pra ela e pedi desculpas. Ela só riu, falou que aceitava as desculpas e acabou assim. Nunca mais me deu a menor abertura. Ela me tratava com educação e desprezo ao mesmo tempo, o que era mais dolorido. – Ele voltou a beber a cerveja, que já devia estar quente.

– E você não fez nada? Deixou por isso mesmo? – perguntei enquanto o Vinicius começava a dedilhar uns acordes no violão.

– Cara, doeu muito, por muito tempo. Cada minuto da minha vida era como se fosse um mês. Eu levantava todo dia me arrastando pra ir à escola. Levantar a escova de dente de manhã era como levantar cinquenta quilos. Eu só queria ir pro bar e encher a cara até vomitar. Mas finalmente passou. Foi passando um pouquinho por dia até acabar. Teve um dia que eu estava num bar e ela chegou. Mas ela tinha cortado o cabelo bem curto e mudado a cor, então levei um tempo pra perceber que era ela. Quando me dei conta, veio um frio na barriga. Nessa hora eu cheguei à conclusão de que eu nunca ia realmente esquecê-la, mas que conseguiria conviver com a ideia de que eu tinha estragado tudo. Vocês também vão.

Naquele momento eu queria ser igual ao Cláudio. Não tentar ser uma pedra, mas simplesmente não me importar. No dia em que eu me interessasse por uma garota de novo, não me declararia pra ela, mas tentaria deixar claras as minhas intenções por meio de atitudes. Se não rolasse nada, tudo bem. Mas nunca fingiria que eu não queria nada com ela. Nunca fingiria que eu só queria amizade ou algo inocente. Deixaria as intenções claras e viveria com elas.

Tá bom que eu não tinha o ímpeto e a cara de pau do Cláudio, mas eu tinha um lugar pra treinar agora.

A internet.

Acabei não contando nos primeiros capítulos, mas lá no primeiro ano do Colégio Kubitschek uma das coisas que eu também tinha em comum com meu amigo Hector era algum interesse por computadores. Eu tinha tido um TK 3000 – uma cópia do Apple II – e aprendi a escrever algumas linhas de código. E entendia como ele funcionava. O Hector era uma das poucas pessoas que eu conhecia que tinha um computador e juntos organizamos uma BBS, que é um ancestral de um provedor e um portal de internet. A gente organizava um conteúdo que ficava disponível para visitantes. Você podia ligar direto no nosso modem (do Hector, obviamente) para acessá-lo. Normalmente eram games, piadas, imagens feitas em ASCII. E, por causa dessa experiência, nos grupos eu era a pessoa que entendia de computadores, que começavam a ficar relativamente comuns nas casas. Eles ficavam em enormes móveis feitos pra isso e eram usados pela família inteira. Tipo uma geladeira.

Quando finalmente conseguimos ter um na minha casa, eu logo dei um jeito de me conectar à internet, que ainda era uma novidade. Era normal ter fóruns onde pessoas compartilhavam senhas e você conseguia se conectar de graça, usando serviços de universidades, de empresas, ou mesmo de provedores que não tinham muito controle. O Vinicius conhecia um pessoal da UnB que tinha acabado de fundar um provedor e distribuía senhas para os amigos. Era assim que eu me conectava. Passava horas procurando informações perdidas sobre bandas de que a gente gostava, baixando jogos ou imagens para colocar no desktop. Mas o legal mesmo eram os serviços de chat.

No começo era no mIRC. Eu falava com gente do mundo inteiro e dei uma boa aprimorada no inglês. Depois vieram as salas de bate-papo do Zaz e do UOL; dava pra brincar, mandar umas cantadas baratas e ver como as garotas – partindo do princípio de que eram realmente garotas – reagiam. Você não tinha que dar as caras, se comprometer. Dava pra testar muita coisa. Mas não passava disso.

Outra coisa que eu fazia bastante era entrar nas salas de música. O tema geralmente era música mesmo e o chat não era repleto de *trolls* que queriam só fazer piada, sacanear todo mundo e ir embora. Você soltava a pergunta "Alguém aqui gosta dos Pixies?" e, se alguém respondesse, você teria assunto por horas. E se essa pessoa fosse um cara, tudo bem, era ok você só fazer amigos, ainda mais se o tema fosse esse. Não precisava ser só pegação.

As conversas pela internet mudaram ainda mais quando eu descobri o ICQ, que foi o primeiro programa de comunicação instantânea. Você tinha uma lista de amigos e falava com eles por lá, sem necessariamente ter que revelar seu telefone ou mesmo quem você era. Era como se fosse uma sala de chat, mas sempre privativa e com participantes fixos. Então dava pra estabelecer uma relação mais longa com as pessoas. Quase ninguém no Brasil usava ICQ quando eu comecei, mas fiz vários amigos pelo mundo com ele por conta de uma ferramenta chamada Chat Randômico. Você se colocava disponível para falar com outras pessoas e, aí, quando alguém buscava uma pessoa pra conversar, achava você. Era bastante inocente, as pessoas realmente só queriam conversar. O meu nickname era Guitar Hero, o que sempre atraía a conversa com outros músicos. Bons tempos!

Dava pra mandar arquivos também. Era o comecinho do MP3, e eu ensinei vários desses amigos virtuais, que em geral também eram músicos, a baixar músicas – era preciso ter um programa de edição, um programa de compressão e um player de MP3, converter um trecho de música com uma qualidade bem baixa, cheio de ruído, para aí enviar o arquivo. Dava um trabalhão, mas a gente fazia e foi provavelmente assim que os Schuzz foram ouvidos pela primeira vez na Austrália. Eu tinha um amigo, fã do Offspring, que morava lá e com quem ficava falando sobre a banda. Também fiz amigos de várias partes dos Estados Unidos que tinham bandas, que me ajudavam com as letras em inglês.

Eu sei que estou há vários parágrafos contando a história da tecnologia da internet dos anos 90, mas tenho um motivo: foi assim que conheci uma menina chamada Kimberly, que morava numa cidadezinha perto de

Chicago. Passamos uma tarde conversando sobre as diferenças das nossas vidas. Com ela, testei uma nova tática que eu tinha desenvolvido.

Havia escrito junto com o Vinicius uma música com o propósito específico de conquistar garotas. "Sad Little Bird" era uma balada com influências de Oasis e U2, cheia de belos acordes com quartas e nonas, e composta em inglês.

SAD LITTLE BIRD

I don't want it now
Sun in the spring
I'm a kind of a bird that flies in
a rainstorm

But if you want it at all
And I just can sing
I'll sing a song for a better time for
everyone
I have wings made of steel
I can't be with you but I will
I can fly away
I can touch the sky and stay
Like a sad little bird I can forget
these days

In the skies and clouds
I hide my feelings
Until I'm strong enough to fight the
waterfall
I know you're proud
But I show you these meanings
I just hope you'll be here when you
hear my call

PASSARINHO TRISTE

Eu não quero agora
Sol na primavera
Eu sou um tipo de pássaro que voa na
tempestade

Mas se você realmente quer isso
E eu só consigo cantar
Vou cantar uma canção para um tempo
melhor pra todo mundo
Eu tenho asas feitas de aço
Eu não posso ficar com você mas eu vou
Eu posso voar pra longe
Eu posso tocar o céu e ficar
Como um passarinho triste, eu posso
esquecer esses dias

Nos céus e nuvens
Eu escondo meus sentimentos
Até que eu esteja forte o suficiente para
lutar contra a queda-d'água
Eu sei que você é orgulhosa
Mas eu te mostro esses significados
Eu só espero que você esteja aqui quando
ouvir meu chamado

A letra em si não diz nada. Escolhemos as palavras que achávamos mais bonitas, como *rainstorm*, *fly away* e *waterfall*. Ela também continha muito mais erros de inglês originalmente, mas foi sendo aperfeiçoada com o tempo.

Gravei a música, só voz e violão e, depois de apenas uma tarde conversando, mandei a música pra Kimberly, dizendo que tinha feito pra ela. Ainda mandei um "*Love you*" no final. Ela não só acreditou, como ficou emocionada com a homenagem tão rápida.

É bom deixar claro que depois eu me arrependi de ter feito isso. Mas era assim que eu estava lidando com a situação. Enviei a mesma música para outras meninas que conheci na internet, e também toquei ao vivo para outras. E sempre funcionou. Então só ajudou a fortalecer a ideia de que era melhor ser esse "conquistador barato" de "Sad Little Bird" do que o poeta sincero de "Aprender a Voar".

Compartilhei esse pensamento com um amigo que eu tinha acabado de conhecer no chat de música do Zaz, que eu continuava frequentando. Ele entrou lá perguntando "Quem aí tem ICQ?", e, como eu tinha pouquíssimos conhecidos brasileiros na ferramenta, mandei o meu número (cada usuário tinha um número para localizar os conhecidos. O meu era 5807339. Pode me procurar lá, se o serviço ainda existir). Ele me adicionou e começamos a conversar. Em certo momento, acabei contando pra ele a história da balada que eu tinha escrito para conquistar garotas, e enviei a música pra que ele ouvisse. Ele curtiu e me recomendou algumas baladas do Whitesnake, banda da qual ele era fã, mas que eu não conhecia muito. Ele parecia ser legal. O nome dele era Snakebite.

Uma curiosidade sobre o método de composição dos Schuzz. O Vinicius compunha vários riffs, um atrás do outro. Gravava ou anotava os acordes num papel e dava o nome de qualquer coisa que estivesse na frente dele. Tinha três riffs, por exemplo, que ele compôs na sequência e chamou de Huguinho, Zezinho e Luisinho, porque estava olhando para um exemplar do *Manual dos Escoteiros Mirins*, da Disney. Então, quando estávamos tocando juntos, usávamos esses nomes para relembrar a composição que queríamos trabalhar: "Toca o Huguinho de novo".

Um desses riffs mais completos, que o Vinicius fez inteiro, com partes A, B e melodia, se chamava "Pão Light", porque ele compôs na cozinha e a família dele procurava se alimentar com produtos de baixa caloria. O Cláudio, que até então só tinha feito letras sacanas e sarcásticas, um dia chegou segurando um papel e, mais uma vez, surpreendendo a todos com a história de coração partido dele, disse:

– Lembra da história que contei pra vocês? Eu fiquei inspirado aquele dia e criei uma letra que encaixa direitinho em "Pão Light".

Ele pediu pro Vinicius tocar o riff e cantou no microfone a letra, que saiu redondinha, cheia de rimas internas:

PÃO LIGHT
Madrugada em Brasília o frio mata lá fora
O sol não demora e eu não quero acordar
Fico atormentado com o ritmo constante do despertador
na estante que já vai disparar

Me levanto e caminho em direção ao banheiro
E pergunto pro espelho que desculpa eu vou dar
Já tive dor de cabeça já faltei aula na terça
E eu não posso faltar

Dentro de mim reina um vazio
Me enxugo com frio.
Começo a me arrumar

Tomo café contra a minha vontade
Pois eu sei que mais tarde a fome vai apertar

Chego na escola, durmo a manhã inteira
Já é sexta-feira e eu não vou estudar
Eu só quero sair passar a noite no bar
Beber até vomitar e nunca mais levantar

E nessa hora me bate a deprê
Eu só penso em você e sei que não vai rolar
O tempo passa mas ele não me engana
Pois você Luciana é quem eu quero ficar

Quando eu saio e te encontro
Me sinto pronto pra me torturar
Joguei minha chance fora
Minha mente implora pra eu não me lembrar

E aquela flor
Quanta dor foi capaz de causar
Como eu fui otário
Chega a ser hilário se for parar pra pensar

Mas um dia eu te pego
E não sossego até esse dia chegar
Pois apesar da mudança
Você nunca se cansa de me provocar

Ficamos maravilhados com a música nova. Já gostávamos de "Pão Light" (a música, não o pão) mesmo sem letra, e agora ela estava sensacional. Um hit certo, mesmo sem refrão. O Cláudio me deu a letra, sentou à bateria e trabalhamos no arranjo. Ficou demais. Deu até a sensação de que a gente precisava gravar uma nova demo. Tocamos essa música, tocamos outras e sentimos que estávamos finalmente de volta ao ritmo da banda.

* * *

Outra coisa na minha vida que tinha perdido completamente o ritmo era a turma da faculdade. Depois dos acontecimentos na festa do Thiago, ninguém mais se falou. Paramos de sentar juntos na sala, e eu comecei a fazer trabalhos com outros grupos, o que era bem desconfortável pra todo mundo.

Até que o Thiago me procurou um dia, pedindo pra sair e conversar. Ele queria ir a um dos lugares de mauricinho que ele curtia, mas falei que tinha que ser no meu território. Fomos ao Sky's, uma lanchonete barata de sanduíches super-recheados e rodeada de pombos que ficava do lado da minha casa. Pedimos sanduíches gigantes e nos sentamos.

E aí ele começou a contar os bastidores de toda a história do nosso grupinho que eu nem imaginava. A Andressa sempre soube que eu gostava dela e, no começo, se preocupava com não parecer que estava me dando esperanças ou se aproveitando disso. Mas eu fazia as coisas parecerem tão casuais, que tudo parecia normal. E é verdade, né? Era exatamente o que eu fazia: tentava fazer tudo parecer casual. Com o tempo, ela se acomodou. Mais um ponto para os ensinamentos do Cláudio. Se você gosta de alguém, melhor falar, deixar claro. Não ficar escondendo.

Aliás, foi o que a Andressa fez. Deixou claro para o Thiago que queria ficar com ele, inclusive dizendo que ele era o "tipo" dela, alguém que curte coisas estilosas e da moda (acho que ela queria dizer coisas caras). E o Thiago a rejeitou, falando que ele era meu amigo e que faria mal pra mim se eles ficassem. Eles até brigaram. A Andressa argumentava que não era justo: ela gostava dele e ele, dela, mas não podiam ficar juntos por minha causa?

O argumento era bom, ela não me devia nada mesmo. Nem o Thiago, porque, na minha tentativa de fazer as coisas parecerem casuais, nunca falei pra ele o quanto gostava dela. Ele sabia porque era óbvio, não porque eu tinha contado. Ainda assim ele pediu que ela, pelo menos, falasse comigo primeiro, mas isso nunca aconteceu por conta de todos os preparativos para o show de Trinidad e Tobago e para a festa da Comunicação.

Ainda por cima, no meio dessa história toda, eles descobriram que a Aline queria ficar comigo. Até pensaram em interceder, tentar fazer rolar, mas não fizeram nada porque podia parecer que era só em benefício deles próprios. Falei que eu nunca tinha me tocado disso. Só percebi no final do show, quando a Aline me falou aquilo.

– Sério que você não percebeu? – ele perguntou espantado.

– Não mesmo – respondi.

– Ela estava praticamente se jogando em cima de você esses dias todos.

– Achei que era um negócio normal, de amigos. Mas eu já tinha feito isso antes. A gente precisa mesmo aprender a falar essas coisas melhor uns pros outros – respondi.

No fim era uma situação tão confusa, tão bizarra... Aline gostava de mim, que gostava da Andressa, que gostava do Thiago, que até gostava da Andressa de volta, mas não queria me magoar, e eu que nem sabia da Aline acabei por magoá-la... Falei pro Thiago que precisávamos apagar essa história, que pra mim tudo estava superado e que devíamos tentar voltar ao normal. E aí ele me contou que ele e a Andressa estavam apaixonados e namorando, mas que isso ainda não era público por minha causa. Eu achei até legal. No dia da festa, eu tinha ficado chateado, mas, ouvindo o lado dele, acho que ele fez o melhor que pôde.

No dia seguinte, voltamos a sentar todos juntos. O Thiago e a Andressa andavam de mãos dadas. Eu e a Aline voltamos a falar de música. Até contei pra ela sobre "Sad Little Bird", mostrei a letra (sem dizer que era pra ela) e contei por que ela foi composta. Ela achou engraçado. Mesmo com um pouco de constrangimento, mesmo com certa vergonha, acho que todo mundo superou o quanto gostava um do outro. Pra mim, ver a Andressa e o Thiago juntos ajudou bastante a superar a paixão, porque agora ela era a namorada de um amigo. Acho que estava finalmente tudo bem. Voltamos a passar as tardes juntos e fazer trabalhos da faculdade. As coisas estavam voltando a se encaixar. Tudo estava indo bem.

Engraçado que, com isso, "Aprender a Voar" ganhou um novo significado pra mim. Em vez de falar sobre fugir daquele lugar horrível para se conhecerem um ao outro, agora falava sobre eu conhecer a mim mesmo. E isso me deu coragem de finalmente mostrar a letra pra banda:

> **APRENDER A VOAR**
>
> Quem sabe um dia eu venha te pegar
>
> E te levar aonde você possa aprender a voar
>
> E esquecer dessa vida aqui no chão
>
> E enxergar mais uma dimensão
>
> E voar até esquecer dessa prisão
>
> E perder as raízes e a razão
>
> Um dia quando você acordar
>
> Todas estações já estarão fora do ar
>
> E não há mais tempo para decidir
>
> E não há mais tempestade pra nos impedir
>
> E não há mais mentiras pra decorar
>
> E não há mais regras pra quebrar
>
> Quem sabe um dia eu venha te pegar
>
> E te levar aonde você possa aprender a andar
>
> E esquecer dessa vida em suspensão
>
> E enxergar o que você tem na mão
>
> E andar até lembrar da solidão
>
> E ganhar coragem e coração

Eu tinha um pouco de vergonha dela, mas o Vinicius e o Cláudio gostaram. Achavam que fazia um bom conjunto com "Pão Light" e "Pixie", e fizemos um arranjo que ficou bem no estilo do Hüsker Dü, com uns licks de guitarra servindo como refrão no meio dos versos. Ficamos orgulhosos e começamos a ensaiar. Tínhamos já duas músicas novas e decidimos que dessa vez não íamos esperar tanto. Quando tivéssemos uma terceira música, gravaríamos.

E a cereja em cima do bolo foi um convite que recebemos para tocar em mais um festival no Teatro Garagem. Um pessoal que viu nosso show em

Trinidad e Tobago gostou do que fizemos e nos chamou pra ser uma das últimas bandas da noite, tocando por cinquenta minutos. Sinal de que a gente estava crescendo em importância. E seria a nossa chance de tocar as músicas novas ao vivo antes de gravar.

As coisas estavam indo tão bem que desacelerei um pouco meu projeto "conquistador barato". Parei de mostrar as músicas para as meninas dizendo que as tinha feito pra elas e esclareci a história com a Kimberly. Ela não ligou muito, e acabamos até nos aproximando mais. Começamos a passar várias tardes e noites juntos, conversando ao vivo via texto. A internet naquela época ainda não suportava conversas por voz... E telefonar pra ela custaria uma fortuna. Mas a gente mandava arquivos de áudio e fotos. Chegamos a trocar cartas, e ela até me mandou um tufo de cabelo dela pra me provar que era real. Eu mandei um pra ela também, mas achei que estava ficando sério demais. Um dia disse pra ela que só teríamos uma chance se nos víssemos, mas nenhum de nós dois tinha condições de visitar o outro tão cedo.

Achei que estava sendo maduro e correto, mas ela ficou brava e ficou sem falar comigo por um tempão. Só voltou pra dizer que estava passando muito tempo na internet e precisava ter uma vida fora do mundo virtual. Acho que esse foi o nosso término, se é que existe algo assim.

Todos esses términos e resoluções – a história do Vinicius com a Jéssica, a retomada dos ensaios para a gravação, o reinício da minha relação com a turma da faculdade, o fim do meu relacionamento via texto com a Kimberly... –, tudo aconteceu às vésperas de um feriado prolongado. A cidade inteira empacotou as coisas e foi viajar. Todas as pessoas que eu conhecia, minha família, meus amigos, todo mundo. Vinicius e Cláudio foram com mais alguns amigos para a Chapada dos Veadeiros, o equivalente brasiliense a "ir para o litoral". Eu decidi ficar em casa sozinho e curtir um pouco a solidão. Aluguei um pacote especial da Blockbuster – doze filmes em cinco dias – só com títulos de ação: *A Outra Face, Con Air, Força Aérea Um, Twister, A Rocha...* todos das prateleiras de lançamentos, e comprei uma tonelada de salgadinhos e sorvete para passar as manhãs dormindo, as tardes vendo filmes e as noites no computador: jogando SimCity, lendo *Combo Rangers* e conversando com o pessoal. Um belo período de reflexão.

Na primeira noite, conversando com a galera, surge no meu ICQ o Snakebite, com quem eu tinha falado brevemente alguns dias antes sobre a minha música "Sad Little Bird". Ele me perguntou como andava a performance da música. Contei que não a usava mais como uma cantada, que achava que a ideia tinha ficado boba demais. Ele se interessou em saber mais, a conversa avançou e eu acabei contando sobre a Kimberly, a Aline e a Andressa. A conversa fluía porque eu precisava desabafar sobre esses acontecimentos.

Quando cheguei na parte da história em que a Andressa disse que ela e o Thiago não me deviam nada, ele falou algo que me chamou a atenção:

– Eu acho que ela tá certa. Se eu estivesse no lugar dela, teria feito a mesma coisa.

Nessa hora percebi que, durante toda a conversa, em todas as histórias que eu contava, ele se identificava com as meninas. Aí, enquanto ele digitava, fui verificar o histórico de mensagens que havíamos trocado, e percebi que nunca, em nenhum momento, ele tinha dito que era um cara. Mas nada deixava claro que era uma menina. O nickname Snakebite podia ser qualquer coisa.

Então pensei que precisaria fazer perguntas que me dessem uma pista. Precisaria ser sutil. Precisaria controlar os caminhos da conversa para que ele, ou ela, demonstrasse com que gênero se identificava. Talvez induzir a usar um pronome ou um adjetivo. Só precisaria ser cuidadoso para não levantar suspeitas. Precisaria de um plano calmamente desenvolvido...

– Peraí. Você é um cara ou uma garota? – perguntei, passando por cima do plano.

– Hahahahaha! O que vai fazer você acreditar na minha resposta agora?

– Vou fazer algumas perguntas. Se demorar pra responder, é porque é mentira. Mas você não teria por que mentir.

– Ok, manda!

– Meu nome verdadeiro é Gustavo. Qual é o seu?

– Patricia – respondeu na hora.

– Ok, eu acho que foi rápido o suficiente. Sem mais perguntas.

Fui sincero na minha avaliação. Acho que, se fosse um cara, ele não mandaria um nome tão rápido. Achei também que ficar tentando avaliar não ia levar a nada. Depois da história com a Kimberly, que eu já não deixei ir muito longe, eu não tinha nenhuma intenção de ter um relacionamento profundo na internet, então, o fato de ela ser uma garota não mudava muita coisa. Se ela era só uma amiga, eu devia poder tratá-la como trataria um amigo, sem sentimentos, nem nada assim.

E foi o que aconteceu. A gente conversou madrugada adentro, até amanhecer. Contei detalhes de todas as histórias desde o início das aulas da faculdade. Contei toda a história bem-sucedida dos Schuzz. Foi quase uma sessão de terapia sem medo de ser julgado por como eu me sentia, por como eu achava que as outras pessoas se sentiam. A Patricia era uma boa ouvinte e fez comentários legais:

– Se a gente tivesse se conhecido meses antes, eu te ajudaria a conquistar essa menina. Não acho que seria difícil.

– Como assim?

– A primeira coisa é uma questão de confiança. Você deve ser um cara legal e bonito, porque, quando não se esforça, as meninas gostam de você, como é o caso da Aline e da Kimberly.

– É, mas essa é a ironia, né? – eu disse.

– Não é ironia. É porque você mesmo se coloca numa posição abaixo da garota de quem gosta. Aí ela percebe você assim também, menor. A culpa é toda sua na verdade.

Eu ia ter que dormir com essa. O Sol já estava alto, ela precisava sair da internet e eu também. Mantive minha programação espiritual do feriado em dia. Acordei às 15 horas, comi Sucrilhos com sorvete e Cheetos. Assisti a dois filmes estrelados pelo Nicolas Cage e uns outros dois que deveriam ter sido estrelados pelo Nicolas Cage. A internet só ficava disponível depois da meia-noite, quando uma ligação de um minuto ou de seis horas custava a mesma coisa. Quando voltei, minha amiga Snakebite estava lá.

Passamos mais uma madrugada conversando. Ela me contou que morava em São Paulo e era estudante de Direito, mas não queria falar muito sobre a vida dela, o que ainda me deixava na dúvida sobre a sua verdadeira identidade. Mas estava me importando pouco com isso, porque a conversa era realmente legal. Ela ficou fascinada com toda a história dos Schuzz. Eu mandei um trecho de "Pão Light" gravada em voz e violão pra ela ouvir. Apesar de já ter ido a grandes shows que rolavam em São Paulo, ela não conhecia ninguém que tinha banda, e poder conversar sobre isso, ouvir uma música e saber a explicação da letra era novidade pra ela. Mas o que ela curtia mesmo era falar sobre relacionamentos. Em certo momento, ela começou a se divertir fazendo planos para eu reconquistar a Andressa:

– A primeira coisa que você tem que fazer é mostrar que não está preocupado. Você gostava dela, ok, mas não rolou e você já superou.

– Eu fiz isso. Eu realmente já superei, aliás. Acho que as coisas voltaram a ser como era antes – retruquei.

– Esse é o problema. Antes você gostava dela. As coisas mudaram. Se agora ela é sua amiga, trate ela como sua amiga. Se tiver alguma outra garota na sala de quem você gosta ou que acha bonita, fale pra ela. Você vai ver.

– Eu não vou fazer isso. Ela está namorando com meu amigo, e eu quero que eles sejam felizes.

– Se você pensar bem, foi isso que você fez o tempo todo com a Aline, e olha o resultado.

Foi legal ver as coisas sob uma perspectiva feminina. E foi melhor ainda poder conversar sobre toda essa fase que estava se encerrando. Passei o domingo vendo filme, ouvindo música, tirando novas músicas no violão. Funcionou mesmo como um retiro espiritual, e eu voltei renovado para as aulas na segunda.

O fim de semana dos meus amigos não havia sido tão tranquilo. O Thiago e a Andressa tinham ido fazer sua primeira viagem de casal e algo dera errado, porque eles voltaram sem se falar, colocando a mim e a Aline em uma situação difícil. Então decidimos nos dividir: eu passaria o intervalo com o Thiago, a Aline com a Andressa. No final da aula a gente trocaria.

– Cara, a Andressa é impossível. Você escapou de uma boa. Ela não topa nada do que você fala. Dei um vestido de presente pra ela, e ela odiou! Era um presente, caramba! Ela ficou falando que eu queria mudá-la. E ela é muito ciumenta. Cada minuto que eu passava longe dela virava um interrogatório depois – lamentou Thiago, enquanto comia vorazmente um salgadinho da cantina.

Decidi que não ia tomar partido.

– Isso é normal, vocês estão se conhecendo. Essas coisas se ajeitam – tentei amenizar.

– Acho que não, cara. Acho que esse namoro vai acabar logo.

Me concentrei no meu próprio enroladinho de salsicha e fiquei só dando apoio moral. No fim da aula, foi a vez de ouvir a Andressa reclamar.

– O Thiago quer controlar tudo. Como eu me visto, como eu me porto, o que eu falo. Nada está bom pra ele. Ele fica querendo que eu use vestidinhos e sandalinhas igual as mulheres da família dele. Durante a viagem, ele sumia por vários momentos e depois reaparecia, do nada. E aí eu perguntava onde ele tinha ido, e ele ficava uma fera...

Ok, as histórias pareciam bater. Resolvi adotar a mesma estratégia e só dar apoio moral.

– Vai ficar tudo bem. Vocês vão se entender.

– Tomara – ela disse. – E você? Como foi o fim de semana?

– Conheci uma menina aí. Foi bem legal.

– Sério? – ela perguntou, meio preocupada.

– Sério! Por quê?

– Por nada! Que legal! Como ela é?

Eu mudei de assunto, mas fiquei lembrando do que a Patricia tinha falado. À noite, contei pra minha nova amiga o que havia acontecido.

– Tá vendo? Eu falei! Agora você tem que mostrar o que ela perdeu. Ainda mais brigada com o namorado... Como ela se veste normalmente? – perguntou.

– Sempre a vejo de calça jeans e camiseta, ou então de roupa esportiva. Sempre de tênis. Ela nunca usa vestido, salto alto, nem nada assim. É bem a cara do Thiago fazer o que fez. Ele curte meninas mais patricinhas.

– Ei! Patricinha é você!

– Desculpa! Nem me toquei. Qual é o termo correto?

– Pode falar patricinha, eu não ligo. Eu tava brincando. Mas, voltando ao assunto, elogie a roupa da Andressa que o Thiago não gosta. Ela vai ver que perdeu um cara que a enxerga como ela é.

– Eu não quero mais fazer estratégia com ninguém. Quero que eles se entendam e sejam felizes. Vamos falar de música.

E assim fizemos. Ela me contou que, além de Whitesnake, era fã de vá-rias bandas de heavy metal e hard rock dos anos 80 e 90. Def Leppard, Bon Jovi, Mötley Crüe, Guns N' Roses, Skid Row, Europe e Journey. Me deu várias dicas de discos para ouvir e que música ouvir de cada banda. Falei das coisas que eu ouvia e que ela ouvia muito pouco: Nirvana, Ramones, Pixies, Faith No More, Blur, Hüsker Dü, Sonic Youth, Radiohead, Weezer. A conversa vi-rou um supertrunfo de bandas, com a gente tentando sempre trazer mais um disco, mais uma música, mostrar o que mais conhecia. Ela começou a falar de grupos mais obscuros dos anos 80: Quiet Riot, Cinderella, Firehouse. Eu falei das bandas alternativas brasileiras: Pato Fu, Little Quail, Maskavo Roots. Em comum, a gente tinha os clássicos: The Doors, Led Zeppelin, Eric Clapton, Aerosmith. Passamos uma madrugada inteira trocando figurinhas e nós dois tivemos que ir pra aula sem dormir na manhã seguinte. Foi a pri-meira de várias manhãs que eu passaria dormindo em cima da mesa na sala de aula por conta de uma madrugada de papo com a Patricia.

Vinicius e Cláudio também voltaram com os ânimos renovados da via-gem que fizeram para a Chapada dos Veadeiros. Nos reunimos antes do en-saio para o show no Teatro Garagem, para eles me contarem como havia sido o "grande encontro de bandas de Brasília". Todo mundo testando seus limites de sexo, drogas e rock 'n' roll, como era normal nesses feriados na Chapada, e parecia que o Vinicius estava se recuperando do episódio da Jéssica. Ela estava lá também, mas eles não se falaram.

Quando começamos a ensaiar, percebemos que a gente precisava preencher cinquenta minutos de show e que ia dar pra tocar muita coisa. Decidimos tocar dois covers: "Smells Like Teen Spirit", pra abrir, como da outra vez, e "Hey", dos Pixies. Seria legal a experiência de tocar uma música mais lenta no palco. De resto, tocaríamos as nossas músicas, inclusive "Pixie" e as novas "Aprender a Voar" e "Pão Light", que não tinha nome definitivo ainda e nunca teria.

Eu estava preocupado com a ideia de tocar "Aprender a Voar" no palco. A Andressa provavelmente estaria lá, e eu tinha dúvidas se falava ou não que tinha feito a música pra ela. Por um lado, eu queria encerrar a história de uma vez por todas. Por outro, achava legal poder mostrar que ela havia me inspirado bem antes de eu conhecê-la de verdade. Era uma história bacana.

Resolvi pedir a opinião da Patricia.

– Acho que você pode dizer. Se você fizer as outras coisas que falei e, no final, dedicar a música pra ela, pode se preparar para ela querer ficar com você.

– Eu não quero isso. Quero que ela se dê bem com o Thiago.

– Aí é você quem decide.

A conversa com a Patricia já era parte da minha rotina diária, mas tentávamos limitar um pouco os horários, porque estava nos atrapalhando na faculdade. A mim muito mais; ela só tirava notas boas.

– Direito é só saber interpretar as leis. A gente pode fazer as provas com os códigos na mão. Tirar menos que 10 é burrice ou preguiça.

Ela estava no quarto ano.

Com essas conversas diárias, acabei contando toda a minha vida pra ela. Então, ela já tinha uma opinião bem formada sobre o meu jeito de fazer as coisas. Pra cada situação, discutíamos o que eu devia ter feito, quais teriam sido as consequências e chegávamos a um acordo sobre o que era certo e errado. Eu falava que devíamos fazer um programa de TV: *O Grande Tribunal da Vida do Guga*.

"Hoje vamos discutir o episódio em que Guga fica a madrugada toda fora de casa sem avisar a sua mãe. Quão errado foi isso? Saiu barato para ele? Como ele deveria ter sido punido? Como ele deveria ter reparado a situação? E, finalmente, chegaremos a nosso parecer final sobre a situação!"

Também falávamos de coisas leves, coisas que eu tinha acertado ou em que merecia mais reconhecimento. Concordávamos bastante, mas, quando isso não acontecia, sabíamos argumentar sem virar uma discussão.

Vou dar um exemplo: contei para a Patricia que, uma vez, eu e Bárbara terminamos o namoro durante a festa de aniversário de 15 anos de uma amiga. A história foi a seguinte: mais ou menos depois de uns seis meses de namoro, as coisas entre a gente estavam um pouco chatas – era quase que uma obrigação –, e a Bárbara foi convidada pra essa festa, que teria todos os rituais: vestidos, bolo, baile... E, como era muito amiga dessa garota, ela se envolveu no processo. Mandou fazer vestido, fez maquiagem e cabelo no salão. E insistiu para que eu usasse "roupa social", que nos anos 90 consistia em mocassim, calça jeans preta desbotada, camisa branca de gola rolê e blazer. Eu não tinha dinheiro para comprar essa roupa ridícula, nem a menor vontade. Mas pra ela era importante. Ela fez o que pôde, até pegou roupas emprestadas com os primos, o que só fez eu me sentir pior. No fim, acabei indo à festa, mas num clima tão horrível que a gente brigou no minuto em que chegamos lá. E resolvemos terminar o namoro ali mesmo. Ela passou o resto da festa sozinha. Eu fiquei jogando futebol com uma molecada que arranjou uma bola e uma quadra, já que a festa era num clube. Na semana seguinte, a gente conversou e reatou. Percebemos que ainda nos gostávamos muito, que era importante ficarmos juntos e que os dois dias que havíamos passado separados tinham sido ruins o bastante. Só não podíamos deixar nossa relação virar uma tarefa, uma obrigação, como ir à escola. Foi bom, ficamos mais fortes depois disso.

Contei essa história inteira para a Patricia numa das conversas diárias por texto. E aí ela apontou os momentos em que eu tinha errado. Se a Bárbara era minha namorada, eu tinha que ser companheiro nas coisas importantes pra ela. Ela também achou que eu podia ter verbalizado melhor como me sentia diminuído por não ter grana para as roupas e como ela pedir peças emprestadas me fez me sentir ainda pior. Argumentei que, justamente por ser algo constrangedor pra mim, ela podia ter sido mais sensível, e a Patricia concordou. Eu mesmo disse que podia ter deixado a festa passar e, se fosse terminar, poderia ter feito na semana seguinte, o que a Patricia concordou. Ambos concordamos que jogar futebol com a molecada em uma festa de 15 anos usando gola rolê e blazer foi a coisa mais ridícula que eu poderia ter feito e nunca mais deveria ser mencionada (exceto agora, nesta história, mas é para fins educativos).

Foi assim, falando de episódios muito específicos da minha vida, que a gente foi se entendendo, entrando num acordo sobre como as coisas deveriam ser.

O que faltava era falar um pouco dela. Sempre que eu perguntava, ela era evasiva, dando uma resposta engraçadinha ou sarcástica. No começo eu não ligava, estava satisfeito em ter alguém pra conversar. Mas, à medida que os papos foram ficando mais profundos – eu estava revelando a minha vida toda –, comecei a pressioná-la um pouco para se abrir também. No entanto, percebi que não era algo fácil pra ela.

– Sei que é justo você querer saber coisas sobre mim, mas não dá mesmo pra falar muito. Não é que eu não queira que você saiba. É que eu não tenho privacidade. Aqui em casa as coisas são complicadas, e eu posso ter um monte de problemas por isso. Pode inclusive acabar impedindo a gente de se falar – explicou um dia.

Depois, de um jeito muito lento e discreto, ela passou a me dar pistas do que realmente acontecia: "Eu moro com a minha mãe e meus dois irmãos, e ajudo a cuidar deles"; "Só saio de casa pra ir pra aula e buscar meus irmãos na escola. Não dá pra fazer mais nada"; "Seus amigos foram viajar? Eu jamais conseguiria isso, não dá pra deixar minha mãe sozinha aqui"; "Minha mãe está no telefone, e eu ouço tudo que ela diz. É impossível falar qualquer coisa nesta casa sem todo mundo ouvir".

Com essas e outras frases similares que surgiam no meio das conversas, entendi que a vida na casa dela era bem rígida. Na época, existia um estigma de conhecer pessoas na internet. Era como se fosse uma terra de ninguém. E, por isso, ela tinha uma ordem de não dar nenhuma informação: telefone, endereço, nada. Tudo era vigiado, ela não tinha privacidade quase nenhuma, exceto, talvez, por texto no chat ao vivo do ICQ – afinal, era um computador só pra casa toda.

Ou podia significar que ela não era quem dizia ser. Essa dúvida sempre pairava, ainda mais que, como ela havia se tornado uma constante na minha vida, todos os meus amigos já sabiam da nossa relação. Existia até uma piada na qual a Patricia era o Pablo Prado disfarçado, então por isso ela não podia falar comigo ao telefone, porque eu perceberia no momento que ela me chamasse de Gustavom.

Contei isso pra ela, que não levou na brincadeira:

– Vamos fazer assim. Eu vou te dar meu telefone. Vou te dar dois.

Ela escreveu e postou dois números de telefone. Anotei imediatamente.

– Só que tem uma condição, você não pode me ligar. Se me ligar, vai acabar com a minha vida. Então, agora estamos no mesmo barco. Nós dois temos a capacidade de ligar, porém, sabemos que não podemos.

Fiquei sem saber o que fazer. Não ia ligar pra ela nessas condições. Mas se a ideia era me fazer parar de pressionar, funcionou. Se ela podia se prejudicar assim só de eu ligar e mesmo assim tinha me dado o número, então era porque provavelmente era tudo verdade. Pelo menos não consegui pensar em outra alternativa na hora.

– Bom, aqui está o meu telefone. Se um dia você estiver em um lugar e tiver um telefone com o qual se sinta segura pra me ligar, me liga. Pode ser a cobrar. Nem que seja só pra gente falar um pouco. Seria legal. Mas, se não der, tudo bem.

E estava tudo bem mesmo. Eu estava feliz com as coisas como estavam. Feliz de ter com quem conversar, e ela era a pessoa mais legal para isso, tanto quando a gente concordava, como quando discordava. Não precisava ir além disso. Se ficasse assim pra sempre seria ótimo.

Eu, Cláudio e Vinicius passamos o fim de semana nos preparando para o grande show do Teatro Garagem. Tocamos todas as músicas e escolhemos com cuidado a ordem do repertório. Estávamos muito ansiosos por causa do tamanho do show. A apresentação de Trinidad e Tobago encheu, foi bem organizada, com boa luz e bom som, mas era uma festa. A gente era só uma pequena parte. O primeiro show no Teatro Garagem estava lotado e todo mundo pulou, mas foram apenas vinte minutos e tinha oito bandas depois da gente. Agora seriam cinquenta minutos! Seríamos a penúltima banda a subir no palco. Seria o nosso maior show. O nosso GRANDE show. Tínhamos mais de cem fitas demo prontas para serem vendidas. Seria épico.

Eu nem queria, mas tive que ir pra aula no dia porque tinha uma prova. Encontrei a Andressa logo cedo querendo conversar. Ela e o Thiago tinham finalmente terminado, depois de longas semanas só brigando.

– A gente tentou o máximo que deu. Não dá mais. Acho que a gente é parecido demais, mas não se encaixa.

Engraçado ela dizer isso, porque cada vez mais eu achava a mesma coisa.

– É bom que eu posso voltar a usar minhas roupas preferidas, das quais ele não gostava – falou, mostrando uma camiseta branca com um mosaico colorido que ela sempre usava antes de eles namorarem. Ela estava de calça jeans e tênis de corrida.

– Eu gosto dessa camiseta – falei, com alguma indiferença.

Ela sorriu e me encarou por um segundo.

– Você me entende melhor do que ninguém!

Me abraçou e me deu um beijo no rosto. Uma coisa que eu não contei aqui é que eu e Andressa nunca trocávamos beijos no rosto. Talvez fizéssemos isso bem no começo das aulas, quando nos conhecemos. Eu cumprimentava todas as outras meninas dessa maneira, e ela também, todas as outras pessoas, o que era a norma social. Amigos se cumprimentam com beijos no rosto. Mas em algum momento, no período em que eu gostava dela, isso ficou meio constrangedor e a gente simplesmente parou. A gente dava *high fives*, o que era mais constrangedor ainda, mas acabou ficando assim. Até esse dia.

Eu não falei nada, o que era a coisa certa a fazer. Só pedi pra ela não faltar ao show. Disse que teria algo especial e queria que ela visse.

– Não vou faltar de jeito nenhum. Quero te ver.

Fiquei sentindo esse beijo no rosto a manhã inteira e pensando no que a Patricia tinha dito: "Elogia a roupa dela que o Thiago não gosta". Elogiei sem querer e aconteceu exatamente o que ela falou. Caramba! Decidi finalmente dedicar a música pra ela no show. Seria minha forma de retribuir o gesto.

No fim da tarde, arrumei minhas coisas e fiquei parado no meu quarto, olhando pela janela, esperando dar a hora de ir para o Teatro. Estava tudo pronto, não tinha nada mais a ser feito. A ansiedade estava alta e eu tentava me acalmar. Quando alguém gritou o meu nome e eu dei um pulo:

– Gustavo! Telefone pra você.

Andei até o aparelho que ficava na sala e atendi despretensiosamente. Imaginei que devia ser o Cláudio ou o Vinicius com alguma questão de último minuto.

– Alô.

– Oi, aqui é a Patricia. Que legal ouvir sua voz ao vivo!

Fiquei completamente paralisado. Nem sabia o que dizer.

– Oi... tudo bem?

– Eu não tenho muito tempo, mas queria ligar pra você poder ouvir minha voz e ver que eu existo de verdade!

Ela tinha uma voz bem bonita. E falava com um sotaque paulistano carregadíssimo também (e muito bonitinho), que, claro, era impossível perceber por texto. Ela parecia estar na rua, provavelmente em um telefone público.

– Que legal que você ligou! Onde você tá?

– Eu tô na rua, vim buscar meu irmão um pouco mais cedo e consegui parar o carro pra te ligar. Queria te desejar bom show. Espero que seja incrível!

– Que legal! Queria que você estivesse lá.

– Eu também. Preciso ir agora! Um beijo!

– Beijo! Tchau!

E foi isso. Foi rápido, mas me valeu o dia.

Voltei pro meu quarto e escrevi uma música pra ela. Era uma música muito feliz, muito diferente do que eu costumava fazer. Acabei não conseguindo completar porque tive que sair para o show.

Fui andando até o teatro, como fazia nas primeiras vezes com o Rodrigo e o Filipe. Chegando lá, me deu aquele mesmo frio na barriga, mas agora por motivos diferentes. Antes era a vergonha de encontrar os adultos e a sensação de não pertencer àquele lugar. Agora era o orgulho e a ansiedade de tocar pra todos eles. De ser parte de uma das atrações principais. Sentei pra comer com o tio do cachorro-quente, que preparava os lanches na caçamba de uma caminhonete Pampa preta. Depois da minha família, esse era provavelmente o cara que mais tinha jantado comigo na minha vida. Conversei um pouco com ele e falei sobre como seria a noite. Ele me desejou sorte. Passei pela bilheteria só pra falar que eu era um dos músicos. O cara me desejou um bom show também. Entrei pelo lobby do teatro (que era verdadeiramente uma garagem) e pela arena vazia. Fiquei ali por um tempo, imaginando aonde aquilo tudo tinha chegado. Cláudio e Vinicius chegaram logo depois. Trouxeram pastilhas pra garganta e me proibiram de tomar água gelada, o que foi um pouco carinhoso e um pouco sacana também. Fomos para o backstage e ficamos lá conversando entre a gente, depois com as outras bandas que foram chegando. Quando saímos pra ver a primeira banda tocar, a casa já estava lotada. Saímos para encontrar os amigos que estavam lá fora. Aline estava lá. Andressa e Thiago também, mas não juntos. Jéssica compareceu, mas não falou com o Vinicius. Nando e Filipe foram e estavam orgulhosos de me ver ali. Nossos amigos do SRM e do Mr. Moustache também estavam lá. Até o Pablo Prado foi, só pra ver a gente.

Quando chegou a nossa vez, já tinha uma galera gritando nosso nome. Subimos no palco e o Vinicius soltou os acordes de "Smells Like Teen Spirit", que fez todo mundo descer das arquibancadas e pular no mosh que se formou na frente do palco. Continuamos com as nossas músicas, e até víamos algumas pessoas cantando junto. Todo mundo agitando até chegar na parte mais lenta do show. Estávamos preocupados se a música mais lenta faria o pessoal debandar da pista.

Quando dei o grito inicial e comecei as primeiras notas de "Hey" no baixo, a galera ficou em silêncio absoluto. Ninguém se moveu, todo mundo ficou parado até o final, cantando junto. Foi lindo. Antes de começar "Aprender a Voar", que também começava só no baixo, falei:

– Fiz esta música para uma menina quando eu nem a conhecia. A música fala sobre aprender, e eu aprendi muita coisa com ela. Andressa, essa música é pra você.

Procurei seu rosto na multidão enquanto falava, mas não consegui encontrar. Cantei um pouco nervoso, porque nunca tinha feito algo assim antes, mas cantei e toquei direitinho. O som do baixo estava incrível, a bateria estava precisa e o som da guitarra fazendo os licks no meio do verso estava maravilhoso. Enquanto todo mundo aplaudia, o Cláudio já entrou com a virada de bateria que inicia "Pão Light". Soltei a voz, porque a música é bem aguda. Mas era a última, então podia. Terminamos o show com muitos *high fives* da plateia e distribuindo palhetas.

Depois de nos abraçarmos atrás do palco, comemorando o grande show, saímos no meio da plateia. Várias pessoas vieram me cumprimentar: "Que show foda!", "Melhor versão de Pixies que eu já ouvi", "Que foda o momento em que você dedicou a música para a menina". Ter o reconhecimento dos amigos é incrível, mas ter o reconhecimento dos anônimos e, ainda assim, com elogios tão específicos, foi muito mais do que a gente podia esperar. E, claro, todo mundo pedia para comprar as demos, que esgotaram em minutos.

Fui atrás da Andressa. Não tinha um objetivo nem esperanças, nem a fantasia de que algo ia rolar entre nós. Só tinha a curiosidade de ver o efeito que eu havia causado ao dedicar uma música explicando, no ápice de um show lotado, que a tinha composto pra ela. Queria saber como ela se sentira, como fora ter esse momento especial. Fiquei andando pela casa lotada.

No caminho as pessoas paravam, me cumprimentavam pelo bom show, me abraçavam. Eu não queria ser rude com ninguém, tentava dar atenção, mas estava focado em achá-la, esticando o pescoço para encontrá-la. Rodei por todos os lugares, até nos banheiros. Saí do teatro, procurei lá fora, e nada. Quando voltei, acabei esbarrando com a Aline e perguntei por ela.

– A Andressa foi embora no meio do show. Estava ficando tarde, tem prova amanhã e ela não quis ficar até o final. Mas eu vi o que você falou, foi lindo – respondeu.

Ela me abraçou, um pouco celebrando e um pouco me consolando.

Eu, Cláudio e Vinicius não tínhamos nenhuma condição de ir pra casa dormir. O show havia acabado e todo mundo tinha ido embora. Carregamos nossos instrumentos para o carro e não tínhamos pra onde ir. Só nos restava um lugar: os gramados do Congresso Nacional.

Estacionamos o carro e nos encostamos no capô. Começamos a conversar sobre tudo que tinha rolado naquela noite. O show incrível, a venda de todo o estoque de fitas... E já pensávamos em gravar a próxima. Contei pra eles a história da Andressa e tudo o que tinha acontecido. Eles me consolaram:

– Ela não tinha como saber que você ia dedicar uma música pra ela no final do show – disse o Cláudio. – E ela nem curte muito essa cena, né? Foi até lá por você – contemporizou Vinicius.

Ele estava certo. Ela não curtia mesmo. Na verdade, tínhamos poucos gostos em comum. Ela gostava de algumas bandas e dos Ramones, mas nem de longe música era algo importante pra ela como era pra mim. E, em todo o resto, éramos diferentes. Ela gostava de coisas caras. Gostava de histórias da alta sociedade, como as do Pablo Prado que criava cavalos. De caras de camisa polo pra dentro da calça. De festas chiques e sofisticadas, como a de Trinidad e Tobago e a da Comunicação. Não que houvesse algo errado nisso, mas a verdade é que não tínhamos nada em comum. Ela era linda, boa pessoa, legal e engraçada. Tínhamos tudo pra ser amigos, e pra sempre, mas ela certamente não era a personagem que eu tinha inventado. Era só o corpo no qual eu havia encaixado essa personagem. Eu escrevi a música antes de sequer conhecê-la! E, mais uma vez, estava obcecado por uma garota. Uma garota que nem existia.

Cláudio e Vinicius terminaram as suas bebidas, pegaram os shapes do skate e foram descer a rampa, que estava especialmente molhada e lisa porque já era alta madrugada.

Eu fiquei sentado na calçada, encostado na roda do carro, pensando em como perdia tempo com essas bobagens. Eu não estava apaixonado pela Andressa. Estava apaixonado por uma menina imaginária, que eu tinha idealizado: alguém que gostava de punk rock e indie rock, mas também de hard rock, heavy metal e baladas. Alguém que realmente curtia a música que eu fazia e que daria tudo pra ir aos meus shows. Alguém que curtia ficar conversando por horas, tentando resolver e esclarecer uma situação. Alguém que gostava de ouvir minhas histórias e cujas histórias eu gostava de ouvir também. Alguém que encarava tudo com bom humor e como desafio. Alguém que tinha sonhos de crescer, de fazer o que ama, de conhecer o mundo... Alguém que acreditava poder viver uma vida épica, só porque estaríamos juntos.

Meu raciocínio foi interrompido por um estrondo seguido de um grito do Cláudio:

– PUTAQUEOPARIU! GUSTAVO DESCE AQUI! RÁPIDO!

Levantei e saí deslizando pela grama. Encontrei o Cláudio com cara de desespero e o Vinicius desacordado e com a perna dobrada numa posição impossível.

– O que aconteceu?

– O Vinicius passou num buraco, voou uns dois metros e caiu. Você não viu? Acho que ele bateu a cabeça!

CAPÍTULO 10

O MUNDO VIROU E ME DEIXOU AQUI

Dentre todos os praticantes de *grassboard* existentes em Brasília, nenhum era realmente bom. O Cláudio era o melhor, porque ele tinha uma habilidade incrível de se equilibrar e andava de skate, de patins, surfava... era natural pra ele. E mesmo ele não se arriscava a descer a rampa lá de cima, que tinha uns quinze metros. Descíamos a pé. Chegando na base, procurávamos um ponto menos inclinado e mais liso para, aí sim, subir de novo um terço ou até a metade, para então descer sobre o *shape*. Era muito mais um passatempo do que um esporte de verdade. Sem falar que andávamos de *grassboard* tomando cerveja. Não era pra ser radical. Não era pra dar medo. E certamente não era pra nos fazer parecer habilidosos e bacanas, porque a imagem que passava era justamente a contrária.

Então, não sabíamos o que tinha dado no Vinicius naquele dia. Talvez tivesse sido o excesso de bebida associado ao sucesso do show. Mas fato é que ele colocou seu *shape* no chão, ainda na calçada, como se estivesse no topo de um *halfpipe*, com metade dele no chão reto, e a outra suspensa sobre a rampa. Colocou um pé, colocou o outro e dropou lá de cima. Ganhou uma velocidade assustadora e, no primeiro buraco, levantou voo. Caiu com todo o peso e toda a força da gravidade sobre o pé esquerdo e rolou até o fim da rampa. Relato do Cláudio. Eu não vi a cena, e o Vinicius não se lembra.

O encontrei estatelado no chão, com o pé virado 180 graus para trás. Quando vemos cenas como essa em filmes, o corpo da pessoa está sempre todo estendido. Na vida real não é assim. Vinicius estava todo dobrado, com o rosto virado pro chão, os braços em volta do corpo depois de ter rolado desacordado por cima deles. Foi assustador. Não sabíamos o que fazer.

– A gente precisa chamar uma ambulância – falei.

– Não dá tempo pra ambulância – respondeu Cláudio. – Vou trazer o carro aqui.

Não deu nem pra argumentar. Ele correu rampa acima, pegou o carro e o embicou na grama, mas o veículo perdeu tração e desceu deslizando igual as pranchas. Por sorte, o Cláudio conseguiu controlá-lo, evitando um capotamento. Ele parou o carro ao lado do Vinicius, e ficamos pensando no que fazer. Lembramos de checar se ele estava respirando. O Cláudio colocou a mão no nariz dele e confirmou.

Ficamos com medo de mexer nele. Sabíamos que a perna estava quebrada, mas os braços e até o pescoço também podiam estar. Pensamos em fazer uma tala usando os shapes do skate e as correias dos instrumentos que estavam no carro.

Mas, antes que pudéssemos pôr em prática todo o conhecimento de resgates que tínhamos aprendido assistindo *E.R.*, *Chicago Hope* e *Baywatch*, o Vinicius acordou. Olhou pra gente, primeiro com cara de confuso. Depois de assustado. Depois de medo.

– Não se mexe, cara. Você caiu em cima da perna – disse o Cláudio, que em situações extremas consegue ficar calmo como um neurocirurgião.

O Vinicius se virou no chão e tentou se levantar. Antes que o impedíssemos, ele apoiou os braços e levantou as costas.

– Acho que eu tô bem. Mas não tô sentindo esta perna – falou.

– Você está sentindo a outra perna? – perguntei, esperançoso.

– Sinto. Acho que eu tô bem, exceto por esta perna.

E aí, como o Vinicius sempre faz, ele tomou o controle da situação. Se manteve completamente calmo o tempo todo, e nos disse exatamente o que fazer. Só obedecemos.

– Amarra a minha perna no *shape* do skate usando os extensores elásticos de bagagem que tem no meu carro. Olha se minha cabeça tá sangrando. Vê se minhas pupilas estão do mesmo tamanho. – A gente checou. Cabeça, ok. Pupilas, ok.

Como ele sabia essas coisas? Continuamos obedecendo. Depois de imobilizada a perna (com o pé ainda no sentido contrário), ele nos deu instruções de para qual hospital levá-lo e o que fazer caso ele desmaiasse de novo. Se levantou com a nossa ajuda, sem colocar o pé no chão. Avaliou por alguns segundos se não estava tonto e, apoiado nos nossos ombros, foi até o carro (que era dele), onde o colocamos com a perna esticada no banco de trás. O Cláudio dirigiu, eu fui no banco do passageiro.

Parecia que estava tudo bem. Vinicius estava calmo e conversando, tinha até ficado em pé, em uma perna só, e dizia não sentir dor. Fomos conversando e até tentando fazer piada para amenizar o nervosismo. De vinte em vinte segundos a gente perguntava se ele estava bem.

– Estou, não precisa ficar perguntando. Só quebrei a perna.

– Porra, o nome do esporte é *grassboard*, não *grasswings*. Não era pra você ter levantado voo – eu disse, tentando ser engraçado.

Ele não riu.

– Vinicius? Vinicius? – chamei, sem resposta.

– Ele está vomitando! – disse o Cláudio, parando o carro pra olhar.

Parecia que ele estava tendo uma convulsão, mas depois ele nos garantiu que não havia perdido a consciência naquele momento. A cena nos deixou ainda mais assustados, fazendo o Cláudio dirigir como um maluco pra chegar rápido ao hospital. Não tinha ninguém na rua e desrespeitamos todos os sinais vermelhos (sempre olhando antes, claro) e os limites de velocidade.

Chegando no hospital, que estava vazio, um enfermeiro ajudou a colocar o Vinicius numa cadeira de rodas. O médico de plantão veio logo atender, e a gente se atropelou todo tentando explicar que ele tinha desmaiado, batido a cabeça... O Vinicius já não estava tão controlado e sentia muita dor, porém deu mais uma instrução: "Só liguem para os meus pais se eu perder a consciência. Se estiver tudo bem, vamos ligar pra eles só de manhã, para não incomodá-los".

Você sabe que as coisas não estão bem quando faz planos para "se eu perder a consciência". Mas como era quase de manhã, concordamos. Nos revezamos no acompanhamento dos exames e na tarefa de mantê-lo acordado. Radiografaram quase o corpo inteiro do Vinicius. Pedimos insistentemente para não esquecerem de olhar a cabeça, porque, afinal, ele tinha desmaiado na queda. Mas os médicos pareciam tranquilos e nos asseguravam que estava tudo sob controle.

Só com o dia claro, e depois da mudança de plantão, conseguimos alguma informação sólida. Ele aparentemente não tinha quebrado nada além da perna esquerda. Nenhum sangramento interno e nenhum problema neurológico. A perna, no entanto, havia quebrado em três partes e ia ser preciso uma cirurgia para colocar pelo menos uma dúzia de pinos. Vinicius teria que ficar três meses sem encostar o pé no chão. A ideia era que ele nem fosse para casa.

Acho que, com a notícia de que não havia nenhum outro ferimento grave além da perna, o Vinicius ficou aliviado. Começou a fazer piada, dizendo que nós seríamos os motoristas e teríamos que carregá-lo nos próximos ensaios. Só concordamos. Estávamos tão aliviados de vê-lo falando normalmente que concordaríamos com qualquer coisa. Finalmente ele ligou para os pais dele. A gente só ouviu o lado dele da conversa:

– Mãe! Tudo bem?

– ...

– Tudo bem, sim. O show foi ótimo, tava lotado, foi um sucesso total!

– ...

– Pois é, a gente foi praticar *grassboard*, tava muito legal e acabou se alongando.

– ...

– Sim, ele falou que a música era pra menina, mas ela foi embora antes e não viu.

– ...

– Ele ficou um pouco chateado, mas tá tudo bem!

Eu e o Cláudio já queríamos arrancar o telefone das mãos dele. Fala do acidente, caramba! Mas ele continuou tendo uma agradável conversa com a mãe:

– Tocamos, sim, a música nova do Cláudio, foi um sucesso total, todo mundo agitou. Vendemos todas as demos que tínhamos.

– ...

– Então, minha ideia era dormir em casa, mas a gente teve um contratempo. Ontem, no *grassboard* eu me machuquei um pouco e vim aqui pro hospital tirar uma radiografia. Parece que eu quebrei a perna.

Esse foi o jeito mais suave que já ouvi de alguém dar uma notícia ruim pra própria mãe. Se fosse eu, teria ligado gritando. Mas parece que a maneira do Vinicius tinha funcionado, e finalizou com a voz ainda calma:

– Acho que eu preciso que vocês venham pra cá. Cláudio e Guga estão aqui comigo, mas eles precisam ir pra casa.

Em menos de meia hora os pais dele chegaram. Preocupados, sérios, mas calmos. Perguntaram se a gente estava bem e se não tínhamos nos machucado também. Não deram nenhuma bronca no Vinicius. Ficaram tentando animá-lo e falando que ficaria tudo bem. E ainda elogiaram muito a mim e ao Cláudio pelo resgate. Assim como o Vinicius, eles foram exemplares.

Fui pra casa, tomei banho e dormi, exausto. Já passava do meio-dia. Eu não lembrava mais do sucesso do show, do drama da música da Andressa, muito menos da prova da faculdade que eu tinha perdido.

Acordei no fim da tarde com o telefone tocando sem parar. Não tinha mais ninguém em casa pra atender e a pessoa que ligava não parava de insistir. Fiquei preocupado de ser alguma coisa com o Vinicius e resolvi levantar.

– Alô?

– Guga? É você?

– Quem tá falando?

– É a Jéssica. O que aconteceu com o Vinicius?

Ela parecia transtornada. Não era normal ela me ligar e dava pra perceber que ela estava nervosa e chorando.

– Ele sofreu um acidente ontem. Como você ficou sabendo?

– Liguei pra casa dele e me falaram, mas não sabiam dar detalhe nenhum. Falaram pra eu ligar pra você ou pro Cláudio! Ele tá bem? O que aconteceu?

Eu imaginava que ele estava bem, mas não tinha notícias desde o hospital. Fiquei mais interessado no fato de ela ter ligado pra ele. Isso foi surpreendente, porque eles não estavam se falando e não se falaram no show.

– Por que você ligou pra ele?

Ela ficou mais nervosa:

– Guga, pelo amor de deus, me fala como ele tá! O que aconteceu? Ele se machucou muito? Por que ele ainda está no hospital? Eu preciso vê-lo.

E nisso ela abriu um berreiro. Chorando igual um bebê, o que me deixou transtornado, porque não dá pra falar com uma pessoa chorando. Tentei acalmá-la com as notícias. Expliquei o que havia rolado e que ele precisaria passar por uma cirurgia.

– Cirurgia?! Meu Deus! Eu preciso vê-lo! Em que hospital ele está? Você pode me levar até lá?!

Eu achei que tinha que fazer o que o Vinicius faria por mim. Além de tudo, eu estava com o carro dele.

– Sim. Eu vou até aí te buscar e te levo lá. Vai demorar um pouco.

Liguei para os pais do Vinicius. Ele ainda estava na cirurgia. Sairia em breve, mas o horário de visita terminaria em duas horas. Avisei que tentaria chegar antes disso. Liguei de volta para a Jéssica, falei pra ela ficar pronta e na porta. Como ela morava muito longe e o hospital era do outro lado da cidade, não teríamos muito tempo. Saí dirigindo correndo pra buscar e levar a menina, como o Vinicius tinha feito tantas vezes, no carro dele, com cuidado para não tomar multas.

Peguei a Jéssica em casa e fomos ao hospital. No caminho, ela me contou que se sentiu mal de ter ido ao show e não ter falado com ele:

– Cara... Eu amo o Vinicius!

Esse começo já foi bem surpreendente, mas ela continuou:

– Foi o show mais importante da vida dele! E eu não falei nada! O show foi lindo! Eu cantei todas as músicas que eu sabia! E essa música nova? Eu precisava falar pra ele o que eu sentia. A gente não pode continuar não se falando...

– Foi por isso que você ligou pra ele?

– Foi! Eu acordei me sentindo horrível de ter estado lá, visto o show e a gente nem ter se falado. Era pra eu estar lá junto com vocês! Liguei pra dizer tudo isso, mas avisaram que ele estava no hospital! Que ele tinha se acidentado! Eu não sabia o que tinha acontecido!

Eu vi que o acidente estava fazendo ela se abrir, então resolvi valorizar:

– Sim, foi horrível. Ele desmaiou e estava todo quebrado no chão. No caminho pro hospital, ele vomitou e parecia estar tendo uma convulsão. Ele está na cirurgia até agora!

Ela começou a chorar de novo, agora de soluçar, um choro doído. Me sentindo culpado, tentei amenizar.

– Mas calma! Acho que foi só o susto. Ele está bem. Os médicos falaram que ele provavelmente só quebrou a perna em várias partes. A cirurgia é pra colocar os pinos. Foi feio, mas ele vai ficar bem.

Ela continuou chorando por mais um bom tempo. Acho que ela se sentia um pouco culpada. Tentei continuar a conversa, pra ver se ela se acalmava:

– Por que vocês brigaram?

Ela levou alguns segundos para controlar a respiração:

– Você não sabe?

– Eu sei a versão dele. Me conta a sua, talvez eu possa ajudar.

– Ouvi vocês conversando e falando sobre mim, e acho que eu tenho o direito de ficar ou de tentar ficar com quem eu quiser. Nem o Vinicius, nem você, nem ninguém pode querer controlar isso ou decidir por mim. Na hora, achei que era isso que ele estava fazendo.

Jéssica estava certa nos princípios dela, mas não era bem isso que tinha acontecido. Tentei argumentar e defender meu amigo, só não podia falar que ele gostava dela. Isso não tinha sido dito ainda. E era prerrogativa dele falar:

– Você tá certa, mas não foi bem isso que aconteceu. Acho que vocês precisam conversar e ser mais sinceros um com o outro.

Ela entendeu o recado. E me respondeu já bem mais calma.

– Eu sei, por isso que eu liguei. E é isso que eu quero falar com ele hoje. Você acha que a gente vai poder conversar?

– Vou tentar dar um jeito.

Chegamos ao hospital faltando apenas alguns minutos para o fim do horário de visita. Bati à porta do quarto, pedi pra ela esperar do lado de fora e entrei. Encontrei o Vinicius de camisola de hospital, com uma cara boa. Ele jantava aquela comida apetitosa de hospital que vem em vários tons de bege. Estava com a perna toda enfaixada. E ainda tinha algumas marcas de grama pelo corpo. Depois de ver que ele estava bem e apresentável, disse:

– Vinicius, você está sem cueca por baixo desse lençol?

– Estou. Por quê?

– Toma esse travesseiro aqui e põe no seu colo. Trouxe uma visita pra você.

Ele riu e sacou o que estava acontecendo. Abri a porta e chamei a Jéssica, que entrou devagar e com a cabeça um pouco baixa. Quando finalmente eles fizeram contato visual, ela correu e deu um abraço nele, quase derrubando todos os equipamentos médicos em volta.

Achei que ela ia beijá-lo ali mesmo, mas a presença dos pais do Vinicius deve tê-la inibido. Então chamei os dois para irem à lanchonete comigo. Sendo os pais incríveis que eram, toparam na hora. E foi uma boa oportunidade para eles me atualizarem sobre o *status* do Vinicius: ele colocou sete pinos na perna, sendo um no tornozelo; ficaria três meses sem fazer esforço e sem pôr o pé no chão; teria que fazer fisioterapia e outra cirurgia, no futuro, para tirar os pinos. Mas fez todos os exames possíveis e não tinha nenhum outro osso quebrado, nem qualquer problema neurológico.

Voltei pro quarto pra me despedir do Vinicius e começar a longa viagem de volta com a Jéssica. Observei os dois se despedindo e não rolou beijo nenhum. Na volta, a Jéssica se abriu mais comigo:

– Sei que parece a desculpa mais comum de todas, mas eu amo demais o Vinicius como amigo. Ele é o cara mais legal do mundo, o único cara que me entende, e minha vida ficou muito melhor depois que ele apareceu. E sei que eu não tenho nenhuma maturidade pra ficar com ele. Sei que vou ficar de mau humor, que vou ser mimada, que vou desmerecê-lo em algum momento e vou perdê-lo pra sempre. E não quero isso. Não é fácil, porque eu o acho um gostoso, adoro seu cabelo, adoro suas músicas e vê-lo tocar. Por isso eu quis ficar com ele naquele dia do show do Teatro Garagem, mas ele não quis porque eu estava muito bêbada. Acho que foi bom ele ter feito aquilo. Porque eu já teria estragado tudo.

Isso explicava muita coisa. Engraçado que sempre que ouvimos a frase "gosto de você como amigo", achamos que é algo relativo à aparência, à atração física. E com ela não era isso. Era mais uma questão de insegurança que ela sentia em relação a si mesma. Jéssica era muito mais novinha e fazia sentido não se sentir preparada para algo mais sério. Era triste, mas como eu disse outras vezes aqui... *Love stinks.*

Ela ainda acrescentou que conversou sobre isso com o Vinicius no pouco tempo que estiveram juntos no hospital. E ele já estava decidido a não ficar com ela de jeito nenhum também, porque achava que não era uma situação boa pra isso. Ia parecer que era por pena, por ele estar de cama. Falou para eles esperarem ele voltar à ativa e, até lá, não falar mais no assunto. Acho que eu finalmente estava entendendo que o conceito de ser uma pedra era bem mais profundo.

Deixei a Jéssica na casa dela e voltei pra minha. Ainda com o carro do Vinicius, ouvindo a discografia completa dos Pixies, dirigindo à noite sem saber aonde chegar, olhando as luzes dos postes que insistiam em passar. Eu tinha entendido o lado da Jéssica, apesar de achar que ela estava errada. A pessoa com quem você quer ficar junto tem que ser sua amiga. Tem que ser a pessoa com quem você divide tudo, uma pessoa que te conhece. Isso não é arriscar. É garantir. Arriscar é ficar com alguém que você quer moldar, que você quer que aceite e interprete uma personagem, que era o que eu fazia com a Andressa. Também um pouco com a Bruna. Ficar com alguém com quem você conversa, que sabe tudo que você pensa, que sabe discordar de você e, ainda assim, entrar num acordo... Essa é a garantia de que esse é um relacionamento que pode dar certo, que tem futuro. Arriscar é ficar com alguém que você não conhece. De quem você não gosta. Ou que você idealiza.

Ao longo desse tempo acompanhando a história do Vinicius e da Jéssica, eu sempre me identifiquei com o Vinicius. O cara que gosta de uma garota que só quer ser amiga dele. Mas, agora, eu estava me vendo mais como a Jéssica: tendo alguém que tem tudo que eu sempre procurei. Tudo que eu sempre idealizei numa pessoa, mas que tentava enquadrar na garota bonita com camiseta de banda de rock. Tudo pra ser a pessoa perfeita na minha vida. Mas em vez de tentar fazer o relacionamento com essa pessoa avançar, eu, assim como a Jéssica, criava regras pra impedir isso. Se eu achava que a Jéssica estava errada, por que então eu estaria certo?

Você já deve saber que eu não estou falando da Andressa. A Andressa era uma menina linda, uma pessoa legal e uma companhia incrível. Mas não era a pessoa que eu idealizava. Não era a personagem que eu inventei quando a conheci no Colégio Península.

Essa pessoa estava escondida atrás de um monte de mensagens de texto, de um monte de conversas sobre rock, sobre relacionamentos, sobre a vida e sobre detalhes envolvendo tudo isso. Essa pessoa estava na minha vida em todas as últimas noites e madrugadas e me entendia em tudo. E eu entendia tudo dela. E ela estava naquele telefonema de ontem antes do show. Uma pessoa que eu nunca tinha visto nem sabia como era. Só sabia que o nome dela era Patricia.

CAPÍTULO 11
AMANHÃ ELA VAI EMBORA

Nesta história toda existem duas pessoas no controle da situação. Uma é o Guga emocional, que está sempre apaixonado, sempre em busca da menina ideal com quem vai casar e viver o resto da vida, como se fosse um Hugh Grant juvenil fadado a ser feliz para sempre, e não importa o quanto ele seja meio pateta e, às vezes, até babaca. Outra é o Guga racional, que geralmente chega para limpar a bagunça que o Guga emocional fez. No entanto, agora, os dois estavam confusos, porque, embora parecesse que o Guga racional estava no controle, ele tinha passado a agir como o Guga emocional.

Esse foi o dilema depois dessa epifania. Por um lado, fazia todo sentido. A Patricia era, sem fazer nenhum esforço, tudo que eu sempre quis numa menina. Nunca fora tão fácil gostar de alguém. E, verdade seja dita, eu já gostava dela fazia um tempo, só não tinha assumido isso pra mim mesmo porque me sentia meio ridículo. Eu nunca a tinha visto. A ideia de que ela poderia ser um cara me sacaneando já não assombrava muito por conta das conversas e do telefonema, mas e se ela fosse, sei lá, uma mulher mais velha e casada? Acho que está claro que o Guga emocional estava no controle. E já fazia um tempo. Isso só não tinha sido oficializado ainda.

Outra coisa que me incomodava era que, desde as histórias da Andressa, do Vinicius e da Jéssica, e do Cláudio e da Luciana, eu tinha tomado a decisão de que, da próxima vez que eu gostasse de alguém, eu iria dizer. Se a garota não correspondesse, tudo bem. Mas não manteria mais esse segredinho ou fingiria amizade. Mas e agora? Eu ia fazer isso por texto? E depois? Dar um beijo virtual? Não dava, né?

No final desse longo dia de reflexões, encontrei a Patricia on-line:

– Oi! Como foi o show?

– O show foi incrível, sucesso absoluto. Mas aconteceu um monte de coisas que você nem pode imaginar!

– Uau, me conta! Você falou que a música era pra ela? Ela curtiu?

Eu contei pra ela tudo que rolou no show. Contei do Vinicius e da Jéssica. Só não contei da minha epifania. Eu estava muito cansado e queria mesmo ir logo dormir. E isso também me dava mais tempo pra pensar no que fazer.

– Poxa, tá bom. Tudo bem. Preciso te falar uma coisa importante também, mas é melhor quando a gente tiver tempo – ela disse ao se despedir.

Nem me atentei para o que ela tinha acabado de dizer, pois vivíamos querendo falar coisas importantes um pro outro. Desliguei e fui dormir.

Acordei inspirado.

Eu não sabia ainda como ia chegar até a Patricia pra tomar uma atitude em relação a isso. Mas sabia quem poderia me ajudar a encontrar essa resposta. Decidi que, antes de falar pra ela, eu falaria para os meus amigos de faculdade e dos Schuzz. Assim, poderia escolher quais palavras usar nessa situação. Também poderia pegar a opinião deles quanto ao que fazer. Mas não era como se eu pudesse acelerar alguma coisa. Mesmo que fosse possível ir até São Paulo – não era, por conta das aulas e porque custava uma grana que eu não tinha –, não ia nem saber por onde começar a procurá-la. Engraçado que seria uma reversão do que andava acontecendo nos últimos meses. Em vez de eu contar para a Patricia sobre tudo que rolava com meus amigos, eu falaria dela para eles.

A primeira conversa, inspirada num fato aleatório e bizarro, foi com a Aline. Eu tinha visto no programa *Jô Soares Onze e Meia*, um *talk show* que passava tarde da noite no SBT, a entrevista de uma moça que dizia sonhar frequentemente com Morten Harket, o vocalista da banda norueguesa A-Ha. Ela contou que, durante uma turnê da banda no Brasil, conseguiu se aproximar e dizer isso ao vocalista. Em resposta, Morten teria dito que também sonhava com ela, e, assim, teriam se tornado amigos. Tirando todo o absurdo da história – provavelmente o Morten disse o que a moça queria ouvir –, eu me identifiquei um pouco com a história: duas pessoas, que podem ter sido feitas uma pra outra, se encontram "em outra dimensão". E, aproveitando esse gancho e que eu estava com o carro do Vinicius, ofereci uma carona pra Aline no fim da aula.

– Aline, você viu o *Jô* ontem?

– Vi! A mulher do A-Ha! Que maluquice! – Ainda bem que ela tinha visto também, porque era tão absurdo que ela não acreditaria se eu contasse.

– E se eu te dissesse que eu vivo mais ou menos a mesma situação?

– Você também sonha com o vocalista do A-Ha? Eu sempre soube!

Que *timing* de comédia. Mas o legal é que a conversa estava bem leve. Bem confortável. Todo aquele drama do show na festa do Thiago tinha passado. Continuei:

– Não. Falando sério. Eu não sonho com ninguém. Mas você lembra da Patricia? A garota com quem eu converso na internet?

– Sim.

– Bom, eu estive pensando. Acho que estou apaixonado por ela. Acho que eu sempre estive. Só não tinha coragem de assumir.

Eu me alonguei, contei toda a história. Contei a história do show, contei do Vinicius e da epifania que tive depois de levar a Jéssica pra casa.

Não queria admitir, mas eu esperava uma reação de filme. Esperava que a Aline falasse: "Você precisa perseguir isso, que é a coisa mais importante da sua vida! Vamos agora! Acelera e só para quando chegarmos em São Paulo. Esse amor não pode ser negligenciado!".

Mas não. Ela só desdenhou.

– Guga, você sempre vai estar apaixonado. Faz parte de você. Nem acho surpreendente. Tem certeza de que ela é uma menina?

Talvez eu não devesse ter começado com a história do A-Ha. Tudo bem... eu ainda poderia conversar sobre isso com outros amigos. Talvez com o Thiago eu tivesse mais sorte.

Ele veio se encontrar comigo para comer um superburger no Sky's. Contei a história toda pra ele (sem a parte do A-Ha):

– Cara, eu fico feliz por você, mas me parece que é um pouco o que aconteceu com a Andressa, né? Você já tinha me falado que, antes dela, teve outras... Então acho que esse é o seu jeito – ele comentou.

Estávamos estabelecendo um padrão aqui. Mesmo assim, ele se dispôs a ir comigo de carro até São Paulo nas férias:

– A gente vai e fica rodando a cidade atrás dela! Vai ser massa!

Era uma oferta generosa, porém não parecia efetiva. Ele aproveitou pra me contar o que acontecia com ele também.

– Bom, já que você abriu seu coração pra mim, vou abrir o meu pra você. Fiquei bem preocupado com a história da música que você fez pra Andressa. Sei que meio que "roubei" ela de você, mas não quero que você a "roube" de mim.

Sei que talvez eu devesse ficar indignado, esclarecer que ele não roubou nada de mim, nem eu dele, que a Andressa era livre pra fazer o que quisesse e não pertencia a ninguém, e que não era minha intenção conseguir nada com ela, e também que eles tinham terminado... Mas eu fiquei lisonjeado. Nunca imaginei que o cara mais desejado da faculdade pudesse se sentir ameaçado por mim. A Patricia estava certa, essa história da música que eu fiz pra Andressa tinha causado um grande impacto. Ei, EU estava certo no passado, no Colégio Península. Se não fosse a Dona Miranda, talvez a história com a Andressa tivesse se resolvido lá.

Esclareci calmamente que eu não queria mais ficar com a Andressa, que essa não era minha intenção com a música, e o mais importante: eles não tinham terminado? O que aconteceu?

– Eu conversei com a minha irmã – começou a explicar –, e ela disse que eu estava mesmo sendo meio babaca com a Andressa. Ela é incrível do jeito dela. Ela é legal demais, Guga. Nenhuma menina é assim. Eu devia estar tentando transformar as outras meninas nela, não o contrário.

Ele estava certo. A Andressa era realmente muito especial, ia além do "bonita, legal e inteligente". Era engraçada, leal e sempre disposta a encarar aventuras. E entendia mais das coisas que o Thiago gostava – como moda, carros, festas, joias, gastronomia... – do que ele mesmo. Então, disse que, se ela desse uma segunda chance, ele devia aceitar e tentar ser mais legal dessa vez. No fim, a conversa foi mais sobre ele do que sobre mim. Pelo menos a gente se entendeu em relação à Andressa.

* * *

Os próximos a ouvir a história seriam os caras dos Schuzz. Cláudio e eu fomos visitar o Vinicius em casa, alguns dias depois de ele ter tido alta do hospital. Agora que tinha passado a emoção do resgate e o alívio de não ter acontecido nada mais grave, só tinha restado uma longa e chata recuperação, que nos primeiros dias consistia em não levantar da cama. Estávamos preocupados de encontrá-lo deprimido, melancólico, chateado por estar preso no quarto logo depois do nosso melhor show, logo depois de ele se entender com a Jéssica, com toda a vida lá fora acontecendo.

No entanto, o encontramos com a guitarra no colo e o aparelho de som ao lado da cama, tirando músicas ultrarrápidas do NOFX e do Bad Religion.

– Já que vou ficar de cama esse tempo todo, vou aproveitar para aprimorar minhas técnicas. Quero sair daqui tocando melhor que o Steve Vai.

Ok, era exagero, mas acho que serviu para conter nossa preocupação. Ele já estava na ativa de certa forma. E não só isso. Como achávamos que precisávamos levantar o astral dele, levamos um dos seus lanches preferidos – o combo de dois pastéis e caldo de cana da Pastelaria Viçosa –, uma iguaria da culinária brasiliense. Ele prontamente recusou:

– Obrigado pelo presente, vocês são legais demais. Mas não vou comer isso, nem mais nada do tipo. Só vou comer salada e frango nos próximos seis meses. Sem poder levantar da cama, vou explodir. E, quando puder sair daqui, vou direto pra academia.

Quem era esse cara? Um ninja? Um monge? Parecia que ele tinha tudo resolvido. Pediu pra gente retomar os ensaios assim que ele pudesse ficar em pé e ir de muletas até o Gabba Gabba Hey, o estúdio que tínhamos na casa dele. O que aconteceria dali a alguns dias. Depois desses planos, conversamos sobre nossa vida desde quando ele se acidentou.

Contei a conversa que tive com a Jéssica, na ida e na volta do hospital. Relatei em detalhes o que ela disse: que ela o amava como amigo, que o achava gostoso, mas que ela achava que não tinha maturidade pra ficar com ele. Ele ouviu quieto, sem esboçar nenhuma reação, como uma pedra:

– Talvez ela esteja certa. Talvez a gente só sirva pra ser amigos. Fato é que eu vou fazer o que vocês falaram lá atrás e dar uma afastada, pelo menos até poder voltar a ficar em pé de muletas e sair de casa. Não quero que ela venha aqui ficar cuidando de mim. Acho que só pioraria as coisas.

Bom, só me restava então contar aos dois sobre a minha mais recente paixão: a menina da internet. A menina que eu não conhecia, de quem nunca havia visto fotos, mas com quem eu conversava sobre tudo, que sabia tudo que acontecia na minha vida.

Eu achei que eles iam me sacanear. Fazer todas as piadas possíveis, dizendo que era alguém que a gente conhecia. Depois, tentariam me demover da ideia e falar da loucura que era gostar de alguém que eu nunca nem tinha visto, o quanto isso era arriscado e quanto não tinha futuro. Mas não.

– Qual é a novidade? – perguntou Cláudio.

– Como assim?

– Não tem novidade nenhuma, Guga. Você está apaixonado por uma menina, é o normal. Estranho é quando você não tá – explicou Vinicius, concordando.

– Agora é diferente – retruquei. – É estranho, porque é tranquilo. Não tem uma urgência. Quer dizer, eu quero falar logo pra ela, mas não tem um sofrimento. É algo que é só... feliz.

– Bom, pelo menos você vai falar logo pra ela. Assim é que se faz – comentou o Cláudio.

– É! Só não vai fazer isso por texto, né? Pega um ônibus e vai lá. Se você for, tenho uns CDs pra encomendar da Galeria do Rock – falou o Vinicius, como se fosse algo corriqueiro.

Eu não quis discutir muito. Fiquei um pouco decepcionado com a reação quase fria deles, mas pelo menos eles não tinham sido contra, né? Nem tinham me sacaneado.

– Eu não sei ainda como vou fazer. Não tenho grana pra ir pra São Paulo. Poderia até comprar uma passagem, mas não tenho onde ficar lá. E nem sei onde é a casa dela. Nem sei se ela aceitaria me encontrar. Mas vou dar um jeito – disse pra eles, tentando encerrar o assunto.

– Ok. Acabou? – perguntou o Vinicius, se ajeitando na cama.

– Sim. Acho que sim.

– Bom, eu tenho uma coisa pra mostrar pra vocês.

Ele desligou o aparelho de som e ligou a guitarra no pequeno amplificador Oliver que estava no quarto.

– Eu fiz uma música. A música que vai encerrar nossos shows daqui pra frente.

Caramba, já? O cara mal saiu do hospital!

Eu e o Cláudio nos ajeitamos nas cadeiras pra vê-lo tocar. Ele ligou a distorção da guitarra, deixando-a bem barulhenta e cheia de microfonias, e começou um riff de palhetadas bem rápidas, com as cordas abafadas. Algo meio NOFX, meio Pantera, que já deixou a gente empolgado.

Depois do riff entrou um solo também bem influenciado pelo hardcore californiano. Era impressionante. Parecia que a gente já conhecia a música. Parecia algo que o Bad Religion ou o Rancid tocaria.

Depois do solo, entrou uma sequência de acordes que seria a base dos versos. E aí ele começou a cantar:

ZIRIBA BOY

Longe da praia, longe do mar
Indo surfar mesmo sem onda e sem prancha
Grama molhada pra deslizar
Quando tu dropa lá de cima tu deslancha
Respira fundo põe o shape no chão
Quando começa a descida acelera o coração
Essa descida tá demais
Sentindo a inclinação
Descendo a rampa do Congresso
Aumentando a velocidade
Parecendo um trem expresso
Alguma coisa me distrai

(refrão)
Quando eu começo a voar
O chão se aproxima, mas eu não sei aterrissar
O trem de pouso falha, num voo sem escalas
Quero minha perna no lugar

> Estranho é se levantar
> E olhar para o lado da sua cama
> Achar um tênis, mas não o par
> O outro pé já está sem uso há uma semana
> Quebrando a perna dormindo no hospital
> Enchendo o saco da enfermeira quando estou
> passando mal
> Medicamento ela me traz
> Pensando bem eu não estou arrependido
> Fico feliz comigo mesmo por ter aprendido
> O bem que a liberdade faz
>
> (refrão)
> Quando eu começo a voar
> O chão se aproxima, mas eu não sei aterrissar
> O trem de pouso falha, num voo sem escalas
> Quero minha perna no lugar

Depois da letra toda, entrava uma pausa em que ele ficava só martelando a corda mais grave. Entrava de novo o solo. Voltava o refrão. E a música terminava ficando mais lenta, mais grave, mais pesada, até voltar para o acorde inicial.

A gente quase chorou. A música era incrível e estava pronta. Irretocável. Nossa melhor música. O cara escreveu uma ópera-rock-hardcore de cinco minutos contando toda a história dele. Eu e o Cláudio ficamos em silêncio, tentando absorver o que tínhamos acabado de ouvir. O Vinicius nos encarava sorrindo, sabendo que ele tinha feito uma obra-prima. Depois de um tempo falamos:

– A gente vai ter que tocar isso agora. Vou pegar sua cadeira de rodas – disse o Cláudio.

Eu levantei na hora pra ir buscá-la, mas o Vinicius não deixou:

– Não posso, cara. Não posso mexer a perna, nem de cadeira de rodas. Só levanto daqui pra ir no banheiro e mais nada – disse, frustrando nossos planos.

– Então a gente pode trazer o estúdio pra cá – falei, levantando de novo, agora para buscar as coisas.

– Não, Gustavo, não inventa! – disse, tentando conter nossa empolgação.

– Você não tem como impedir a gente – Cláudio rebateu, já saindo do quarto para evitar a discussão.

Falamos primeiro com a mãe do Vinicius, para ver se ela nos autorizava a mover a bateria pra dentro da casa, o que seria um transtorno e faria um barulho absurdo. Explicamos sobre a música nova e como a gente precisava tocá-la agora. Ela adorou a ideia e até perguntou se podia assistir.

Eu e o Cláudio fomos buscar os equipamentos. Montei os dois pedestais do microfone, um pra mim e outro para o Vinicius. Colocamos a bateria no canto do quarto, de frente pra cama, e mais dois colchões em pé atrás dela para abafar um pouco o barulho. Estava montado o Gabba Gabba Hey hospitalar.

Começamos a ensaiar, com o Vinicius na cama. Foi uma energia incrível tocar a música sobre o acidente com ele ainda se recuperando, o que deixou claro o espírito com o qual ele passaria pela recuperação. Seria o espírito aventureiro do Ziriba Boy – apelido que demos para o Vinicius, porque uma vez ele entrou de penetra numa festa falando que esse era o nome dele. Fizemos um primeiro arranjo de baixo e bateria, e eu aprendi a letra. Gravamos a música numa fita cassete com o gravador do Cláudio e até que ficou decente. Foi mágico.

No dia seguinte, após a aula, fui com a Andressa até a casa dela para conversar sobre o que estava acontecendo comigo. Seria estranho porque, com tudo que tinha acontecido, ela mal sabia da existência da Patricia.

Com um pacote de biscoitos e uma garrafa de Coca-Cola, sentamos no quarto dela – ela na cama, eu no chão –, como fazíamos nos primeiros dias de aula, e ficamos batendo papo durante um tempo.

Primeiro ela me atualizou sobre o Thiago. Eu falei que a gente tinha conversado, e ela me disse que tinha novidades.

– Ele veio falar comigo hoje. Foi bem bonitinho. Me deu de presente uma camiseta toda estampada da Nike e pediu desculpas. Disse que eu era uma mulher forte e de personalidade marcante, e ele é que tinha que aprender a lidar com isso. Falou que faria o possível pra ser o melhor namorado se eu desse uma segunda chance – ela relatou.

– Legal! Eu tinha conversado com ele sobre isso. Bom que ele percebeu, que você não teve que exigir. Vai dar uma chance?

– Não sei ainda. Me fala de você? O que está acontecendo de tão emocionante na sua vida?

Então foi a minha vez de falar. Contei tudo, pulando as partes que eram sobre ela. Falei que Patricia era minha amiga, que conversávamos muito e que, agora, nos entendíamos de um jeito quase telepático, que eu pensava nela o tempo todo, embora não tivesse uma imagem, porque nunca tinha visto nem uma foto dela.

Percebi que para cada amigo contei de um jeito diferente. Para a Aline, narrei de um jeito bizarro, falando dela como se fosse algo transcendental. Para o Thiago, como se fosse uma novidade, algo que eu tinha e ele não. Para o Cláudio e o Vinicius, como se fosse um projeto paralelo. E, para a Andressa, como o que realmente era. Algo sentimental, emocional. Feliz, mas melancólico pela dificuldade que existia. Como se fosse uma grande descoberta, como se eu finalmente tivesse achado um tesouro que procurava havia muito tempo. A reação dela foi bem diferente do que eu esperava. Ficou séria e um pouco perplexa:

– Sério? É assim que você se sente por ela?

– É, sim.

– E não é como o que você sentia antes... Por outras garotas?

– É diferente. Com as outras garotas era meio urgente, meio sofrido, cheio de dúvidas e contradições. Era angustiante. Dessa vez é... certo. É calmo. É repleto de certeza. Eu sei que não faz sentido nenhum, porque, afinal, a gente nunca se viu. Mas é assim que eu me sinto...

– Faz todo sentido – ela me interrompeu, pensativa, olhando pro biscoito recheado que segurava.

– Como assim?

– Faz todo o sentido. Ver não faz diferença nenhuma. Você me viu há anos no Colégio Península, mas nunca me conheceu de verdade – ela disse. – Com ela... vocês se conheceram de dentro pra fora. Dos dois lados. Falaram tudo um pro outro. Se ver é só um detalhe agora. Vocês já resolveram tudo. É por isso que sente essa conexão com ela.

Naquele momento eu que fiquei perplexo. De todas as pessoas, a Andressa não só entendeu, mas decifrou boa parte do que eu estava sentindo. Ela olhou pra mim e continuou:

– Você tem que falar pra ela! E tem que ser pessoalmente. Você tem que ir pra São Paulo. Se quiser, pode ir com meu carro. Mas você tem que ir! Não pode deixar isso escapar.

A gente ficou em silêncio um tempo. Eu me levantei, ela me abraçou e me deu um beijo no rosto.

– Você é meu melhor amigo. Nunca esquece disso, tá bom?

Era o incentivo que eu precisava para tomar uma atitude.

Decidi que ia falar com a Patricia naquela noite, ainda não sobre o que eu sentia por ela, mas sobre o plano de ir encontrá-la. Nem que fosse por um dia só. Nem que eu chegasse de manhã e saísse à noite, pra não ter que encontrar um lugar pra dormir. Mas começaria a me mexer pra não deixar essa chance escapar, como a Andressa falou.

Tinha duas ideias sobre como fazer isso: a primeira, mais simples, era falar que eu estava decidido a ir pra São Paulo. Não perguntaria se eu podia ir, só avisaria que eu estava indo e pronto. Falaria pra ela me encontrar em algum lugar público. Assim, não estaríamos quebrando nenhuma das regras impostas pela mãe dela: ela não precisava me dar seu endereço, nem nenhuma informação. Podia ir lá, me ver e ir embora depois. A segunda era um pouco mais arriscada: se ela não topasse, eu iria do mesmo jeito. Iria pra porta da faculdade dela, que ela deixou escapar qual era em uma conversa, e ficaria lá em pé a manhã toda, esperando ela aparecer, segurando uma plaquinha escrito "Patricia", igual as pessoas costumam fazer em aeroportos. Revelaria o que eu sentia e, à noite, voltaria para a rodoviária, encarando mais catorze horas de viagem de ônibus para voltar para Brasília. Fácil!

Passei o dia esperando a hora de conversar com ela on-line. Quando deu meia-noite em ponto eu conectei e ela estava lá.

– E aí? Tudo bem? – perguntei.

– Tudo bem. E você? Como está o Vinicius?

– Está bem! Focado na recuperação! Fez uma música sobre o acidente que ficou incrível!

– Que legal! E a Andressa? Falou com ela sobre o show?

Eu nem lembrava mais do show.

– Eu falei com ela, mas não sobre isso...

– Poxa, tava ansiosa pra saber. Ficou tudo bem?

– Sim, tá tudo bem. Isso tá resolvido já... Eu tenho coisas mais legais pra te contar.

– Eu também. Lembra que eu disse que tinha algo importante para dizer?

É mesmo. Eu tinha esquecido completamente.

– Sim, verdade. Me fala! O que aconteceu? – Achei melhor deixá-la falar primeiro.

– Você tá com tempo?

– Sim, fala logo. :)

– Então... A gente acabou nunca falando, mas eu também tenho minha Andressa aqui.

O quê? Como assim?

– O quê? Como assim? – digitei ao mesmo tempo que estava pensando.

– Eu tenho um amigo... O nome dele é Bernardo...

O quê? Bernardo?!

– Quem é Bernardo?

– Ele mora em Campinas....

CAMPINAS? POR QUE A GENTE está falando de Campinas?

– ... a gente tem conversado sobre se ver, mas, como você sabe, não posso dar informações aqui de casa.

– ... – Tínhamos um código de digitar "...", pro outro saber que estava sendo lido.

– Minha prima me chamou pra passar o fim de semana com ela, porque ela vai ficar sozinha em casa, e minha mãe deixou. Então, pensei que a gente poderia escapar e ir até Campinas encontrá-lo.

NÃÃÃOOOOOO!!!!!

– ...

– Vamos no carro dela. É só uma horinha de viagem. Vai ser uma aventura. Não é legal?

(Sem resposta.)

– Você ainda está aí?

CAPÍTULO 12
CANÇÃO DE AMOR INTERESTADUAL

Se tinha uma coisa para a qual eu não estava preparado era para esse diálogo com a Patricia. Eu estava preparado para ela tentar me demover da ideia de ir a São Paulo. Estava preparado para ela gostar da ideia mas não querer se encontrar comigo mesmo assim. Mas não estava preparado para esse tapa irônico do destino. Por quê? Por que agora?

Eu não conseguia falar nada. Ela falou comigo um tempão e eu só respondia "...". No chat ao vivo do ICQ, a pessoa do outro lado via em tempo real o que você estava digitando. Se você digitasse uma palavra errada e deletasse, ela via isso acontecendo, mesmo que você não tivesse dado "enter". É como se ela estivesse vendo sua tela. Então, eu não podia nem ensaiar uma resposta e depois deletar. Só fiquei parado, olhando para o monitor, pensando no que responder.

Meu instinto foi de me preservar. Tentar parecer que não estava me afetando. Acho que não fui bem-sucedido. Fiquei em silêncio tempo demais. Perguntei "por quê?" e "como assim?" demais. Talvez ela não tenha percebido, mas eu estava visivelmente transtornado, mesmo por texto.

Durante a conversa, me veio um pensamento. Ela me apoiou em todas as coisas que eu fiz. Me ouviu falar sobre todas as meninas de que eu gostei e ainda me deu dicas sobre como melhorar minhas atitudes. Eu precisava ser legal com ela. Não podia bancar o "amigo ciumento". Muito menos jogar a carta do "cuidado com quem você conhece pela internet". Se ela quisesse, ela podia nem me falar sobre isso, mas aparentemente a Patricia tinha poucos amigos, pouco tempo pra si mesma, estava prestes a embarcar numa aventura e precisava de um amigo. Era justo que eu fosse essa pessoa. A única coisa certa a fazer era ser solidário. Dar apoio. Retribuir tudo que ela tinha feito por mim.

E foi o que eu fiz. Depois de ela falar mais algumas coisas sobre a aventura e só me ver digitar "...", comecei a fazer perguntas.

– Quando vai ser?

– No próximo fim de semana. No sábado provavelmente.

– Me conta mais do Bernardo. Onde vocês se conheceram? De onde surgiu isso?

Ela me contou que o conheceu no mesmo dia em que tinha me conhecido. Depois que me encontrou na sala "música", ela foi à "São Paulo, 18-20 anos", e o Bernardo estava lá. Após a primeira conversa, eles ficaram um tempão sem se falar, mas um belo dia acabaram conversando. Ele parecia um bom rapaz. Estudava engenharia, trabalhava na empresa do pai. Falavam de amenidades, comentavam as notícias, até porque não tinham muitos interesses em comum. Mas um dia o Bernardo falou que, se tivesse chance, queria namorar com ela. Falou assim, na lata, e ainda usando a palavra "namorar". E se dispôs a ir até São Paulo, falar com a mãe dela, o que ela obviamente não topou. Mas, sempre que eles se falavam, ele trazia o assunto à tona. Segundo ela, sem pressionar, sempre sendo educado, mas deixando claro qual era sua intenção. Num dia, o cara falou que, já que ele não podia ir até lá, que ela fosse encontrá-lo em Campinas. Ele mostraria a cidade, os dois conversariam e, se fizesse sentido, poderiam avançar. Sem pressão. Com o tempo, ela ganhou confiança de que ele estava sendo sincero e não oferecia mesmo perigo. E ela ficou com vontade de viver essa aventura, um pouco inspirada pelo que eu andava vivendo.

Se não fosse acordar minha família inteira, eu teria lido ela contando essa história batendo a minha cabeça contra a parede. Mas, como não dava pra fazer isso, continuei tentando ser solidário e dar apoio. Falei coisas como:

"Tem certeza de que não tem nenhum perigo?", "Que o cara não está te enganando?", mas não insisti na ideia, porque poderia fazê-la pensar que EU era um perigo e a estava enganando. Então, só falei coisas como "legal", "vai com cuidado", "dá notícia", e deixei que ela falasse tudo que tinha pra falar, porque queria retribuir toda a atenção que ela sempre me dera. Quando finalmente a tortura acabou, eu me despedi, desliguei o computador e fui tentar dormir. O que mais eu podia fazer?

Fiquei com vergonha de contar para todos os meus amigos o que tinha acontecido. Então passei os dias seguintes sem falar nada. Quando eles pediam notícias, eu dizia que não tinha acontecido nada ainda. Também evitava falar muito com a Patricia, só trocávamos palavras rápidas. Acho que ela queria conversar mais sobre a viagem dela, mas eu fugia, dando a desculpa de que precisava dormir cedo. Fiquei sofrendo em silêncio até a sexta-feira daquela semana, quando o Cláudio convocou uma reunião de banda, porque tinha notícias incríveis. Nos reunimos na casa do Vinicius, que já estava circulando pela casa de cadeira de rodas. Cláudio começou a explicar:

– Seguinte: mandei a gravação de "Ziriba Boy" pro Pablo Prado. Mandei também as de "Pão Light" e "Aprender a Voar". Ele adorou! Esse cara é nosso maior fã!

Já era uma notícia legal o suficiente, mas tinha mais:

– A JC FM é dona de um grande estúdio que normalmente faz produções para publicidade. Esse estúdio promove um concurso para novas bandas da cidade e dá trinta horas de gravação para três bandas selecionadas. Mas ninguém do rock ficou sabendo. Só tinha umas bandas pop e até de música sertaneja competindo. Então, ele inscreveu a gente no concurso e a gente ganhou! Temos trinta horas num estúdio de primeira, para gravar o que a gente quiser!

– Caramba! A gente entrou num concurso sem nem saber e ganhou? – perguntei.

– A gente devia mandar um engradado de cerveja e uma caixa de salgadinhos Micos em agradecimento ao Pablo Prado – disse o Vinicius.

Passamos o resto da noite planejando a gravação. Como não era um estúdio especializado em rock, como o Artimanha, gravaríamos só as três músicas, para dedicar o máximo de tempo à mixagem e masterização. Só depois de tudo isso decidido, contei o que tinha rolado com a Patricia.

Com um pouquinho de vergonha, contei a história dela e do Bernardo. Que eu fui pego de surpresa e tentei disfarçar. E que eu não tive outra alternativa senão ser legal, ser amigo e apoiá-la. Era a única saída, certo?

– Você tá maluco? Fala pra ela não ir! – disse o Cláudio.

Eu olhei pro Vinicius procurando apoio, mas ele concordou com o Cláudio.

– Se tudo que você falou é verdade, essa menina gosta de você igual você gosta dela. Fala pra ela não ir! Contra-ataca! O que você tem a perder? – disse.

Eu não esperava por aquilo, achava que estava fazendo o certo. O Cláudio continuou a bronca:

– Você mesmo disse que o cara chegou e falou as intenções dele pra ela. Ele tá certo! Faz isso você também! Se ela ainda assim escolher o cara, você só vai ficar na situação em que está hoje. Mas você ainda tem uma chance! Vai lá! Fala com ela!

Eu não tinha pensado por esse lado. Eles estavam certos. Eu tinha que, pelo menos, tentar impedir o encontro antes que fosse tarde demais! O problema é que a viagem dela era no dia seguinte. E já era tarde da noite.

Corri pra casa para tentar fazer alguma coisa. Voei pelas ruas. Cheguei em casa em tempo recorde. Corri para o computador e me loguei pra ver se ela estava on-line. Nada. Mandei uma mensagem off-line e um e-mail dizendo a mesma coisa: "Oi, desculpa não ter podido falar com você esses dias. Tenho uma coisa muito importante pra te contar. Eu vou estar on-line de quinze em quinze minutos, a partir das 7 horas da manhã, pra ver se te encontro ao longo do dia. Se puder, não viaja sem falar comigo, ok?".

Tentei dormir, porque teria que acordar às 7 horas, mas não consegui. Fiquei rolando na cama, pensando no que eu falaria para convencê-la a não viajar. Às 7 horas em ponto, levantei e me conectei. Nenhum e-mail, nenhuma resposta. Não dava pra deixar o computador ligado usando o telefone o dia inteiro. Então, eu ia ter que ficar ligando e desligando de quinze em quinze minutos. E foi o que fiz.

Coloquei o cronômetro do relógio pra tocar a cada quinze minutos. Assisti um pouco de TV e me conectei novamente. Nada. Fui escovar os dentes, peguei alguma coisa pra comer e me conectei de novo. Nada. Tentei estudar, mas é impossível se concentrar sendo interrompido a cada quinze minutos. Nada. Joguei Freecell e me conectei. Nada. Joguei Campo Minado e me conectei. Nada. Depois de repetir a mesma ação durante a manhã inteira, ao meio-dia eu desisti. Fui pra casa do Vinicius ensaiar, porque a gente tinha uma gravação se aproximando. Contei pra eles que não tinha sido bem-sucedido e, aí, eles foram solidários e tentaram me animar. Mas a verdade é que, depois de toda a tortura da madrugada e da manhã, não queria falar mais no assunto. Só queria ensaiar e esquecer.

Quando voltei pra casa, me conectei de novo, na esperança de que algo tivesse acontecido. Um imprevisto. Um pneu furado, ou mesmo que ela tivesse desistido de ir. Quando vi que não tinha nenhuma notícia, pensei que preferia que, pelo menos, ela tivesse escrito pra dizer que tinha ido ou que estava lá. Fiquei um pouco preocupado também. Mas ela devia estar na casa da prima, sem acesso à internet, e talvez só retornasse na segunda-feira. Sem saber o que fazer e sem nenhuma condição de dormir, fui dar uma volta na madrugada.

Saí andando sem rumo. Passei embaixo do prédio onde a Luana e a Bruna moravam e na pracinha onde reatei com a Bruna. Foi também onde eu e o Vinicius compusemos "Tão Down". Fiquei pensando em como eu tinha aquela ilusão de que a Bruna era *A* pessoa pra mim. Tudo que eu idealizava nela, e depois na Andressa, era na realidade a Patricia. E agora eu tinha deixado essa chance escapar.

Passei embaixo do prédio onde o Filipe e o Rodrigo moravam. Nesse espírito nostálgico em que eu estava, fiquei relacionando as coisas do passado com o que acontecia no momento. Lembrei de quando eu descobri que podia tocar um instrumento ali, no segundo andar, no apartamento do Filipe. Lembrei de nós três saindo da portaria do prédio em direção aos nossos primeiros shows. E do Rodrigo querendo conhecer a Luana e a Bruna. Foi ele que me deu o empurrão para voltar a falar com elas. Que falta que ele estava fazendo.

Passei pela quadra de basquete onde jogávamos. Já não tinha mais a cerca em volta dela, nem as tabelas. Ela estava sendo desativada porque seria construído um prédio no lugar. Atravessei o Eixão, a avenida sem semáforo para pedestres, a qual eu enfrentava todos os dias, na ida e na volta do Colégio Kubitschek. Passei na frente da casa da Samantha. Não falava com ela desde o dia em que a convidei para ir ao show, aquele em que fiquei com a Luana pela primeira vez. Passei também na frente da casa do Celsão, com quem também eu não falava desde que fiquei com a Luana pela última vez. Que filósofos ele me recomendaria agora?

Pensei que esse sentimento pela Patricia, que no começo eu dizia que era calmo, tranquilo, feliz, agora doía um pouco. Além da confusão por eu não conhecê-la de verdade, pela distância, pela dificuldade em falar com ela... Tinha mais um obstáculo. Comecei a caminhar devagar de volta pra casa, chegando só com o dia já amanhecendo. Minha mãe estava de pé, fazendo café, e nem se surpreendeu comigo chegando àquela hora. Só me deu bom-dia e perguntou se estava tudo bem. Não estava. Mas não falei nada. Fui tentar dormir para fazer tudo passar mais rápido.

Depois de dois longos dias, finalmente um e-mail da Patricia. Sem muitas informações do que tinha acontecido: "Voltei da casa da minha prima, foi tudo bem. Me encontra hoje à meia-noite para eu te contar o que aconteceu? Bj!".

Eu ia precisar mover o computador para mais perto da parede, para eu poder digitar e bater a cabeça contra ela ao mesmo tempo. Um pouco antes da hora marcada, eu já estava conectado. Quando deu meia-noite e um, ela apareceu:

– Oiii!

– E aí, tudo bem? Como foi lá?

– Foi muito legal! Foi uma aventura mesmo! Minha prima desistiu de ir.

O quê? Como assim? Havia esperanças?

– Então, fui sozinha!

Não havia esperanças.

– E como foi? Você foi à casa dele? Vocês se encontraram na rua?

– Não queria ir à casa dele assim, né? Achei meio arriscado. Então a gente combinou de se encontrar em um lugar público...

Sei! Esse era o MEU plano!

– ...

– Nos encontramos no shopping. Tem um Shopping Iguatemi lá.

Sim, isso era tudo que eu queria saber. Me fale mais sobre a atividade comercial de Campinas!

– ...

– Eu havia dito como estaria vestida, e ele me reconheceu na hora.

– ...

– Chegou e foi logo me beijando.

Eu levantei. Fui bater a cabeça contra a parede, lenta e dolorosamente.

– Achei meio abusado. Também não é assim, né? – ela disse.

Opa!

– Mas acabei deixando.

BAM! BAM! BAM! (Cabeça de volta contra a parede.)

– Você ainda tá aí?

– Tô sim. Precisei levantar rapidinho. E aí? Foi isso? Chegou e beijou?

– Foi. A gente ficou junto um pouco e, depois, andamos por ali, vendo as lojas e escolhendo algum lugar pra comer.

– Foi legal? Você está feliz? – Era melhor acelerar o sofrimento.

– Foi legal, sim. Ele é mais bonito que nas fotos e foi... gentil.

Gentil? Gentil? É isso? Estamos numa cena da novela Sinhá Moça? Ele tinha uma carruagem? Que tipo de comentário é esse? Gentil! Além disso, ele não era o cara que chegava beijando? Que gentileza é essa?

– Que bom que foi legal, que bom que você pôde sair de casa e se divertir um pouco... – eu disse, tentando disfarçar.

AAAAAAAAHHHHHHHHHH!

– Mas teve algumas coisas que... não sei como dizer.

O QUÊ? COMO ASSIM?

– O quê? Como assim?

– Ele... Como é que eu vou dizer... Ele...

De novo: AAAAAAAAHHHHHHHHHH!

– Eu acho que a gente enxerga as coisas... de um jeito diferente, sabe?

– ...

– Teve uma hora que eu pedi pra segurar minha bolsa e ele... ficou fazendo piada disso.

– ...

– Falando coisas como "não fica bem um cara como eu segurando uma bolsa por aí!".

O quê? Como assim?

– Por que não? Iam pensar que ele tinha te assaltado?

Ok, eu tinha resistido até agora. Mas era hora de trazer o humor como defesa para esse diálogo.

– Hahaha... não. Acho que ele é meio... Meio machista? Meio antiquado.

Claro que eu sei! Vamos falar mais disso!

– Tem certeza de que você não estava saindo com o ex-governador de São Paulo e ex-prefeito de Campinas Orestes Quércia?

– Hahahhahaha... Não. Já pensou?

– É isso que eu estou imaginando!

– HAHAHAHAHAHAHA.

Ei! Parecia que tinha encontrado uma abertura!

– Você acha isso? Que "não fica bem" um cara carregar uma bolsa no shopping?

– Eu estou segurando uma agora.

– HAHAHAHAHAHAHAHA.

A reação dela me deu a energia para voltar a falar do assunto. O que estava feito, estava feito. Mas eu precisava saber mais!

– Mas foi isso? Ele não segurou a bolsa? Porque isso você resolve com uma mochila.

– HAHAHAHAHAHAHAHA.

– Falando sério. É esse o problema?

– Um pouco. Houve mais coisas. Ele ficava falando da carreira dele, do trabalho na empresa do pai. Acho que ele tava tentando impressionar, sabe?

– E não impressionou?

– Não. Não são essas coisas que me impressionam. Você sabe, né?

SEI! EU SEI O QUE IMPRESSIONA UMA GAROTA! É VOCÊ ESTAR EM CIMA DO PALCO SEGURANDO UM INSTRUMENTO! E ISSO EU SEI FAZER!

– Sei. Entendo. E o que você vai fazer?

– Como assim?

– O que você vai fazer? Vai continuar vendo ele? Ele disse que queria namorar, né?

– É mesmo. Eu não sei. Acho que isso é tudo muito acelerado. Mas foi bom pra ver que não é nada assustador. Dá pra conhecer pessoas pela internet, passar um tempo com elas e tudo bem.

Se esse diálogo fosse um esporte, um jogo da Copa sendo transmitido na TV, o locutor já estaria gritando coisas como "TEMOS UMA CHANCE!", "ESTAMOS DE VOLTA AO JOGO!". Isso porque eu já estava pronto para desistir. Aproveitei o bom momento para mudar de assunto:

– Bom, falando em impressionar garotas... A gente ganhou um concurso de uma rádio, que nos deu uma sessão de gravação como prêmio. Vamos gravar as músicas novas!

– Uau, que legal! Parabéns!

Acabamos desligando um pouco depois. Eu achava que ia desligar me sentindo um derrotado, achando que tudo ia acabar ali. Mas até que saí bem. Achando que ainda tinha chance de lutar. Eu precisava repensar meu plano, mas ainda não estava pronto pra desistir.

Também precisava pensar na gravação da nova demo. Como o Vinicius já estava autorizado a sair de casa, fomos todos conhecer o estúdio. Era muito maior do que tudo que já havíamos visto. Tinha uma sala de gravação para cada instrumento, todos os tipos de amplificadores e baterias. As salas eram conectadas por vídeo, então, era possível gravar ao vivo. Pelo menos baixo e bateria, já que o Vinicius estava virando um virtuoso e pretendia gravar dez camadas de guitarra. Os engenheiros de som, que normalmente só gravavam jingles, duplas sertanejas ou bandas de pagode, estavam empolgados de gravar uma banda de rock. Ficamos de retornar para confirmar as datas.

Depois da visita ao estúdio, ficamos conversando. Contei pra eles o que estava acontecendo comigo e a Patricia, e que eu precisava de um novo plano:

– Você não precisa de um novo plano – disse o Vinicius. – Você tem que manter o mesmo. Vai pra São Paulo. É um país livre, ela não pode te impedir. Junta uma grana. Arranja um albergue. Você dá conta. Eu te empresto o dinheiro se precisar. – O Vinicius é o cara menos egoísta do mundo.

– É isso aí. Chega lá e fala pra ela encontrar com você na Galeria do Rock – foi a vez do Cláudio. – O resto você resolve lá. Não é tão complicado.

Não era má ideia. Mas a internet ainda era uma coisa nova. Organizar uma viagem era algo bem mais complicado do que é hoje. Era preciso comprar o *Guia Quatro Rodas*, um livro que trazia uma lista de pousadas e hotéis de cidades do país inteiro. E aí você tinha que ligar para cada uma das opções para saber preços e poder comparar. As ligações telefônicas eram caras, e o *Guia* em si já custava quase o preço da passagem de ônibus. Então só planejar a viagem já envolveria alguma grana.

Mas as férias do meio do ano se aproximavam e seria uma chance de eu passar uns dias em São Paulo. Então, bolei um plano. Compraria um cartão telefônico. Iria à banca de revistas para casualmente copiar o número de umas dez pousadas do guia, sem ter que comprá-lo. Depois, ligaria para cada uma e cotaria o preço. Pegaria dinheiro emprestado com o Vinicius para comprar passagens e para duas ou três noites de hospedagem. Na volta, aproveitaria o resto das férias e tentaria trabalhar de novo de garçom no Iate Clube, para devolver a grana do Vinicius. Era um plano complicado, mas era um plano. Pensei em primeiro ter tudo confirmado – orçamento, preços, passagens e o empréstimo do Vinicius –, e só depois falaria para a Patricia.

Mas à noite eu a encontrei on-line de novo.

– Oi, Pati! Tudo bem?

– Tudo bem, e você? Como estão indo as gravações?

– Estão no começo ainda, fomos conhecer o estúdio hoje e vamos confirmar as datas. E o que tem feito?

– Queria compartilhar com você um plano que eu estou fazendo aqui.

– Que plano?

– Estou pensando em ir para Campinas nas férias!

O QUÊ? COMO ASSIM?

– ...

– Eu tenho que fazer um estágio na faculdade nas próximas semanas. Mas depois eu estou livre. Aí eu pensei em ir pra lá.

Eu precisava fazer algo rápido.

– EU ESTOU COM PASSAGEM MARCADA PARA SÃO PAULO! – falei. Sem ter comprado ainda, é claro.

Dane-se o projeto inicial, ter as coisas confirmadas... É hora de AGIR!

– Sério! Que legal! Quando?

Eu precisava pensar rápido para não parecer que eu estava inventando tudo na hora.

– Na quarta semana – falei, procurando um calendário no Windows 95. Foi a única coisa que consegui pensar. Era a semana que ela ia ter livre.

– O que você vem fazer aqui?

– Eu vou... fazer uma excursão... para a Galeria do Rock!

Falei pensando no conselho do Cláudio. E existiam mesmo excursões para a Galeria do Rock quando tinha show de bandas internacionais em São Paulo.

– Caramba, que legal! – Eu imaginei que ela devia estar surpresa.

– Eu ia te chamar pra me encontrar lá. Se você pode encontrar o seu namorado caubói...

– Hahaha. Ele não é meu namorado ainda. E não é caubói.

Ainda? Como assim "ainda"?

– Mas parece que vai ser, né? Se você está pensando em ir pra lá. – Eu estava me sentindo impetuoso depois de inventar essa viagem.

– Talvez. Eu queria ir pra lá justamente pra ter mais tempo de decidir.

– Bom. Reserva uns dias dessas férias pra me encontrar antes de viajar!

– Tá bom!

COMO FOI FÁCIL! Eu achei que seria um sufoco conseguir convencê-la a me encontrar, e isso era parte da barreira que eu mesmo impunha na minha relação com ela. E, no fim, tinha sido simples. Era só isso que era preciso. Estar em São Paulo. Que burrice!

Agora eu precisava dar um jeito de cumprir essa promessa. No dia seguinte, perguntei pra todo mundo na faculdade se alguém tinha um *Guia Quatro Rodas* para emprestar. Fui à biblioteca pra ver se tinha um. Até tentei colocar em prática minha ideia de copiar os números na banca, mas o *Guia* estava lacrado com um plástico. Eu precisaria investir uma grana. Pensei na possibilidade de pegar o dinheiro emprestado com o Vinicius, aproveitando que nos encontraríamos à noite, pois ele havia me pedido para servir de motorista e acompanhá-lo em uma festa.

– Que festa é essa para a qual a gente está indo? – perguntei, já no carro.

– Eu fui à academia essa semana e conheci uma menina lá, a Pâmela. A festa é de uma prima dela.

Essa frase suscitava muitas perguntas:

– Peraí... o que você foi fazer na academia?

– Pedi pro meu irmão me levar lá. Queria ver se podia fazer pelo menos exercício de braço e abdominal, mas eles falaram que é melhor esperar até eu poder botar o pé no chão.

O cara estava realmente dedicado a sair desse acidente transformado.

– Você é maluco! E quem é a Pâmela?

– Eu a conheci lá. Ela já tinha visto uns shows nossos, conhece algumas músicas dos Schuzz. Legal, né?

Muito legal! Quais a chances de conhecer uma fã na academia? Ele continuou:

– A gente trocou telefones e conversou por esses dias. Aí ela me chamou pra festa. Parece que vai ter bastante gente.

E tinha mesmo. A festa era na casa dela, que estava sozinha com alguns primos. Os pais e tios tinham ido viajar. Estava cheio de pessoas na garagem, que ficava na frente da casa e estava iluminada apenas com algumas lâmpadas vermelhas. Assim que entramos, a Pâmela, uma menina baixinha, de cabelos vermelhos e vestida como uma integrante do Hole, veio nos cumprimentar. Ela sabia quem eu era!

– Caramba, Guga, que legal te conhecer! Sou fã dos Schuzz, estive nos últimos shows do Teatro Garagem! Foi demais! Adorei aquela música que você fez pra menina! Deu certo?

Eu disse que não e tentei emendar uma explicação, mas ela nem ligou. Se virou pro Vinicius e já o arrastou para algum outro cômodo, para ele poder sentar, já que ele estava de muletas e com a perna suspensa.

Fiquei circulando sozinho pela festa um tempo, até que um garoto cabeludo e um cara muito alto vieram falar comigo.

– Ei, você não é o Guga dos Schuzz?

Essa é a melhor festa de todos os tempos!

– Sou sim! Vocês são amigos da Pâmela?

– Ela é nossa prima. A gente está hospedado na casa dela.

Eles eram o Conrado (o cabeludo) e o Gregório (o muito alto). Eram irmãos e também tinham estado no nosso último show. Sem conhecer ninguém e com o sumiço do Vinicius, fiquei conversando com eles.

– Por que estão hospedados na Pâmela? De onde vocês são?

– De São Paulo. A gente veio passar férias aqui.

Eu sei que parece bom demais pra ser verdade. Mas foi exatamente assim. No dia que eu precisava programar uma viagem pra São Paulo, eu conheci pessoas que moravam lá. Um lugar para onde eu nunca tinha ido e, confesso, que achava um pouco assustador. Então me dediquei a sugar o máximo de informações dos meus dois novos amigos. Perguntei onde ficavam alguns bairros. Onde era a faculdade em que a Patricia estudava e o que tinha por perto. Como chegar lá. Como me locomover pela cidade. Onde me hospedar.

E eles foram muito legais, ficaram muito felizes de ajudar e contaram tudo que sabiam. Eu falei da Galeria do Rock e eles falaram que viviam por lá. Me ensinaram sobre o metrô: "se hospeda em algum lugar perto de uma estação, assim fica fácil se mover pela cidade só usando o metrô". E me deram várias dicas legais. Eu quis retribuir e os chamei para verem nossos ensaios. O Conrado estava aprendendo a tocar guitarra e o Gregório estudava engenharia de áudio. Achei que eles curtiriam ver o estúdio:

– Seria legal, mas depende da data. Porque a gente tem que voltar pra São Paulo antes do fim do mês, pra ir na Fenasoft.

– O que é Fenasoft?

– É uma feira de tecnologia que tem lá. Tem várias palestras sobre tecnologia, o futuro das coisas e dá pra comprar computadores e equipamentos muito baratos!

Acabamos ficando amigos e conversando sobre várias coisas. Dei muitas dicas para eles, que pareciam bem interessados em toda a cena do rock de Brasília. Eles curtiam muito a cidade. Trocamos telefones, e eles ficaram de conseguir mais dicas para mim com os amigos deles de São Paulo. Depois, fiquei um tempão procurando o Vinicius pela casa toda, mas nada. Circulei pela festa, conversei com as pessoas, até que o Vinicius finalmente apareceu, falando pra gente ir embora. Ele parecia feliz.

– Onde você estava?

– No paraíso – ele respondeu, rindo.

Eu achei melhor não perguntar mais nada. No carro, ele me explicou o que tinha acontecido, mas acho que vale só dizer que ele e a Pâmela se deram muito bem.

Encontrei a Patricia on-line no dia seguinte, e achei que seria legal falar dos amigos paulistas que eu tinha conhecido. Falei onde eles moravam, e ela disse que era perto da casa dela. Bom sinal. E, dando mais detalhes de tudo que tinha rolado, contei pra ela da Fenasoft.

– É um evento bem grande mesmo que tem aqui. Vai ter até uma excursão da faculdade pra lá. Você pretende ir?

Bom, agora eu pretendo.

– Pretendo!

– Legal, acho que vai ser bom pra você. Os alunos dos primeiros anos até colocam no currículo que compareceram à feira.

– Sério? É importante assim?

– Acho que sim. Acaba mostrando que você tem interesse em tecnologia, né?

Interesse em tecnologia era algo que eu tinha mesmo. O papo estava fluindo bem até que o tema da conversa mudou. E pra pior.

– Amanhã vou ter a chance de ir pra Campinas de novo! – ela disse, do nada.

– O quê? Como assim?

– A faculdade vai fazer uma excursão pra visitar um presídio. Faz parte da aula de Direito Penal.

– Parece imperdível! Mas você vai faltar?

– Vou. Eu já fui a essa excursão no ano passado e levou um dia inteiro. Então, em vez disso, vou pra Campinas encontrar o Bernardo, já que é esperado que eu só volte à noite – ela explicou.

Eu ia tentar demovê-la da ideia, mas ela continuou:

– Eu preciso ver aonde isso vai dar.

Eu fiquei sem coragem de sacanear ou falar mal. Ela precisava de apoio. Então, só falei pra tomar cuidado na estrada.

No dia seguinte, enquanto tomava café da manhã para sair para a aula, vi meus pais lendo o jornal que trazia uma grande manchete falando da Fenasoft, que começaria nos próximos dias. Eu comentei com eles o que tinha descoberto recentemente:

– Eu tenho um amigo que vai pra essa Fenasoft aí, e ele vai até colocar no currículo que compareceu. Parece que faz diferença.

Ok, eu dei a versão resumida. Mas, ao falar de currículo e futuro, chamei a atenção dos dois.

– Se dá pra colocar no currículo, você devia ir também – minha mãe disse, mordendo a isca.

– Sim. Só que é em São Paulo. Mas pelo menos é nas férias... A gente tem dinheiro para a passagem? E para o ingresso?

Eu estava pensando no meu futuro e na minha educação. Era um pedido justo. Meu pai respondeu:

– Veja quanto custa tudo e me fala. Se der, a gente paga, sim.

Mesmo com a ida da Patricia para Campinas, eu fiquei animado. Passei a manhã fazendo planos sobre como seria a viagem para São Paulo. Fui correndo pra casa depois da aula para ligar para as companhias de ônibus e ver os preços das passagens. Tinha de fazer tudo rápido, porque naquela mesma noite começaríamos as gravações da nova demo e não teria muito tempo depois. Já estava me posicionando para começar a fazer ligações quando o telefone tocou:

– Alô?

– Alô, por favor, o Gustavo?

– Sou eu – respondi, tentando reconhecer a voz do outro lado.

– Oi. É a Pati! Tudo bem?

Eu vou precisar colocar essa frase aqui mais uma vez, em maiúsculas: *O QUÊ? COMO ASSIM?*

– Pati! Que legal! Por que você está me ligando? Está tudo bem?

– Está, sim. Estou em Campinas, lembra? Eu tinha um cartão e tempo para ligar pra você...

– Que legal! Como está sendo?

– Tá sendo bom. Eu não tenho muito tempo porque os créditos do cartão estão caindo a cada trinta segundos... Mas te conto os detalhes hoje à noite. Queria te desejar uma boa gravação!

– Ah, é mesmo! Vai ser bom, sim. Nos vemos à noite pra eu te contar como foi.

– Sim, nos vemos à noite! Beijo!

– Beijo!

Essa ligação, assim como aquela antes do show, foi um choque de energia e bom humor pra mim. Liguei pra todas as companhias de ônibus atrás dos preços e horários das passagens. Liguei também para o Conrado e o Gregório. Perguntei para eles os preços dos ingressos da Fenasoft, que podiam ser comprados na hora, e aproveitei para convidá-los para assistir ao primeiro dia de gravação dos Schuzz, o que eles aceitaram de imediato.

Chegando no estúdio para o primeiro dia de gravação, encontrei o Cláudio e também Conrado e Gregório. Junto com eles, Pâmela e Vinicius se agarrando lascivamente como se o mundo fosse terminar no dia seguinte.

Só aí que eu fui entender: na festa, o Vinicius e a Pâmela só ficaram, mas nos dias seguintes eles se encontraram de novo e começaram a namorar. Como ela gostava mesmo da banda, ele também a convidou para assistir à gravação.

Era uma novidade que um de nós tivesse uma namorada acompanhando um momento daqueles. Ainda mais junto com a família. Enquanto o Cláudio e o Vinicius testavam os timbres da bateria e da guitarra, fiquei conversando com o Gregório e o Conrado. Contei pra ele das passagens de ônibus, falei que provavelmente conseguiria ir pra Fenasoft e perguntei se a gente não poderia ir junto.

– Olha... – começou o Gregório. – A gente contou de você pra nossa mãe, e ela falou que, se quiser, pode ficar hospedado lá em casa.

Isso estava ficando bom demais! Esses caras, que eu tinha acabado de conhecer e já tinham ajudado muito, dando dicas de São Paulo, e que sem querer colaboraram ainda mais me contando sobre a Fenasoft, e que ainda tinham uma prima superlegal, estavam também me oferecendo um lugar pra ficar! Eu resolvi nem questionar muito. Aceitei a oferta!

Depois da primeira sessão de gravação – em que gravamos só as guias das guitarras e voz –, fomos ao Sky's comer um sanduíche e combinar a viagem. Fiquei de ir junto com eles naquele fim de semana mesmo e ficar lá por cinco dias. Eles ainda estariam de férias e curtiriam me mostrar a cidade. O Gregório ainda se comprometeu a comprar minha passagem junto com a deles, para eu reembolsá-lo depois. Eu não teria nem que ir até a rodoviária pra isso. Tudo tinha se encaixado para eu viajar. Quer dizer, quase tudo. Faltava combinar um pouco mais com a Patricia.

Encontrei com ela on-line mais tarde naquela noite. Estava exausto do dia, mas precisava saber o que tinha acontecido em Campinas.

– E aí? Você foi de mochila dessa vez?

– Hahahaha. Não.

– Como foi com o Bernardo?

– Ah... Foi legal. A gente se encontrou e foi almoçar no mesmo shopping.

– Legal, e o que mais?

– Ah... Não teve muito mais. A gente ficou conversando...

– Sobre o que vocês conversaram?

– Ah...

Sim, todas as frases começavam com "Ah...". Achei estranho também. Ela continuou:

– A gente... não tem muito o que conversar. Na internet, a gente conversava sobre as diferenças das nossas vidas. Como era morar em São Paulo e em Campinas... A vida dele trabalhando com o pai, e a minha ajudando a minha mãe... Essas coisas.

– E ao vivo não dá pra falar dessas coisas?

– É que não tem muito o que falar. Ele ficava falando das coisas que ele quer ter, sabe? Ele é muito focado nisso. Virar chefe e comprar coisas.

Senti uma abertura. Conhecia essa sensação e aproveitei a oportunidade:

– Sei. Eu tinha isso com a Andressa às vezes. Ela gostava muito de falar de coisas caras, coisas de luxo, e eu ficava meio perdido.

– Exato. Não que eu não saiba do que ele está falando...

– Eu sei. Mas é que parece só uma lista. Não é pela diversão.

– Isso! É isso aí! – ela escreveu.

– Nós dois, por exemplo, a gente fala sobre músicas do Whitesnake regravadas nos anos 80. Não tem um objetivo. É só porque é algo que a gente curte. É só pela curtição.

– Isso! Com ele, não tem curtição. É só plano!

Ela parecia bem feliz de estar sendo entendida. Eu, então, compartilhei minha experiência:

– Foi isso que eu saquei quando a Andressa foi embora do show sem ouvir a música. Não teria feito diferença se ela tivesse ouvido. Ela podia até gostar do gesto, mas a música não diria muito pra ela. E isso pra mim era o mais importante.

– ...

– Depois do show, enquanto o Vinicius estava voando para a morte, eu estava sentado na calçada pensando exatamente sobre isso. Fato é que eu nunca tinha gostado dela de verdade. Achava ela bonita, mas gostava de um personagem que eu tinha idealizado e no qual eu estava tentando fazê-la se encaixar. Porque ela era bonita, porque ela usava camiseta dos Ramones e parecia que isso funcionaria. Mas no fim era até feio o que eu estava fazendo. Era um pouco o que o Thiago fez com ela também no começo do namoro e, agora, ele percebeu o quanto isso é errado. É quase cruel. – Eu tinha contado pra ela os últimos acontecimentos entre eles dois.

Ela ficou um bom tempo sem escrever.

– Você está aí? – perguntei.

– Estou. É que eu estou pensando – ela respondeu, e parou de novo.

Depois de alguns segundos ela continuou:

– Pensei sobre o que você falou de ser conveniente. Isso acaba contando, né? Ele mora aqui perto.

Na hora eu não percebi, mas acho que ela comparou o Bernardo comigo.

– Fiquei pensando no que você disse de ser errado e cruel. É um pouco isso mesmo. Querer que uma pessoa se molde aos seus interesses. É cruel mesmo.

Ela parou de escrever. Eu também. Não sabia o que falar. Senti que havia uma abertura, mas não sabia como usá-la e não quis estragar. Depois de algum tempo ela voltou:

– Tô supercansada e amanhã eu tenho que estar de pé bem cedinho. Falamos depois?

– Eu também. Mas queria te contar que minha viagem está confirmada. Semana que vem estarei aí. Vou ficar na casa dos meus novos amigos e vou à Fenasoft.

– Que legal! A gente vai finalmente se ver! Tô ansiosa!

De novo! Foi tão fácil! Por que eu não tinha feito isso desde o início?

– Desligando... Nos vemos amanhã. Bj – escreveu, encerrando a conversa.

– Beijo.

Só na manhã seguinte eu falei com meus pais sobre a ida pra São Paulo. Como eu só precisava arcar com a passagem de ônibus e o ingresso do evento, acho que ficou mais barato do que eles estavam esperando. Consegui até um dinheiro extra para "emergências". Com isso, a viagem estava oficialmente confirmada, e agora faltavam poucos dias. Por sorte, eu tinha a gravação da demo para me focar e foi o que fiz.

Quando cheguei no estúdio, encontrei o Vinicius e a Pâmela se pegando com vontade. Era quase como se eles só conseguissem respirar se estivessem fazendo boca a boca um no outro. Ela era apaixonada por ele, tinha uma atitude de groupie declarada e com orgulho. E ele, desde o acidente, tinha uma postura de ser mais evoluído, como o Neo depois que aprendeu a controlar a Matrix. Era bonito de ver.

Eu estava orgulhoso de estar bem ensaiado e achava que seria uma sessão fácil, mas o novo Vinicius não gostava de coisas fáceis.

– Fiz uma música nova – ele disse, com o seu olhar sereno de ser superior.

– Que legal! Me mostra depois das gravações – disse, tentando nos manter concentrados no que estava combinado até ali, mas já sabendo que não ia rolar.

– A gente vai tocá-la agora, para já entrar na demo. É pesada. É a nossa homenagem ao Pantera. – Nessa fase de ser um guitar hero, ele estava focado em aprender todas as técnicas do Dimebag Darrell.

A música era pesada mesmo, bem heavy metal e até um pouco dark, o que a fazia destoar das outras. Mas ninguém queria discutir com o Vinicius assertivo, que tinha tudo sob controle. E eu só tinha basicamente que tocar uma nota durante a música toda, então acatei. O Cláudio é que estava sofrendo para fazer um arranjo de bateria...

Esta é a música:

NABUCO

Quero morrer sob os olhos da coruja
Entre os seios de Afrodite consertar minha loucura
Andar pra trás porque a luz vem de trás
Estando tão dividido quando eu preciso estar unido
Eu sei que o mundo só pune quem merece ser punido
Querer sofrer por ser humano demais

(Refrão)
E quando menos se espera eu viro o jogo
Comigo é dente por dente, olho por olho
A faca é de dois gumes
Lamentar que a mesma arma que combate o inimigo me machuca
Com as feridas que não param de sangrar

Procurando a cura eu vi que a vida não tem bula
Ela é o melhor remédio pra limpar minha mente suja
Eu tenho tudo mas preciso de mais
Estando tão indeciso querendo uma solução
Quando eu olho pro céu eu não espero mais perdão
Não sei por que mas eu preciso de mais.

(Repete refrão)

Já não me importo mais.
Mas quem diria que eu achava que em mim só eu que
mando
Mas alguns sentimentos fogem do controle humano
Quero voltar porque a luz vem de trás
Quero sofrer por ser humano demais
Mas quando os sinos badalam o sexto toque anuncia
Minha princesa entrega a carta de alforria
Eu tenho tudo mas preciso de mais
Não sei por que mas eu preciso de mais!

O acidente realmente tinha mexido com o Vinicius!

Ao longo dos três dias de gravação a que tínhamos direito, gravei baixo e vocal. Deixamos para o final todas as camadas de guitarra que o Vinicius queria fazer, e eles ficaram de participar das mixagens com os engenheiros de som na semana seguinte, quando eu já estaria em São Paulo. O Vinicius estava tão focado e tão afiado que dava pra deixá-lo fazer tudo sozinho. Só precisaria de alguém para separá-lo da Pâmela de vez em quando. Deixei essa missão para o Cláudio. E, antes de eu partir, tomamos mais uma decisão.

– Não acho que vai dar tempo de mixar todas as músicas. Devíamos deixar uma por último – disse o Vinicius.

– Devíamos tirar "Nabuco", que destoa muito das outras três – votou o Cláudio.

Mas eu intervim, pois sabia que precisava fazer uma coisa, e essa era a chance.

– Vamos tirar "Aprender a Voar". Não tem mais nada a ver tocar essa música.

Eles discordaram a princípio, então combinamos que ela ficaria por último. Se sobrasse tempo, faríamos pelo menos uma pré-mix dela, para não perdermos o que gravamos.

E, com isso, eu me despedi do Cláudio e do Vinicius. E da Pâmela também, que agora era parte integrante do Vinicius, quer dizer, do grupo. Apesar de ainda faltarem dois dias para a viagem, eu não os veria mais.

– Encare a rampa e desça. Se cair, vai doer, mas você sairá de lá mais forte – me aconselhou o Vinicius, prova viva de que isso realmente acontece.

– Você é um rockstar. Não esqueça disso em nenhum momento – disse o Cláudio, me abraçando.

– Tchau, Cláudiom – respondi, imitando o Silvio Santos. E também o Pablo Prado.

Dois dias depois eu estava entrando em um ônibus para encarar catorze horas de viagem rumo ao desconhecido. Carregava uma mochila, meu violão e um discman cheio de CDs, e estava junto de três companheiros de viagem: meus novos amigos, Conrado e Gregório, e a mãe deles, a Tia Marlene. Chegaria em São Paulo e iria para a casa deles. Passaria uma semana com essa família que eu tinha acabado de conhecer, mas que tinha me acolhido.

A viagem era diurna e passamos as primeiras horas conversando. Contei toda a história da Patricia, mas já sem todas as restrições que eu mesmo colocava. Contei que éramos só amigos no começo. Que eu relatei minha vida inteira pra ela e que julgamos e resolvemos cada situação pela qual passei. Que ela me dava dicas de como conquistar as meninas que davam certo. Que ela não falava muito de si mesma, mas um dia me ligou. Que eu saquei que já estava apaixonado por ela havia muito tempo, mas não tinha coragem de admitir. Que no começo era calmo e feliz, mas que, depois que ela me contou que estava gostando de outra pessoa, era doído e triste. E que ela me deu esperanças nas últimas conversas. E que eu nunca a tinha visto, mas não tinha mais medo de ela não ser quem ela dizia ser. E que agora eu estava naquele ônibus, indo pra São Paulo, sem nem ter a certeza de que eu ia mesmo encontrá-la ou se ela ia querer ficar comigo.

Óbvio que, ao final da história, o ônibus inteiro estava virado pra mim e me dando dicas de como falar com a Patricia: "Leva flores!"; "Escreve a plaquinha e a espera na porta da faculdade!"; "Vá encontrá-la no Parque do Ibirapuera"; "Não, no Museu do Ipiranga!", "Não, no Terraço Itália". A maioria estava querendo colaborar, mas também ouvi uns "Tomara que seja um marmanjo!" ou "Cala a boca que eu quero dormir!".

– Essa é a história de amor mais linda que eu já ouvi. É claro que vai dar certo! Você é um menino de ouro! – disse a Tia Marlene, desde esse momento, minha tia pra sempre.

– Eu achava que você realmente queria ir pra Fenasoft, mas parece que está mesmo é amando! – falou Conrado, só então entendendo a história toda.

Depois de falar por quase metade da viagem, tentei dormir um pouco. Às vezes, enquanto eu olhava a paisagem passando rápido pela janela, tocavam umas músicas no discman que pareciam trilha sonora de filme. Parecia que alguém estava me assistindo e que eu estava num caminho sem volta. Como "Long As I Can See the Light", do Creedence:

> Pack my bag and let's get moving
> 'Cause I'm bound to drift a while
>
> Though I'm gone, gone
> You don't have to worry, no
> Long as I can see the light

> Fazer as malas e vamos embora
> Porque eu estou destinado a vagar por um tempo.
> Embora eu tenha ido embora
> Você não precisa se preocupar
> Enquanto eu conseguir ver a luz.

Quando tocou "1 de Vocês", do Pato Fu, tive que segurar o choro:

> Eu só queria saber
> Como alguém se perde
> No meio da cidade
> Que sempre quis conhecer
> Eu te conheço eu sei
> Hei, hei, eu tô perdido eu sei...

O Conrado viu e me cutucou:

– Cara, você tá amando... – disse, tentando aliviar o clima.

Eu fiquei o resto da viagem repassando o cronograma dos próximos dias na minha cabeça. Falaria com ela assim que chegasse na casa de Gregório e Conrado. Combinaria no dia seguinte um lugar para nos vermos. E torceria para ela topar. Fiquei pensando em vários cenários. Às vezes, eu dormia e sonhava que tudo dava errado, ou que tudo dava certo.

Acordei chegando em São Paulo, no Terminal Rodoviário do Tietê. Tinha uma longa viagem ainda de metrô até a estação Saúde. De lá, mais um ônibus até a casa dos meus amigos. Já eram quase duas da manhã quando chegamos. Eu quis correr para o computador para já combinar com a Patricia como poderíamos nos encontrar.

– A gente não tem computador.

Ok, só mais uma vez, prometo:

O QUÊ? COMO ASSIM?

– Como assim você não tem um computador, Gregório? – perguntei, incrédulo.

– Eu vendi. Vou comprar outro amanhã na Fenasoft. Calma, vai dar tudo certo! – disse, sempre de bom humor e achando tudo engraçado.

Eu não tinha outra coisa a fazer senão dormir. A Patricia nem sabia que eu já estava em São Paulo, e não saberia até a gente ir à feira, comprar um computador, instalar e, aí sim, talvez eu conseguisse mandar um e-mail.

– Tá bom – me resignei. – Vamos amanhã logo cedo?

– Vamos! – disse o Gregório. – Mas só abre às duas da tarde! – falou e soltou uma risada.

– Ok, mas vamos nos programar para chegar lá às duas! É perto daqui? – perguntei, na esperança que desse pra ir a pé.

– Sim, é pertinho. É lá do lado do Terminal Rodoviário do Tietê, de onde a gente acabou de vir! – respondeu, dando risada de novo. O trajeto tinha levado duas horas.

Mas era a única saída. No dia seguinte, ao meio-dia, eu estava apressando os dois para a gente ir logo. Eles estavam sendo legais e querendo ajudar, mas não deixavam de fazer piadas. A cada meia hora, o Conrado perguntava:

– Cara, mas... Você tá amando? – E os irmãos caíam na gargalhada.

Pegamos um ônibus até a estação Saúde e um metrô até a estação Tietê. Ficamos um tempão esperando uma van da Fenasoft, que teoricamente nos levaria de graça até o Pavilhão de Exposições do Anhembi, mas, como ela nunca chegava, resolvemos pegar uma lotação. Chegando lá, enfrentamos uma fila enorme pra comprar as entradas. Afinal era o primeiro dia... Depois, outra fila enorme para entrar.

O lugar era gigantesco. Parecia uma cidade de estandes e quiosques vendendo computadores, acessórios de todos os tipos e comida. Tinha todos os tipos de demonstrações, brindes e interações. Eu queria ver as palestras para pelo menos poder dizer que eu tinha aprendido alguma coisa, mas, quando a gente viu o tamanho do lugar, desistimos.

Resolvemos nos dividir para pedir cotações. Cada estande era uma loja e oferecia sua própria configuração de computador, sempre cheia de brindes, o que tornava muito difícil comparar umas com as outras.

Ficamos horas andando, sendo abordados por vendedores, fazendo orçamentos e, quando decidíamos não comprar, éramos quase ameaçados de morte.

Já dava pra ver que anoitecia quando o Gregório finalmente conseguiu uma oferta satisfatória em um Pentium II de 64MB de RAM. Voltamos pra casa de táxi, carregando todo o equipamento, exaustos depois de toda a andança. E ainda teríamos que chegar e instalar tudo para eu, finalmente, mandar um e-mail para a Patricia.

Por sorte, Conrado e Gregório estavam empolgados com o computador novo e quiseram montar tudo logo que chegamos. Eu fiz o possível para ajudar. Além de ter que montar fisicamente tudo – torre com cabos, placas, estabilizador, tomadas, linha telefônica –, ainda tinha que instalar o Windows 95 e um monte de programas e drivers. Era um trabalho quase artesanal e que nem sempre dava certo. Já era madrugada quando a gente finalmente conseguiu conectar. E o Gregório me deixou consultar meu e-mail. Só aí senti que tinha finalmente chegado ao meu destino.

Na minha caixa de entrada, vários e-mails da Patricia tentando fazer contato. Ela disse que chegou a pensar em sair para me ligar, mas não tinha o telefone da casa deles. Eu mandei um e-mail com o telefone e propus um encontro na Galeria do Rock no dia seguinte, logo depois do almoço. Fui dormir, exausto, enquanto Gregório e Conrado continuaram instalando programas na máquina nova.

No dia seguinte, quando acordei, os dois me olharam com cara de más notícias:

– O modem parou de funcionar – disse o Gregório, sem rodeios.

Com isso, não tínhamos como confirmar se a Patricia tinha visto meu e-mail ou não e se tinha aceitado me encontrar.

– Vamos pra lá de qualquer jeito. Se ela aparecer, ótimo! – falou o Conrado, animado com o passeio.

Sem ter muito o que fazer, fomos. Em Brasília, havia algumas lojas alternativas de discos no Conic, mas nada era igual à Galeria do Rock. Entramos loja por loja. Vi todos os tipos de discos europeus, bootlegs e até fitas VHS piratas de shows, todas raríssimas em Brasília. Não tinha muito dinheiro, mas comprei os discos do NOFX que o Vinicius tinha me encomendado. Ficamos um tempão vendo camisetas, discos e acessórios, sempre olhando para os lados, para checar se de algum jeito, magicamente, a Patricia apareceria. Talvez ela me reconhecesse pelas fotos. Mas eu não sabia como ela era. Só quando já não tinha mais nenhuma loja para ver, nenhuma outra desculpa para matar tempo por lá, desistimos e fomos embora. Eu já começava a me conformar com a ideia de que talvez não fosse conseguir vê-la.

Chegando em casa, a Tia Marlene veio falar comigo, ainda na porta da cozinha, por onde entramos:

– Meu anjo, a Patricia te ligou – ela falou, como se isso não fosse um evento raro.

– O quê? Ela ligou? O que ela disse? A que horas? O que vocês conversaram?

– Eu disse que vocês tinham ido para a Galeria esperar ela por lá, mas ela disse que não poderia ir.

Eu baixei a cabeça esperando que esse fosse o fim de tudo. O Conrado me deu um abraço e uns tapinhas nas costas. Mas Tia Marlene continuou:

– Ela deixou um telefone e falou pra você ligar. Fez questão de dizer que você pode ligar a qualquer hora e que, se eu não mencionasse isso, você não ligaria. – E me deu um papel com o telefone anotado, já passando o aparelho sem fio pra mim.

Fiquei nervoso. Ela nunca tinha me dado autorização para ligar pra ela. O que será que tinha acontecido?

Os três começaram a me apressar:

– Vai! Liga logo! Tá esperando o quê? – ficaram gritando e esperando na minha frente.

Liguei.

Na hora em que ela atendeu, me sentei, e a Tia Marlene puxou os dois filhos pra fora da cozinha.

– Alô. – Reconheci a voz dela, mas não tinha certeza. – Por favor, a Patricia?

– Sou eu! Oi, Guga! Que legal que você ligou! Você está aqui? – perguntou, como se isso fosse uma coisa corriqueira também.

– Estou. Tô tentando falar com você há um tempão. Pode falar?

Ela podia. A mãe dela fora ao hospital acompanhar uma tia, que faria uma cirurgia. E ela estava sozinha em casa com os irmãos. Por isso tinha conseguido me ligar.

– Que sorte. Quer dizer, não pra tia da sua mãe – falei, tentando não parecer muito mal-educado.

– Ela está bem, vai ficar tudo bem. Mas que bom que a gente pode falar.

Não sendo uma ligação interurbana, não estando em um orelhão, conversamos por vários minutos pela primeira vez. Contei pra ela a saga pra chegar em São Paulo, pra comprar e montar o computador. Contei do passeio na Galeria.

– Que legal! Poxa, queria ter ido com você!

POR QUE VOCÊ NÃO FOI, CARAMBA?

– Por que você não foi? Fiquei um tempão pensando que você podia chegar, mesmo não sabendo como você é.

– Não deu, precisei ficar com meus irmãos.

Permanecemos em silêncio por um tempo. Eu já não sabia mais o que falar.

– Mas olha... – ela retomou a conversa. – Que tal se você viesse aqui? Hoje à noite?

– Como assim aqui? Na sua casa?

– É. Minha mãe não está. Meus irmãos estão jogando videogame com os amigos. Eles não vão nem te ver. E, se virem, tudo bem.

Acho que o fato de eu estar na cidade e de a mãe dela não estar em casa deram pra ela uma dose de coragem.

– Eu vou. Me dá o endereço que eu vou.

– Me dá você seu endereço e eu vou te buscar. O que você acha?

Eu não queria discutir. Só aceitei. Depois de combinarmos mais alguns detalhes, passei o telefone para o Gregório, que a ensinou a chegar lá. Não era muito longe, mas não era um caminho fácil.

Fiquei um pouco nervoso, porque de repente, do nada, ela ia chegar. Fui correndo tomar banho, trocar de roupa e me preparar. Enquanto eu pegava minhas coisas na mochila ainda deu tempo de o Conrado falar mais uma vez:

– Cara... Você tá amando?

* * *

Fiquei um tempão esperando à porta. Cada carro que passava mais devagar eu achava que era ela. Demorou demais, porque o caminho era realmente complicado, até que um Fiat Elba preto se aproximou devagar e parou na frente da casa. Era ela.

Tia Marlene, Gregório e Conrado me olhavam fascinados, na torcida para tudo dar certo. Me abraçaram e eu saí pela porta, carregando meu violão, como se eu estivesse indo para o show da minha vida. Ela desceu do carro para me abraçar. Foi quando eu a vi pela primeira vez.

Embora a gente nunca tivesse se visto, ela já tinha descrito algumas características físicas. Olhos grandes e verdes, como os meus. Cabelo escuro e cacheado. Estava de calça jeans, suéter e botas de salto alto. Ela era linda, mas o mais marcante é que ela era... como eu imaginava. Foi estranho porque, ao mesmo tempo que nos víamos pela primeira vez, era como se sempre tivéssemos nos visto. Foi como o telefonema de horas antes. Parecia uma coisa normal, pelo histórico de conversas que existia entre a gente.

A gente se abraçou apertado. Ficamos assim um tempo, como se estivéssemos compensando por todos os abraços que a gente não tinha podido dar. Depois eu fiquei parado, olhando para ela. Ela ficou colocando a mão em mim, no meu rosto, nos meus braços. Como se estivesse checando se eu era de verdade.

Não tínhamos falado nada ainda. Nem uma palavra. Nem um "oi". Isso a gente tinha demais. O que a gente precisava era se encostar. Respirar o mesmo ar. Só depois de fazer isso por algum tempo é que ela me falou as primeiras palavras que me disse pessoalmente:

– Você é muito alto!

Rimos, e eu dei a volta para entrar no carro. Vi ainda os meus três anfitriões assistindo à cena da janela, sorrindo. Eles fizeram gestos de torcida pra mim e fomos embora.

Dentro do carro foi muito esquisito. Eu não conseguia falar nada. Ela sorria, mas não de nervoso. Ela tinha o controle da situação. Eu é que estava bastante desconfortável. Comecei a pensar em todas as vezes que eu tinha estado em situação semelhante. Estar do lado da menina de quem gostava, precisando falar alguma coisa e totalmente incapaz de agir. Comecei a me sentir como indo pra um show. E chegar na casa dela seria como subir no palco. Teria que pegar o microfone e conquistar o público.

Pensei em todas as vezes que eu fizera aquilo. No show com os Lactobacilos Vivos no colégio do Nando. Na semana cultural do Colégio Península. No show para ninguém na UnB e para quase ninguém no La Revolución. Pensei também nos que deram certo. Quando eu pulei na plateia e fiz *crowd surfing* cantando com o Mr. Moustache. Quando tocamos "Smells Like Teen Spirit" no primeiro show no Teatro Garagem. E em Trinidad e Tobago. Quando tocamos "Hey", "Pão Light" e "Aprender a Voar" no último show. Eu conseguiria. Eu era capaz. Se isso fosse como um show, então eu daria conta.

Enquanto eu pensava essas coisas, ela me mostrava um pouco a cidade – como estávamos andando dentro de bairro, não havia muito o que mostrar –, mas ajudava a quebrar o silêncio. O dela. Eu devo ter ficado calado o tempo todo. Quando passamos na frente do Museu do Ipiranga, ela apontou para o parque iluminado e me falou:

– Esse é um dos meus lugares preferidos de São Paulo. Se der tempo, posso te trazer aqui.

– Você não tem que ir pra Campinas? – perguntei, aproveitando a chance.

– Não vou mais – respondeu, sorrindo.

– Como assim? Não vai mais nunca mais ou não vai mais dessa vez?

Ela respirou, como que ensaiando uma resposta mais elaborada, mas entendeu o que eu realmente queria saber.

– Não vou nunca mais.

Era uma boa notícia, porém, me deixou mais nervoso ainda. Era como se a banda de abertura desse show tivesse se saído muito bem. Agora eu teria que me superar. Teria que conquistar o público no primeiro acorde, na primeira música.

Enquanto ela continuava a me apresentar a cidade, fui pensando em tudo que eu tinha aprendido. Em como precisava ser sincero. Como podia não ser dramático. Como não precisava de um grande discurso. Era mesmo como um show. Só precisava colocar todo o meu coração na música e ela falaria por si.

Chegamos e estacionamos o carro. Era agora. Eu ia entrar e finalmente ter um momento com a garota de quem sempre gostei. Com a garota que eu idealizava todas as vezes que estava apaixonado por alguém. Sempre que isso acontecia, eu queria, no fundo, que esse alguém fosse a Patricia. E ela estava ali, na minha frente. Me levando para o quarto dela.

Passamos pelos irmãos dela que jogavam videogame na sala. Ela anunciou que tinha chegado e me apresentou, mas eles nem se viraram pra olhar. Subimos as escadas em direção ao quarto dela, o que me fez pensar mais ainda na sensação de estar subindo num palco. Podia sentir a luz brilhando lá na frente. A galera em silêncio esperando. Podia ouvir meus passos. Eu imaginei alguém anunciando: "Senhoras e senhores...". E então pensei que eu estava ali com o meu instrumento. E que eu tinha uma canção pra tocar.

No quarto, sentei na cama como se estivesse sentando na frente do microfone em um show acústico. Empunhei meu violão e afinei. Ela só olhava pra mim, sorrindo. Acho que percebeu que eu tinha algo preparado. Olhei em seus olhos. Só estava ela ali, mas pra mim era como se eu estivesse num estádio lotado. Todo mundo me vendo. O Cláudio e o Vinicius. A Andressa, o Thiago, a Aline, a Kimberly e a Jéssica. A Bruna e a Luana. O Rodrigo, o Filipe e o Nando. O Pablo Prado. O Celsão, a Samantha e o Outro Gustavo. A Tatiana, a Bárbara, a Shana, a Michele, a Andrea, a Cecília e a Thaís. E, claro, a Tia Marlene, o Gregório, o Conrado e também a Pâmela. Até aquele vocalista do primeiro show que eu vi, imitando o Jim Morrison e vestido de Rob Halford, estava lá.

Eu encarei todos eles de frente e sorri, agradecendo por estarem ali. Porque esse seria o momento que faria tudo valer a pena. Eles estavam no passado. Esse aqui era o meu presente. E o futuro estava combinado. Foi combinado durante noites e noites de conversa no ICQ. A vida inteira combinada. E essa vida podia começar ali, naquela hora. Só dependia de eu soltar a primeira nota. Arranhei a garganta. Contei 1, 2, 3, 4 e toquei a música que eu tinha feito pra ela. Aquela música alegrinha, que eu tinha até vergonha de tocar de tão feliz, que eu fiz na primeira vez que ela me ligou:

SE...
Se eu imaginar que já te vi
Pode ser que o mundo vire de ponta-cabeça
Pode ser que eu me esqueça da tristeza que a vida às
vezes traz.
E se eu acreditar no que eu ouvi
Coisas estranhas parecerão normais
E não é pedir demais
Às vezes sonhos se tornam reais
E se eu puder
Te encontrar
O mundo inteiro vai parar
Pra ver a gente se perder
E te sentir
E te tocar
E te tirar desse lugar
E te levar pra onde é possível o que se imaginar.

Nunca terminei a música, por isso ela ficou curtinha. Quando parei de tocar, não teve aplauso. Não havia mais uma plateia lotada. Éramos só eu e ela.

Ficamos nos olhando. E foi como se estivéssemos repassando, mentalmente, tudo que iria acontecer dali pra frente. Tudo que conversamos.

Casamos e tivemos um filho ali. Arranjamos emprego. Compramos casa, carro e comida no supermercado. Ficamos doentes, ficamos de cama em casa, fomos pro hospital e saramos. E ficamos animados, fomos passear. Fizemos festas. Ficamos felizes e ficamos tristes. Moramos em São Paulo, em Brasília e pelo mundo. Viajamos. Fizemos muitos amigos. Tivemos brigas e fizemos as pazes. Fizemos tudo naquele instante. Em segundos. Só com o olhar. É claro que a gente se beijou. E nesse beijo colocamos tudo no seu devido lugar. E combinamos de ficar juntos pra sempre. E a gente ficou.

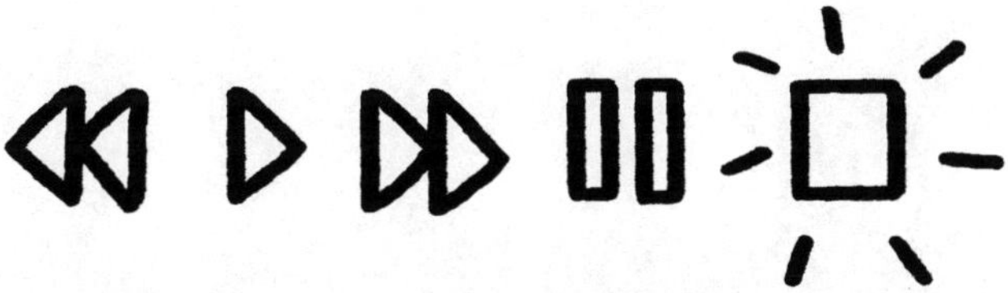

AGRADECIMENTOS

Este livro foi dedicado, lá no início, ao Eric e à Patricia, mas faço questão que os nomes deles sejam os primeiros desta página também.

Este livro começou como uma história contada em áudio, no podbook *Como Ser um Rockstar*, que eu gravei com o Eric. Ele perdeu horas de sono e diversão da sua própria vida para me ouvir falar da minha. Me aguentou preocupado, cansado e chato durante todas as tentativas de fazer esse projeto sair. Sempre esteve presente, sempre com um sorriso no rosto, disposto a ajudar e fazer parte, sem nunca pedir nada em troca. Tenho muita sorte em ter você, cara! A Patricia também contribuiu com ideias, apoio, inspiração e paciência. E ela é a razão de este livro ter um final feliz.

Cláudio e Vinicius também serviram de inspiração pra grande parte dessa história e se deram ao trabalho de ler, comentar e criticar o manuscrito. Cláudio e Vinicius, vocês são meus heróis. São meu guitarrista e baterista preferidos do mundo todo, e é um privilégio enorme fazer parte da banda de vocês.

Rodrigo: sem ele essa história simplesmente não existiria. Ele também leu e comentou o manuscrito comigo. Rodrigo, você continua sendo o cara mais legal do mundo.

Rafael Mafra, como em toda a minha vida, esteve disponível sempre que eu precisei. Leu, criticou e contribuiu imensamente para essa história. Vou passar a vida tentando fazê-lo ter um irmão tão legal quanto eu tenho e nunca vou conseguir.

Essa história também não teria sido escrita sem a ajuda do Fábio Yabu, que sempre me ajudou a encontrar caminhos entre excesso de advérbios, adjetivos e falta de diálogos. Beto Aragão, amigo e editor do Gugacast, contribui não só com seu trabalho de soundesign para o podbook como também para a organização de ideias e conversas, e assim ajudou a viabilizar esta obra.

Deive e Andreia Pazos, Alexandre e Agatha Ottoni, e toda a família Jovem Nerd, da qual eu orgulhosamente faço parte. Anderson Chamon e Paulo Silveira, por todos os aconselhamentos e consultorias grátis. Daniel

Lameira, que ouviu, entendeu e nunca deixou o projeto de lado até ele encontrar uma casa. Mariana Rolier e André Palme acreditaram e apostaram todas as fichas deles nesse projeto desde o começo!

Giovanna Cianelli, que fez o logo, capa, identidade visual. Marianna Soter, que fez as locuções do podbook. Marcelo Delnero, Luciana Rosa e Paco, que me fazem ter saudade de casa permanentemente.

Karina de Pino, Pedro Duarte, Antonio Hermida, Fernando Schaer e todo o pessoal da Storytel. Julia Chagas e todo o pessoal da Alura. Luís Dias e todo o pessoal do PicPay. Todos os podcasts que se engajaram e me ajudaram a promover o podbook: os já citados Deive e Alexandre, do Nerdcast; Cid, do Não Ouvo; Liérson, do Xepa; Hugo e Thiago, do Tricô de Pais; Braian Rizzo, do Eu Tava Lá; Luide, do Rebobinando; Leila Germano, do Hoje Tem; Tony Aiex, do Tenho Mais Discos Que Amigos; Daniel Palis, do Formigueiro; Cris Dias, do Boa Noite Internet; Leo Lopes, do Radiofobia; Rafael Moran, do Financast; Éder Monteiro, do Movendo-se; Masaro Hoshi e os amigos do PoDeixar; Rômulo Konzen, do Crazy Metal Mind; Paulo Silveira, do Hipsters. Tech; Andrei e Ira, do Mundo Freak; Filipe Teixeira, do Ondem; Gabs Ferreira e Fabricio Carraro, do Carreira sem Fronteiras; Denis e Danilo, do Bola Presa; Caruso, GG, Helvis e Tiberio, do Podcrastinadores; Cauê Moura, do Poucas; Bruno, Evandro, Felipe e Juras, do 99Vidas.

Todos os amigos e parceiros que ajudaram com conselhos, apoio e bons serviços: Alexandre Maron, Beatriz Fiorotto, Bruno Almeida, Bruno Drummond, Bruno Motta, Carlos Merigo, Cris Bartis, Cris Dias, Denis Kim, Gabriela Frassinelli, Henrique Tsukamoto, Henry Canfield, Johnny Britto, Juliana Wallauer, Ken Fujioka, Leila Germano, Lucas Lyra, Luiz Higyno, Luiz Yassuda, Luquinhaz, Marcia Menezes, Marcos Piangers, Matheus Montero, Mayara Henriques, Orlando Marconi, Ricardo Alexandre, Rodrigo Tigre, Thiago Machado e todo mundo que, de alguma forma, ajudou o Gugacast e este projeto, mesmo que tenha sido só me ouvindo falar dele.

Edite Mafra, minha mãe, me ensinou a ler e escrever. Marcio Mafra, meu pai, me ensinou a colecionar livros. Olha aonde isso chegou! Obrigado :) Obrigado também às minhas irmãs, Flávia e Fernanda Mafra, que ajudaram a segurar a barra mais pesada que nossa família viveu, e que eu contei nesta história.

Às famílias do Cláudio e do Vinicius, e especialmente Nélida, Darcet e Lena, que sempre nos trataram como rockstars. E, claro, Nat, Clara e Caio, Lia e Vanessa. A Vanessa é sem dúvida a nossa fã número 1. Obrigado!

A todas as bandas que fizeram parte da nossa história: Anastusen Musen, Bois de Gerião, Cheese-up, Condição de Existência, Crepúsculo, Deceivers, Farrapo Joe, Ganza, Gramofocas, James Train, Móveis Coloniais de Acaju, Örb, Pangéia, Pioneiros da Borracha, Reality, SRM, Slug, Sunburst, Tatu Derrado. A Fabio, Poppa, Johnny e Erik, da Calle69, também a Marcelo "Marceylor Swift" Delnero e Bruno "Brunil Lavigne" Lancellotti, da Band of Girls, e todo mundo que um dia montou uma banda e fez um show em algum lugar. Uma banda tocando ao vivo é melhor que qualquer banda tocando na televisão. Obrigado por manter o rock vivo!

Este livro é baseado na minha história real, com personagens criados por mim, baseados em pessoas reais, mas com adaptações, alterações de nomes, locais, datas e algumas licenças poéticas para preservar a privacidade delas.

Duas curiosidades: por causa deste livro, finalmente aprendi a escrever Kubitschek. E, durante muitos anos, continuei colocando no meu currículo que eu compareci à Fenasoft.

Acesse comoserumrockstar.com. Lá estão todas as músicas, fotos e algumas curiosidades da história.

Confira o podbook *Como Ser um Rockstar*, para você me ouvir contando essa história para o Eric.

Obrigado a todo mundo que leu. Espero que vocês tenham curtido.

Ah, e não deixem de ouvir o Gugacast, onde temos histórias épicas e reais toda semana. Acesse gugacast.com para saber mais.

MÚSICAS

"Sal com Limão", composição do Reinhardt

"English Song", composição de Guga (com letra enviada por seu amigo Ricardo)

"Rebelde Sem Causa", composição de Roger Moreira

"Vento no Litoral", composição de Renato Russo, Dado Villa-Lobos e Marcelo Bonfá

"Hardcore #1", composição de Guga Mafra

"Tão Down", composição de Guga e Vinicius

"Surfin' Bird", composição de Al Frazier, Carl White, Sonny Harris e Turner Wilson Jr

"Heal Me", composição de Vinicius

"Pixie", composição de Vinicius

"Love Stinks", composição de Peter Wolf e Seth Justman

"Sad Little Bird", composição de Guga e Vinicius

"Pão Light", composição de Claudio e Vinicius

"Aprender a Voar", composição de Guga, Vinicius e Claudio

"Ziriba Boy", composição de Vinicius

"Nabuco", composição de Vinicius

"Long As I Can See the Light", composição de John Fogerty

"1 de Vocês", composição de John Ulhoa

"Se...", composição de Guga Mafra

As letras em inglês foram traduzidas livremente pelo autor.

Dedicado a Darcet Fernandes Madela (in memoriam).

...y eu percebesse no que ouvi
Pode ser que tudo vire de ponta cabeça
Pode ser que eu me esqueça
Das surpresas que o mundo as vezes traz

E se eu imaginar que já te vi
Coisas estranhas parecendo normais
E não é pedir demais
As vezes sonhos se tornam reais

E se eu puder te encontrar
O mundo vai até parar
Pra ver a gente se perder

E te sentir e te tocar
E te tirar desse lugar
E te levar pro onde é
possível o que se imaginar

COMO SER UM ROCK STAR

GUGA MAFRA

Quer ouvir mais um capítulo desta história,
narrado pelo próprio Guga Mafra?

Visite o site:
ComoSerUmRockstar.com/ConteudoExclusivo

Utilize este código exclusivo para acesso:

R0CK5T4RZRIDV

09991